LA NUIT OÙ DIANA
EST MORTE

www.lemasque.com

Denise Mina

LA NUIT OÙ DIANA EST MORTE

EST MORTE

Traduit de l'anglais (Écosse)
par Nathalie Bru

ÉDITIONS DU MASQUE
17, rue Jacob 75006 Paris

Titre original
The Red Road
publié par Orion Books Ltd (Royaume-Uni)

COUVERTURE
Maquette : We-We
Photographie : Marcin Klepacki / Arcangel Images

ISBN : 978-2-7024-4170-1

1

Rose Wilson avait quatorze ans mais elle en paraissait seize. Sammy disait que c'était dommage.

Elle était seule à bord de la voiture du jeune homme, dans une rue sombre du centre-ville bordée de boîtes de nuit et de pubs fermés. Dehors, le léger vent d'été remuait la fange d'un samedi soir, soulevant des papiers d'emballages, faisant rouler des canettes vides. Rose suivit des yeux le carton d'emballage d'un hamburger sorti de la pénombre d'une ruelle, qui avançait en crabe sur l'asphalte, mollement, vers le bord du trottoir.

Elle attendait que Sammy revienne et qu'il la raccompagne. La nuit avait été longue. Douloureuse. Trois soirées dans trois appartements différents. Avant, elle se croyait chanceuse de ne pas être à la rue, grelottante. Ce soir, en revanche, elle ne savait plus. Sammy était parti organiser les festivités de la semaine prochaine. Un petit pactole à la clé, lui avait-il dit, l'œil pétillant.

Rose laissa choir sa tête contre la vitre. Ils ne ramassaient pas beaucoup de fric, Sammy la menait en bateau. Elle ferma les yeux. Ils ne le faisaient d'ailleurs même pas pour le fric. Lui, ce qu'il voulait, c'était se faire aimer d'autres types, et il avait en sa possession quelque chose qu'ils convoitaient. Quant à elle, elle leur faisait payer ce qu'ils prenaient de toute façon. Mais tous les deux se pliaient quand même à cette petite mascarade, comme si son jeune âge rapportait gros. Si c'était moins lucratif qu'il l'avait promis, disait-il, c'était parce qu'elle faisait vraiment seize ans, mais bon, on s'en fichait, non ? Du blé, elle avait encore largement le temps de s'en faire. Ce n'était pas son âge qui intéressait ces types. Ce n'étaient pas des pervers. Rose était bien placée pour savoir qu'en faisant copain-copain avec une pauvre junkie sans cervelle qui avait six mioches dans les pattes, ils pouvaient de toute façon se servir sans avoir à débourser un radis. Les types à qui Sammy l'offrait étaient juste des types normaux. Des types qui appréciaient qu'elle soit jeune simplement parce qu'ils savaient que personne ne la croirait. Rien de plus facile que de faire taire une gamine.

Mais Sammy avait besoin de ces mensonges, il avait besoin de jouer les hommes d'affaires ou un truc comme ça. Il disait qu'il allait mettre le fric de côté, et que quand elle aurait l'âge, ils s'installeraient ensemble. Ce n'était que pour le fric et il l'aimait – ils s'aimaient. Il la regardait dans les yeux quand il lui disait ça, intensément, comme un hypnotiseur de cabaret qu'elle avait vu un jour au Pavillon.

Avant la mort de sa mère, Rose ne sortait jamais. C'était tout juste si elle allait à l'école. Elle ne pouvait pas laisser sa mère seule avec les petits parce qu'elle piquait toujours du nez avec une cigarette allumée au bec, laissait entrer n'importe qui dans la maison. Mais Rose était sortie cette fois-là parce qu'elle n'avait pas voulu faire faux bond à Ida. Ida T., c'était leur voisine à l'époque où ils habitaient la cité. Ida était sympa. Elle savait que des trucs ne tournaient pas rond chez eux, plus de trucs que d'ordinaire chez les gens. Ida trouvait que la mère de Rose lui ressemblait, sauf qu'elle avait tout un tas de gamins en plus, et elle se disait que ça lui ferait du bien de s'amuser davantage, de rire un peu. Elle avait acheté deux billets pour le spectacle d'hypnose, en fin de soirée. Mais lorsque Ida s'était présentée chez eux, la mère de Rose dormait déjà et ne semblait pas disposée à se réveiller, alors après lui avoir ôté son manteau, Rose y était allée à sa place.

8

Quand les lumières s'étaient éteintes au début de la représentation, l'hypnotiseur avait demandé à tous les spectateurs de joindre leurs mains comme s'ils priaient, avant de leur annoncer qu'elles étaient collées.

Dans la pénombre du théâtre, les mains minuscules de Rose s'étaient écartées facilement. Celles d'Ida aussi. Si bien qu'elles avaient cru à un ratage jusqu'à ce que les gens commencent à se lever, les mains en prière devant eux, escaladant genoux et sacs pour rejoindre l'allée centrale et se rassembler sur la scène, priant malgré eux, implorant le Tout-Puissant de leur offrir un peu de bon temps.

L'hypnotiseur leur donnait des ordres, leur faisait faire des trucs débiles et le reste du public se moquait d'eux. Il y en avait qui faisaient l'amour à des chaises, d'autres qui se mettaient torse nu, roulaient des pelles à des stars de ciné invisibles, alors que certains n'étaient même pas sous hypnose. Rose le voyait bien. Ils jouaient la comédie, juste pour faire les pitres sur scène, attirer l'attention sur eux ou un truc comme ça. Ils s'étaient tous mis d'accord pour mentir.

Quand Sammy la regardait intensément dans les yeux et lui disait que c'était pour l'argent, Rose faisait semblant d'être hypnotisée. Je t'aime aussi, Sammy. Mais dans la pénombre, ses mains se détachaient. Elle attendait le jour où elle pourrait le quitter, le jour où elle trouverait quelqu'un d'autre, quelqu'un à qui elle n'aurait pas à mentir. On a tous besoin de quelqu'un à qui s'accrocher, elle le savait.

Elle contemplait la rue bordée de pubs et de boîtes de nuit, où copains, cousins, sœurs et collègues s'étaient retrouvés pour la soirée. Ses frères et ses sœurs à elle avaient été dispersés un peu partout, adoptés par des familles différentes, en Angleterre. Ça n'était pas si vieux, pourtant elle avait déjà du mal à se rappeler correctement leur visage. La responsabilité, le poids qu'ils avaient tous fait peser sur ses épaules ne lui manquait pas. Elle avait assisté à leur départ, soulagée. Elle ne leur manquerait pas non plus, elle en était certaine. Où qu'ils aillent, ce serait mieux que l'endroit d'où ils venaient. Peut-être qu'ils s'en sortiraient bien, ailleurs, où tout était nouveau. Elle n'avait rien fait pour les retenir. À douze ans et demi, Rose était déjà trop âgée à l'époque pour être adoptée, elle le savait. Les gens voulaient des enfants tout neufs, pas des enfants comme elle.

Tous les autres avaient quelqu'un et ils ne se rendaient même pas compte de leur chance. Ils passaient la majeure partie de leur temps à geindre. Rose détestait entendre les gamins, à l'école, se plaindre de leurs parents, râler que quelqu'un exige de savoir où ils avaient passé la nuit, ou se mette en rogne s'ils rentraient couverts de bleus, empestant la gerbe ou le foutre.

Elle commençait à s'apitoyer sur son sort, se sentait sombrer. Une sensation qu'elle connaissait trop bien. Elle tombait au fond d'un trou, sans rien contrôler, sans pouvoir ralentir sa chute, car elle était trop épuisée, le matin pointait et elle savait qu'à son retour au foyer, elle allait passer un sale quart d'heure parce qu'elle avait découché. Elle réfléchit au tableau de service du personnel de nuit : c'était la nouvelle qui était de garde, la grande. Une femme. Elle ne pourrait même pas se servir de son stratagème habituel pour éviter de passer sur le gril : se mettre à poil pour obliger l'éducateur à sortir. Jamais personne dans l'équipe ne perdait son calme et Rose détestait ça. Jamais ils n'élevaient la voix, ne s'emportaient ou ne lui hurlaient dessus par amour. Sammy, lui au moins, il s'emportait et il gueulait. Il était soupe au lait, il passait d'un extrême à l'autre. C'était ça qui avait retenu l'attention de Rose en premier. Il l'alpaguait sur le chemin de l'école pour lui dire qu'elle était belle et, embarrassée, elle lui répondait d'aller se faire foutre. Le lendemain, il était de nouveau là à l'attendre, mais en colère cette fois, il lui lançait qu'elle se prenait pour une princesse, réveille-toi, ma cocotte, t'as le cul aussi gros que le quartier de Partick. Et vingt-quatre heures plus tard, il disait qu'il était désolé. Et ça avait l'air vrai, vu la tête qu'il faisait. Il voulait juste discuter. Il sentait qu'il y avait un truc entre eux, un lien, c'était pour ça qu'il revenait. Depuis la mort de sa mère, Rose vivait les yeux baissés. La première fois qu'elle les avait levés, c'était pour le baratin de Sammy.

10

Son humeur s'assombrissait, elle s'enfonçait de plus en plus bas, plus bas que la colère. Comme en écho, des souvenirs lui revenaient au hasard : elle, ôtant son pantalon dans un hall d'immeuble au milieu des sacs poubelles ; un bain d'eau sale couleur d'avocat, avec des brûlures de clope jaunes ; quatre hommes dans un salon, les yeux levés sur elle.

Jamais elle ne l'avouerait à son psychologue, mais elle se servait de certaines des techniques qu'il lui enseignait : elle fermait les yeux, prenait une grande inspiration et convoquait l'image de Pinkie Brown.

Pinkie et elle main dans la main, sa grosse pogne autour de sa petite main fluette. Pinkie touillant le repas dans une casserole. Pinkie dans leur petit appartement propret. Pinkie avec un bébé dans les bras, leur bébé, peut-être.

Ça portait ses fruits. La respiration et les images adoucissaient son humeur noire comme du goudron. Le psy soutenait qu'on ne pouvait penser qu'à une chose à la fois et qu'elle pouvait choisir à quoi. Pas facile, disait-il, mais possible.

Pinkie assis sur un canapé regardant un match de foot à la télé, en pantalon de jogging et torse nu. Pinkie, les cheveux coupés en brosse, se passant la main sur le crâne.

En vérité, elle ne connaissait pas vraiment Pinkie Brown. Deux ou trois fois, elle l'avait remarqué lors des bastons avec Cleveden, l'autre foyer du coin. Il se tenait à l'arrière, dominant tout le monde d'une tête. Il était différent. Il prenait les choses en main. Elle l'avait remarqué consolant un enfant en larmes en le tenant par le coude, son petit frère Michael, comme elle l'apprendrait plus tard. Il ferait un bon père, elle savait qu'il ferait un bon père. Deux fois il avait croisé son regard, la première fois dans la rue, l'autre devant le collège. Une fille au collège disait que Pinkie s'était renseigné sur Rose.

Pinkie Brown ne lui sortait plus de la tête et elle s'inventait des histoires à son sujet : Pinkie était son amour d'enfance. Ils avaient tous les deux grandi à l'assistance publique, d'accord, mais ils avaient le sens de la famille, comme les mères de ces gamines aux dents pourries, qui venaient apporter des bonbons à leurs filles à pied, de l'autre bout de la ville, pour économiser le prix du bus.

Dans l'histoire de Rose, Pinkie et elle avaient grandi ensemble. Sans jamais se trahir. Devenus adultes, ils s'étaient installés dans une petite maison coquette, avaient fait un bébé. Ils portaient des alliances assorties achetées chez Argos. Pinkie ne lui posait jamais de questions sur ses activités de jeunesse. Il comprenait, et puis elle gagnait bien sa vie. Peut-être qu'elle arrêterait tout quand elle pourrait, quand elle serait plus vieille. Peut-être qu'elle ferait des études et deviendrait assistante sociale, une très bonne assistante, pas comme la sienne, une qui savait vraiment ce qui se passait et qui pourrait empêcher que des trucs arrivent à des gamines comme elle.

Ça allait mieux. Une chaleur l'envahissait qui la faisait remonter à la surface, chassait la noirceur. Elle sentait s'éloigner la déprime. Elle se redressa pour sortir de sa torpeur et se mordit la joue afin de ne pas s'endormir. Il fallait qu'elle reste alerte parce qu'à son retour au foyer, l'équipe de garde l'emmènerait au bureau pour la cuisiner, essayer de savoir où elle avait passé la nuit. Elle ne devait rien dire concernant Sammy et les soirées avec les types. Sans quoi ces derniers la tueraient. Ils ne l'avaient jamais menacée, mais elle avait surpris leurs conversations. Rien de plus facile que de se débarrasser d'une fille que personne ne cherchait. Et l'équipe : elle ne voulait pas qu'ils apprennent l'existence de cet autre monde. Tous les gosses disaient qu'ils les détestaient mais en vrai, certains de ces éducateurs étaient gentils, ils voulaient vraiment aider. Elle n'avait pas envie de les décevoir.

Alors elle ouvrit ses yeux brûlants de fatigue, se redressa et se retrouva nez à nez avec le vrai Pinkie Brown.

Il sortait de la pénombre d'une ruelle, le long du ChipsPakoraKebab. Il la regardait fixement. Rose sentit dans sa gorge son pouls qui s'emballait. Il était venu, comme si l'avoir désiré l'avait par magie fait apparaître des ténèbres crasseuses.

Il sortit de l'ombre et s'approcha précipitamment de la voiture, sans la quitter des yeux un seul instant. À la lueur des réverbères, elle s'aperçut soudain que le devant de son T-shirt sombre était trempé, déchiré au niveau de l'ourlet.

Il ouvrit la portière côté passager. « Rosie la cruche Turnberry. » Il était hors d'haleine, la peau luisante de sueur et de panique. « Allez ! »

Folle de joie, Rosie sortit à sa rencontre, et c'est là qu'elle vit le rouge dans son cou, sur son avant-bras. Son T-shirt était couvert de sang.

Fermant la portière derrière elle, il l'entraîna vers le fond de la ruelle. De vifs relents d'urine perçaient la lourde odeur d'huile de friture.

— C'est ton sang ? demanda-t-elle, consciente que c'était la première fois qu'elle lui adressait réellement la parole.

— Nan, répondit-il avec un fort accent écossais.

La ruelle était sombre.

— Des gars du Drum qui nous ont sauté d'sus. Z'ont cassé la gueule à not' Michael.

Le gamin qu'il avait consolé : son frère. Il tenait à cet enfant.

— J'sayé de les empêcher.

— C'est un autre foyer ? demanda-t-elle.

— Nan.

Il posa les yeux sur elle, pour voir si elle comprenait. Et elle comprenait. Quand des bandes pas-des-foyers débarquaient, c'était pour s'en prendre à tout le monde. Pour eux, Cleveden et Turnberry, c'était du pareil au même, ça ne voulait rien dire. Juste de la racaille des foyers. À qui on ferait porter la faute quoi qu'il se passe et ils le savaient.

— Rose...

Pinkie lui tendit quelque chose.

— Tu me prends ça ?

Pas une alliance achetée chez Argos. Il tenait dans sa paume ouverte un poignard Rambo, lame courbe, dents irrégulières. Le manche était couvert d'adhésif en toile gris argent, imbibé de sang.

— Coince-le dans ta chaussette et j'vindrai le chercher plus tard, ouais ?

Il leva la main vers le visage de Rose.

— Tu veux ben m'le cacher ? C'est sûr qu'les flics vont fouiller Cleveden. J'en ai b'soin mais j'peux pas le garder.

Il tenait le couteau ensanglanté à quelques centimètres à peine de son nez.

Il la regardait, attendait son accord, mais Rose ne bougea pas. Ses yeux se voilèrent de larmes. Elle fixait toujours le couteau devenu flou. Elle ferma les yeux un instant et derrière ses paupières closes, elle vit apparaître des brûlures jaunes dans un bain vert. Quand elle les rouvrit, une larme en sortit et tomba sur la lame souillée, formant sur le fond rouge une nette éclaboussure argentée.

— Faut pas avoir peur, dit-il, mais Rose ne pleurait pas parce qu'elle avait peur. Tu m'aimes ben, pas vrai ?

Levant lentement la main, Rose se saisit du couteau par le manche. C'était mouillé et gluant. Elle s'en fichait. Elle avait touché pire.

Pinkie murmura alors, avec un sourire :

— Et v'la, t'as tes empreintes dessus, main'nant !

Un piège. Huit types dans un appartement, pas des potes de Sammy. Des types saouls, un lit sale, de la vodka pour qu'elle se rince la bouche. Elle serra le manche plus fort et du sang suinta de l'adhésif, comme de la boue entre les orteils.

Il sentit le changement qui s'opérait en elle et essaya de le contenir.

— Moi aussi, j't'aime ben, Rose.

Mais il l'avait dit d'une voix plate, comme on dirait « ravi de te connaître » ou « c'est pour ton bien », ou « on essaie juste d'aider ».

Pinkie Brown l'avait flairée comme elle flairait les michetons avec du fric et une conscience. Elle devinait le remords sur le visage de quelqu'un comme d'autres gosses devinent le goût des chips, et comme Pinkie avait tout deviné d'elle. Jamais il ne lui prendrait la main, jamais il ne cuisinerait pour elle ou ne ferait des mamours à un bébé. La petite maison coquette était vide. Elle n'existait pas. Quand elle s'inventait ces histoires sur Pinkie, Rose joignait les mains en prière et se persuadait qu'elle ne pouvait pas les décoller. Mais voilà qu'elles étaient décollées à présent.

Il n'y avait rien d'autre que ça. Juste de la saleté et des odeurs de pisse, juste Sammy et la fange. Elle ferma hermétiquement les paupières.

— Rose, j'tai vue à l'école...

L'ombre de Pinkie était sur elle, elle sentait son haleine sur son visage.

À bout d'espoir, elle le repoussa.

Sauf qu'elle ne le repoussa pas.

Elle voulait le repousser, lui flanquer un coup dans l'épaule, un coup plein d'une colère froide. Mais il avait bougé et elle avait oublié le poignard qu'elle tenait. Elle le ressentit jusque dans son coude : des dents qui se prenaient dans la viande. Quelque chose de tiède et d'humide lui éclaboussa la joue. Prise de panique et de dégoût, elle baissa précipitamment la main, tranchant là où le poignard s'était enfoncé. La lame descendit dans la chair, longtemps, puis se libéra. Elle lâcha le couteau, entendit le tintement du métal sur la pierre. Elle ferma les yeux plus fort, serra les lèvres afin que rien ne gicle dans sa bouche.

L'air se déplaça vers le bas, signe qu'il s'affaissait de tout son poids. Elle l'entendit atterrir, grogner de surprise. Elle entendit un floc sur les pavés. Les semelles en caoutchouc de ses baskets couinaient et il battait désespérément des mains contre le sol. Puis il ne bougea plus.

Elle ne pouvait pas regarder. La substance liquide sur son visage commençait à refroidir.

Avec hésitation, elle ouvrit un œil, le plus proche du mur. Rien à signaler. Obscurité, puanteur, nuit. L'odeur infecte de pisse et de graisse. Elle baissa les yeux. Les pavés rougeoyaient.

Pinkie étendu au sol, le couteau à côté de lui. Il était tombé sur le flanc, bras écartés, les yeux mi-clos. Il était parfaitement immobile, mis à part un mouvement infime sous son cou, une brève pulsation dans la lumière argentée.

Debout, Rose regarda le battement ralentir. Elle respirait à peine. Elle faisait seize ans, mais elle avait l'impression d'en avoir douze. Peu à peu, elle prit conscience d'une chose : une porte de sortie s'était refermée. Jamais elle ne partirait. Ils la découperaient et abandonneraient ses restes dans un sac.

Les mains toujours sur le mur derrière elle, elle se pencha, ramassa le poignard et le coinça dans sa chaussette comme Pinkie le lui avait demandé. Les doigts gluants parce que son jean et ses chaussettes étaient couverts de sang, elle se laissa glisser le long du mur.

Rose battit des paupières et étouffa toutes ses sensations physiques, elle savait comment faire. Puis, rasant le mur, elle quitta la ruelle à reculons, laissant sur son passage des empreintes ensanglantées.

Elle traversa jusqu'à la voiture, sans même vérifier qu'il n'y avait personne. Une fois à l'intérieur, elle verrouilla la portière, tira sur la ceinture de sécurité et ne bougea plus, fixant la ruelle d'un regard vide.

Dès que Sammy verrait ce qu'elle avait fait, elle serait morte. Comme sa mère. Un type sur elle. Un gros type dans la pénombre de la cuisine, suffocant sa mère qui se débattait, frappait le sol de ses talons, un gros type sur elle. Elle continuait à se débattre comme si ça allait aider. À se débattre pour rien, cherchant en vain quelque chose à frapper. Adossée à la porte de sa chambre à coucher, Rose avait surveillé les petits, priant pour qu'aucun d'eux ne bouge, ne se réveille, ne fasse de bruit. Elle était restée comme ça, contre la porte, jusqu'à ce que le type s'en aille. Un gros type bourré, lourdaud, qui avait frôlé les murs en partant, jamais revu, jamais retrouvé. Sa mère avait fait plusieurs tentatives de suicide, s'en voulait de s'être ratée, et pourtant elle s'était débattue en mourant.

Assise dans la voiture de Sammy, Rose passa une heure, un jour ou une minute à penser à ça, elle n'aurait pas su dire. Puis Sammy apparut enfin. Il s'approcha tranquillement, sans regarder dans la ruelle. Quand il glissa la clé dans la portière, son ventre rebondi s'aplatit contre la vitre. Il allait la tuer. Ou la livrer aux types qui la tueraient. Dès qu'il verrait le sang, elle serait morte, mais il grimpa derrière le volant sans un regard vers elle.

À vingt-quatre ans à peine, Sammy était déjà chauve. Et gros. Il aurait pu avoir la cinquantaine, elle n'aurait pas vu la différence. Elle faisait déjà seize ans mais lui, putain, il en faisait déjà cinquante ou un truc comme ça, dégoûtant.

— Putain de bordel, tu sais quoi ? lança-t-il d'une voix normale, forte, enjouée, le regard sur le pare-brise.

16

— Quoi ? demanda Rose, catatonique.

— La princesse Diana est morte.

Il pouffa légèrement.

— Imagine ! Accident de bagnole à Paris.

Rose ne voyait pas en quoi ça les concernait.

— Va te faire foutre, dit-elle, mécaniquement.

Ça le fit sourire et il démarra.

— *Aye*, confirma-t-il à l'écossaise. Accident de voiture.

— Putain de bordel, fit Rose.

Sammy alluma les phares et s'engagea dans la rue déserte.

— Bon sang, dit-il tout en conduisant. Ça fait réfléchir.

Tout cela semblait l'exciter.

— Elle était jeune pour mourir. Et les garçons ? Et Charles,
qu'est-ce que tu crois qu'il va dire de tout ce bazar ?

Rose n'était pas habituée à discuter d'actualité avec Sammy,
ni de quoi que ce soit d'autre. La nuit n'en devenait que plus
étrange : un Sammy affable, comme s'ils avaient toujours ce genre
de conversation.

Alors qu'ils descendaient Bath Street, il lui donna un petit
coup de son coude grassouillet.

— Qu'est-ce que t'en penses ? Charles, ça va lui faire quoi ?

— Chais pas.

Il fallait qu'elle dise quelque chose.

— Il va être dégoûté ?

— Nan, répondit-il.

À un feu, il bifurqua et sourit.

— Pas dégoûté, non. Maintenant, il est libre d'épouser l'autre
si ça lui chante.

Il ne voulait pas la fermer : l'accident de Diana, la reine, le
prince Charles. Rose décrocha. Elle ne connaissait rien à la poli-
tique. Elle était si épuisée qu'elle en oublia Pinkie Brown. Tout
ce dont elle se souvenait, c'était que Diana était morte, et qu'il
y avait du sang. La mort, comme une douleur, lui envahit la
conscience.

Ils s'engageaient dans Turnberry Avenue. Elle se baissa pour
se gratter distraitement la cheville. Cette sensation d'humidité au

bout de ses doigts lui rafraîchit la mémoire : ça la démangeait parce que c'était couvert du sang de Pinkie Brown, qu'elle avait tué. Elle se figea, se baissa encore, pliée en deux, les doigts sur le plancher comme un sprinter dans les starting-blocks.

Le foyer était installé dans une grande villa de style victorien en plein cœur du très chic West End. Sammy promena le regard alentour, pour s'assurer qu'il n'y avait personne de l'équipe ou d'ailleurs.

— C'est bien, lui dit-il, persuadé qu'elle se cachait pour le protéger.

Il se gara deux cents mètres plus haut, dans l'ombre épaisse d'un vieil arbre. Une branche ployait devant eux sous le poids des feuilles qui battaient dans la brise, dans un sens puis dans l'autre, argentées, puis noires. La lumière orange des réverbères clignotait à travers le feuillage mais l'aube saignait déjà dans la nuit. Rose ne se redressa pas.

Sammy parlait pour ne rien dire à présent ; pendant qu'elle était seule dans la voiture, il avait dû fumer un joint ou un truc comme ça.

— Un jour, tu sais, ma cocotte, tu te lasseras de moi. Tu continueras à vivre ta jeune vie sans moi, mais j'espère que tu te souviendras de moi avec tendresse. J'ai beaucoup d'estime pour toi, tu sais.

Il attendit qu'elle lui réponde par le mensonge habituel : je ne passerai jamais à autre chose, Sammy, tu es le seul en ce bas monde qui en a quelque chose à foutre de moi. Mais Rose se taisait. Elle songeait à l'air, aux pieds battant dans l'air, et sentit de nouveau le même irrépressible besoin s'emparer d'elle.

Ses yeux se posèrent sur les appartements chic noyés dans l'obscurité, les rideaux tirés. Là-bas, des avocats, des étudiants, des dentistes étaient plongés bien au chaud dans un sommeil douillet, ils reprenaient des forces. Ils se réveilleraient dans quelques heures, prendraient paisiblement leur petit déjeuner et entameraient leur journée de dimanche. Ils s'habilleraient et commenceraient à rédiger leurs lettres au conseil municipal, pour se plaindre du foyer qui faisait chuter le prix de l'immobilier dans le quartier.

18

— Qu'est-ce que tu veux faire de ta vie, Rose ? demanda Sammy sans changer de ton, juste de point de vue. Tu attends quoi de la vie ?

Puis il tira sur le frein à main, comme s'il était parti pour une longue conversation.

— De la thune, dit-elle au plancher.

Elle ne pouvait pas se redresser. Il verrait le sang.

— Ben alors, tu fais ce qu'il faut pour ça, ma cocotte.

Il rit doucement.

— Qu'est-ce que tu fabriques là ?

Il la regardait maintenant bouche bée, avec sa grosse tronche de débile.

Qu'est-ce qu'elle fichait dans cette position ? La question la traversa comme un hurlement. Qu'est-ce qu'elle fichait penchée si bas ? Qu'est-ce qu'elle fichait comme ça, elle ? Elle prit si soudainement et si pleinement conscience de l'injustice de la situation qu'elle dut cligner des paupières pour ramener un peu de chaleur dans ses yeux. Pourquoi d'autres filles dormaient-elles ? Pourquoi portaient-elles des vêtements repassés, pourquoi s'inquiétaient-elles de leur tour de cuisse, apprenaient-elles le piano et se peignaient-elles les ongles alors qu'elle, elle était là ?

Rose se tourna vers lui, ses doigts remontèrent le long de ses jambes, soulevant le jean jusqu'à ce qu'elle sente l'adhésif en toile.

— T'es bizarre, y a quoi à tes pieds ?

Brusquement, elle se redressa et planta le couteau dans le cou de Sammy, plusieurs fois. Elle avait frappé l'air et maintenant elle ferma les yeux, genoux au menton, recroquevillée contre la portière.

Des hoquets mouillés, des convulsions. La pluie dans l'habitacle. Sammy battant désespérément des jambes, les pieds contre les pédales. Il lui empoigna les cheveux et la tira violemment de côté.

Lentement, ses doigts se détendirent, glissèrent le long de son bras humide. Rose attendit que les convulsions se calment. Comme pour sa mère, ce furent les jambes de Sammy qui s'éteignirent les dernières. Seul un gargouillis rompait le silence de l'habitacle.

Sammy se dégonfla, s'affaissa contre le volant, et le klaxon lâcha un long gémissement.

Rose ne pouvait pas rester cachée à l'intérieur, elle était couverte de sang.

Elle ne pouvait pas fuir. Quand la police trouverait le corps de Sammy le Pervers, ils iraient droit au foyer, constateraient aussitôt son absence. Même si elle échappait à la police, les types la retrouveraient.

Elle ne s'en sortirait jamais.

Sourde au gémissement du klaxon, elle ouvrit les yeux et regarda dehors, à travers le sang qui formait sur la vitre comme un filigrane.

Dehors, des lumières s'allumaient. Des rideaux se tiraient. Découvraient des visages en colère, cherchant des yeux le klaxon qui mettait en lambeaux la quiétude de leur dimanche matin. Rose regarda les réverbères s'en remettre à l'aurore et s'éteindre un à un.

Assise dans l'habitacle de la voiture couvert de sang, elle attendit l'arrivée de la police.

2

Alex Morrow détestait se sentir si nerveuse. Elle détestait vraiment. Une chaise grinça contre le sol de l'autre côté de la porte et son estomac répondit par un signal de détresse acide. En colère contre elle-même, elle serra les dents jusqu'à en ressentir de la douleur. Elle savait que c'était parce qu'elle allait devoir prendre la parole en public et revoir Michael Brown, mais le savoir n'aidait visiblement en rien. Contrôler sa respiration n'aidait en rien. Manger des bananes et éviter le café n'avaient pas aidé non plus. Elle détestait, point final.

La salle d'attente des témoins était morne. Les murs lambrissés de pin jaune, la moquette bleu marine. Six chaises en pin et tissu du même bleu, assorties au décor, et une table basse sur laquelle gisaient quelques magazines que personne ne lirait jamais. Une fontaine à eau vide prenait la poussière dans le coin. Morrow s'imagina un témoin qui attendait, la bouche sèche, avalant des verres à la chaîne pour tromper l'angoisse, pris d'une envie pressante d'uriner à peine arrivé à la barre. Morrow aussi avait la bouche sèche. Elle se mordillait la langue.

D'ordinaire, lorsqu'elle se sentait ainsi, elle se demandait ce qui la poussait à s'infliger tout ça, mais pas aujourd'hui. Elle était prête à rester là, le cœur battant la chamade, tous les jours pendant un an si ça pouvait mettre Michael Brown derrière les barreaux plus longtemps. Elle n'avait aucune envie de devoir de nouveau interroger un jour ce salaud. Il la menaçait pendant les interrogatoires. Il menaçait Brian. Il prétendait connaître des réseaux pédophiles prêts à payer pour ses enfants. Il scandait son adresse personnelle, la provoquait sur sa vie sexuelle, il avait même tenté de s'exhiber devant elle.

Au début, Morrow avait failli confier les interrogatoires à quelqu'un d'autre. Elle se laissait gagner par la colère, se sentait salie. Mais le temps passant, quand sa peau déjà pâle vira au blanc version cellule de prison, quand il se mit à maigrir, dans ses vêtements de taulard, elle commença à le voir pour ce qu'il était : un condamné à perpétuité en route vers la mort. Il était en conditionnelle quand ils l'avaient arrêté. Condamné quand il était gosse pour le meurtre de son frère aîné, Pinkie. Lorsque ça se saurait qu'il prêtait des armes semi-automatiques à des toxicos, on le soupçonnerait d'avoir voulu se faire serrer et renvoyer en taule parce qu'il ne parvenait pas à se faire à la vie dehors. S'ils croyaient ça de lui, il en baverait pour le restant de ses jours, alors il avait joué une belle comédie, résisté de toutes ses forces. L'équivalent des examens de fin d'études pour le condamné à perpétuité et Morrow n'était pas spectatrice, elle était l'accessoire de son show.

Ils savaient ce que serait le clou du spectacle : une tentative d'évasion, du tribunal. Son avocat hollandais venait de commander des travaux de rénovation de la villa de Brown au nord de Chypre. Si Brown parvenait bel et bien à arriver jusque là-bas, il finirait par commettre la bourde de revenir à Glasgow pour une raison ou pour une autre, Morrow en était certaine. Et il se ferait pincer. Ils ne savaient pas comment il comptait opérer, mais ils avaient la certitude qu'il projetait de se soustraire à la justice. Peut-être en sautant par-dessus le muret à travers l'assistance.

Elle se laissa choir contre le dossier de sa chaise et passa mentalement en revue les mesures de sécurité : des agents dans un fourgon à l'avant et à l'arrière du bâtiment. Des renforts en personnel au rez-de-chaussée. Des caméras de sécurité à toutes les issues et une audience à huis clos. Deux agents armés qui paradaient dans le vestibule. Un jury à l'isolement, confiné dans un hôtel placé sous haute sécurité pendant toute la durée du procès. Cela coûtait une fortune et il devait n'y avoir aucune couverture médiatique. Les journalistes auraient le droit d'assister aux débats, mais seulement pour prendre des notes qui leur serviraient plus tard. Plus facile que de les refuser, mais avec le même résultat dans les faits.

La porte menant à la salle d'audience s'ouvrit brusquement, faisant sursauter Morrow. L'huissière audiencière jeta un coup d'œil à l'intérieur. Menue, elle nageait dans sa robe noire, ses cheveux châtain clair rassemblés en une queue-de-cheval bâclée. Elle avait l'air au bout du rouleau.

— Inspectrice Alex Morrow.

L'huissière disparut au bas de la volée de marches et Morrow entendit le silence tomber dans la salle d'audience. Tout le monde aurait les yeux rivés sur la porte, et chaque seconde qui passait lui offrait davantage d'ascendant.

Morrow se leva, sa mallette à la main, trop encombrante. Elle ne pouvait pas la laisser dans la salle d'attente ou dans la voiture. Son ordinateur portable se trouvait à l'intérieur et perdre ces dossiers constituerait une faute lourde. Il fallait qu'elle la garde avec elle mais ça donnait l'impression qu'elle partait quelques jours en vacances.

La porte, cinq marches, et le prétoire.

Mauvais choix de chaussures. Ses talons compensés sonnaient comme de lents applaudissements sur le plancher. Michael Brown la dévisageait ; elle distinguait sa silhouette du coin de l'œil. Elle se sentait, de nouveau, terriblement mal à l'aise en sa présence et gagna le box des témoins sur la pointe des pieds. Elle se baissa pour poser la mallette contre le banc des accusés, à côté d'elle, sans tourner la tête vers lui.

Elle se redressa et promena le regard autour d'elle. Les jurés étaient à l'aise, ils formaient déjà un groupe cohérent, armés de carnets et de stylos. On avait discrètement fait circuler un rouleau de pastilles à la menthe au dernier rang.

Tous les officiels se tournèrent vers le greffier, assis juste sous le juge. D'un signe de tête, il confirma que tout était en ordre et qu'ils pouvaient commencer.

Le juge prit une inspiration et fit prêter serment à Morrow. Elle l'avait déjà fait des dizaines de fois. Elle suivait ce qu'on lui

23

soufflait sans rien écorcher, embrassant d'un regard, sans en avoir l'air, ce qui se passait autour d'elle.

Michael Brown, assis sur le banc des accusés, ne la quittait pas des yeux. Il essayait de capter son regard. Il ne fallait surtout pas qu'elle tourne la tête. Rien dans ce qu'elle dirait au cours de son témoignage ne devait avoir l'air d'une vindicte personnelle et Brown la mettait si mal à l'aise que cela risquait de se voir sur son visage. Les jurés verraient qu'elle avait peur de lui. Ils risquaient de penser que ça avait influencé l'enquête. Ce n'était pas le cas. Le dossier était solide, elle le savait.

La plupart des flics de son grade savaient espérer le meilleur tout en s'attendant au pire, mais Morrow n'avait plus ce recul-là : elle voulait que Brown écope d'une lourde peine. Elle fut surprise d'apercevoir un journaliste installé à la table pliante dans la zone réservée à la presse. Un pro visiblement, en chemise et veste de costume, pas un de ces journaleux en treillis de camouflage qui bossent pour un magazine spécialisé dans les faits divers. Qu'est-ce qui avait bien pu le pousser à venir alors qu'il ne pouvait rien publier ?

Quand elle eut prêté serment, James Finchley, le représentant du parquet, se leva pour rejoindre l'estrade à côté du jury. Sans se presser, il ouvrir son dossier cartonné, parcourut deux feuilles, tourna une page, les faisant attendre.

Finchley était un petit homme satisfait. La robe noire toujours impeccablement repassée, la perruque poudrée de frais, la diction au cordeau. Morrow savait qu'en dehors des prétoires il était plus cordial qu'il n'en donnait l'impression au tribunal. Un type consciencieux mais soporifique.

Anton Atholl, l'avocat de la défense, était d'un tout autre genre. Une petite star du barreau et un comte, qui ne jouait pas de son titre et on ne l'en estimait que plus. Il avait le sens du drame et du flair pour identifier les failles d'un dossier, deux talents qu'il exploitait en s'emportant lors des interviews qu'il accordait aux informations locales. Très porté sur la bouteille, il arborait une trop longue masse de cheveux gris et ondulés. Une fois Brown condamné, il ferait sans doute appel. D'où le choix de Finchley par le ministère public : un type consciencieux mais soporifique.

À voir Atholl, on avait l'impression qu'il s'était habillé au beau milieu d'une tornade ; tout était légèrement de guingois : sa perruque, sa robe, les documents dans son dossier. Malin, songea Morrow. Il se démarquait délibérément de Finchley. Même elle le regardait.

Décollant les yeux de son dossier, Finchley demanda à Morrow de décliner son identité, son commissariat d'affectation et la date de son entrée en fonctions. Il posait ses questions en jargon d'avocat, à la fois sec et verbeux, suivant les conventions d'une profession qui faisait grand cas de la précision et facturait ses services à l'heure.

Et ce fameux jour du mois de mai, à quelle heure précisément, selon elle, le mandat autorisant la perquisition des lieux avait-il été exécuté ?

Ils avaient frappé à la porte à 7 h 35, raconta Morrow. Certains jurés tournèrent un bref instant la tête vers Brown, sur le banc des accusés. Ils se demandaient s'il était réveillé, quelle sorte de pyjama il portait. Peut-être tentaient-ils de visualiser la scène.

Brown la fixait toujours. Elle posa le regard sur lui une fraction de seconde. Il avait l'air gris, la brute au teint mat qu'ils avaient cuisinée des heures durant avait disparu. Pas étonnant : après quatre mois de préventive et flanqué comme ça de deux molosses qui avaient pu profiter du soleil, il n'était pas à son avantage.

Brown tenta un sourire de mépris mais trop tard, elle ne regardait déjà plus. Il essaya d'attirer son attention de nouveau, la suppliant presque de se retourner. Morrow garda les yeux fixés sur Finchley.

Finchley enchaîna sur une série de questions concernant la perquisition du domicile de Brown : ce jour-là, de combien d'agents Morrow était-elle accompagnée ? Sept. Certains d'entre eux appartenaient-ils à une unité armée ? Oui. Pourquoi étaient-ils présents ? On suspectait M. Brown de détenir des armes chez lui.

Elle avait conservé un souvenir très vif de la maison : une villa de cinq pièces toute neuve, avec suite parentale et salles de bains d'invités. Dans un lotissement de luxe au beau milieu du ghetto.

Brown n'occupait que la moitié d'une chambre à coucher, tout le reste était vide. Il avait équipé son espace de vie exactement comme une cellule de la prison de Shotts : une télé, un lit une place, une petite penderie, une armoire et une chaise. Brown avait grandi en prison et n'était dehors que depuis trois ou quatre ans.

M. Brown s'était-il montré coopératif au cours de la perquisition ? Absolument pas, il avait refusé d'ouvrir les pièces cadenassées et essayé par la force d'empêcher deux agents de faire leur travail. Avaient-ils trouvé des armes chez lui ? Pas dans la maison elle-même, mais enterrées dans le jardin à l'arrière.

Existait-il des preuves tendant à confirmer que M. Brown savait qu'elles se trouvaient là ? Ses empreintes digitales étaient dessus, dit Morrow. Et le jardin était bien le sien ? Oui, confirma-t-elle. Il s'agissait bien de son jardin.

Atholl griffonna quelque chose sur son bloc-notes avec un petit sourire satisfait. Il n'était pas dupe. Finchley et elle, par leur petit jeu, voulaient sous-entendre que Brown savait que les armes se trouvaient là. La détention d'une arme à feu, même à son insu, valait maintenant cinq ans fermes minimum. Un facteur qui se retrouvait avec un colis contenant un flingue pouvait écoper de cinq ans. Des armes enfouies dans un jardin, en revanche, n'étaient pas considérées comme de la détention. En les enterrant dans le jardin, Brown réagissait à des décisions de justice dont l'encre avait à peine eu le temps de sécher. Quelqu'un se tenait très au fait de la jurisprudence et d'après elle, ce n'était pas Brown.

Finchley poursuivit : qu'avaient-ils trouvé d'autre, à l'intérieur ? Beaucoup d'argent, emballé dans du film cellophane. En quoi était-ce significatif ? Ça suggérait que l'argent était sur le point de...

— Objection.

Atholl était debout, marmonnant qu'il s'agissait de conjectures. D'accord. Combien d'argent ? Un demi-million en coupures de vingt livres. Qu'avaient-ils trouvé d'autre qui représentait un intérêt pour la police ? Quarante iPhones, dans leur emballage d'origine. D'où provenaient-ils ? Ils avaient été achetés de manière tout à fait légale dans plusieurs magasins différents. Une facture était scotchée à chacun d'eux.

Atholl était de nouveau debout : si les iPhones avaient été acquis de façon légale, on n'était pas en droit de juger qu'ils représentaient « un intérêt pour la police ». Il avait tort et il le savait, mais Finchley céda. Pour s'aventurer sur le terrain des iPhones, le parquet allait devoir présenter un autre dossier. Un dossier complexe dans lequel, malgré leurs informations, ils ne disposaient d'aucune preuve.

L'argent de la drogue quittait le Royaume-Uni par le biais de réseaux internationaux appelés *hundi*. Un dealer d'héroïne écossais pouvait rencontrer le correspondant d'un *hundi* et lui livrer sept cent cinquante mille livres en liquide, puis en quelques heures, ou moins, l'équivalent en roupies pakistanaises était remis à un dealer à Lahore par un coursier à moto travaillant pour le contact du réseau. Mais ces réseaux ne géraient pas que l'argent de la drogue – il pouvait s'agir aussi de transferts d'argent informels parfaitement innocents entre deux individus privés de compte en banque, ou qui ne faisaient pas confiance aux circuits traditionnels. Les réseaux *hundi* étaient devenus si complexes et fragmentés que distinguer les criminels des innocents était impossible : celui qui encaissait l'argent n'avait désormais plus de liens avec le représentant du *hundi* au Pakistan, et ceux qu'on engageait pour le recouvrement des dettes étaient les gros bras d'un autre larron encore, dont ils connaissaient à peine l'identité. Brown n'était qu'un pion parmi tant d'autres et au fil de leurs interrogatoires, Morrow avait acquis la conviction qu'il ne savait pas à quoi ni à qui il avait affaire. Quelqu'un savait cependant, et un avocat quelque part dispensait des conseils en temps réel sur ce qui était légal et ce qui ne l'était pas en matière d'armes à feu, comme sur l'acquisition d'iPhones conservés avec leurs factures.

Ils savaient que les quarante iPhones seraient expédiés au Pakistan, un arrangement de fin de trimestre entre deux contacts *hundi*. Ils savaient tous que Brown était le pigeon, la chair à canon, qui planquait les téléphones et les armes. On ne confiait les armes à feu qu'aux fantassins jetables. Mais ils ne disposaient d'aucune preuve et Brown n'avait aucun intérêt à les aider à lever le voile tendu entre les avocats et les clients. Il avait besoin des points que lui conférait son statut de *badboy* en vue de son retour triomphal en prison.

Finchley parcourut lentement son dossier. Morrow trépignait d'impatience. Elle n'aimait pas se trouver sur un terrain qui n'était pas le sien. La solennité, les perruques, les robes, la langue archaïque, le deuxième avocat à qui l'on murmurait des choses à l'oreille ; tout ça était conçu pour montrer à tout le monde qu'ici, c'était chez eux. Que c'étaient eux les grands dans cette cour de récré.

L'huissière approcha pour présenter les preuves à Morrow : un sachet transparent contenant une seule arme. Tout le monde dans la salle eut un mouvement de recul. Morrow confirma à Finchley qu'elle était présente au moment où l'arme avait été placée dans le sachet, et qu'il s'agissait bien d'un fusil d'assaut SA80.

Les SA80 figuraient dans l'équipement standard des soldats en mission dans des zones de conflit à l'étranger : automatiques, dotés d'un chargeur trente cartouches et de viseurs parfaits pour les tirs instinctifs, autrement dit pour abattre quelqu'un qu'on avait à peine eu le temps d'apercevoir. La surface des canons avait été grossièrement rayée pour rendre les numéros de série illisibles, mais en tranchant dans l'épaisseur du métal, ils les avaient retrouvés dans les profondeurs du poinçon. Tous avaient disparu lors du conflit en Afghanistan, d'où provenait quatre-vingt-dix pour cent de l'héroïne vendue dans le monde. Quelqu'un les rapatriait et les fourguait aux gangsters. Le pouvoir de ces armes la troublait, ça et leur histoire : ils avaient servi dans le sable et la terre d'une zone de conflit. Morrow avait la sensation qu'un peu de ce chaos lointain s'insinuait sur son terrain.

Du coin de l'œil, Morrow vit Brown tendre le cou vers le sac.

L'huissière le remarqua aussi et se raidit, le garde redressa sa posture, le juge se pencha vers l'avant, tout le monde soudain conscient que c'était le genre de puissance de feu que Brown avait à sa disposition. Brown se laissa basculer contre son dossier. Morrow se dit qu'il devait se réjouir de la peur qui s'était installée dans la salle. Il se délectait du malaise des autres.

Seul Finchley resta de marbre. Il énuméra les spécifications de l'arme, demandant à Morrow de confirmer tandis que l'huissière emportait le fusil. Tout le monde dans la salle se détendit un peu.

On avait trouvé les empreintes digitales de Brown sur l'argent, sur les iPhones et sur les armes. Finchley ne posa des questions à Morrow que sur le rôle qu'elle avait joué dans la chaîne des preuves : non, Brown n'en avait touché aucune quand elles avaient été déterrées. Ils demanderaient à l'expert en empreintes digitales de corroborer le reste.

Finchley parcourut ses notes de haut en bas et de bas en haut. Consciencieux, soporifique. Jetant un coup d'œil furtif vers Brown, Morrow le vit murmurer quelque chose au garde à côté de lui. Il paraissait inquiet, parlait avec empressement une main devant sa bouche.

Décidant qu'il en avait terminé, Finchley rassembla ses notes avec soin dans la chemise cartonnée. Alors qu'il retournait à sa place, le garde assis à côté de Brown lui fit signe d'approcher et lui chuchota quelques mots.

Lord Anton Atholl se leva, avala une gorgée d'eau et un petit sourire éclaira son visage. S'emparant d'un dossier visiblement désorganisé, il prit la parole aussitôt et se mit à parcourir le prétoire à grandes enjambées.

— Inspectrice Morrow, lança-t-il de sa grosse voix. Il y a quelque chose que j'aimerais bien savoir.

D'un pas nonchalant, il s'approcha du jury comme s'il venait de décider à l'instant que c'était là, près d'eux, qu'il voulait aller. Alors qu'en réalité, il y était tenu par la loi.

— Depuis combien de temps êtes-vous dans la police, avez-vous dit ?

Atholl ne la regardait pas elle, il regardait les jurés. Mais les jurés, constata Morrow non sans plaisir, ne lui rendaient pas son regard. Tous étaient tournés vers elle.

Morrow répondit :

— Presque douze ans.

Il acquiesça d'un signe de tête, continua sur le ton de la conversation.

— Je vois. Et en douze ans, avez-vous, en personne, déjà assisté à une perquisition au cours de laquelle le perquisitionné se montre heureux et tout à fait disposé, pour vous agréer, ou pour agréer quiconque était en charge de cette perquisition, à vous laisser entrer chez lui ou sur son lieu de travail ?

Atholl jouait les incrédules, haussant un sourcil broussailleux. Il avait l'habitude, avait-elle appris par un collègue, de parler vite, d'ergoter, d'essayer de déstabiliser son interlocuteur. Morrow aussi était douée à ce petit jeu. Elle faisait ça tout le temps. Elle le laissa mariner avant de répondre, faisant mine de considérer la question.

— Pardon, dit-elle. Je ne suis pas sûre de comprendre ce que vous voulez dire.

Du coin de l'œil, elle vit Finchley qui, haussé sur la pointe des pieds, murmurait quelque chose au greffier.

Atholl feignit la surprise. Se tournant vers les jurés, il laissa échapper un petit rire, pour s'insinuer dans leurs bonnes grâces. Il marqua une pause puis reformula :

— Est-il habituel pour un individu dont la maison est perquisitionnée à 7 h 30 du matin, par huit policiers, dont certains sont armés et équipés de gilets pare-balles, de simplement ouvrir les portes en grand et d'inviter ces policiers à entrer ?

Elle réfléchit un instant et répondit à l'avenant.

— D'après mon expérience, il est impossible de dire ce qui est habituel et ce qui ne l'est pas. Toutes les perquisitions sont différentes.

Il pivota sur ses talons pour lui faire face.

— Un simple oui ou non suffira.

De nouveau, elle le fit patienter. Prit une inspiration.

— Je ne peux pas répondre à cette question par un oui ou par un non.

— C'est pourtant très simple, dit-il en la fusillant du regard. La plupart des gens prennent-ils bien une perquisition de leur domicile par huit policiers à 7 h 30 du matin, oui ou non ?

Atholl commettait une erreur en utilisant cette approche sur un officier de police si expérimenté. C'était mieux adapté au témoin lambda.

— Oui, dit-elle, et elle en resta là.

— *Oui* ?

Il fit semblant de réfréner son indignation.

— Je me souviens de situations où les gens se sont montrés accueillants à notre arrivée avec des mandats de perquisition. Alors parfois : oui. Et d'autres fois non, mais vous m'avez demandé de choisir une réponse. Alors c'est ce que j'ai fait.

Atholl la dévisagea puis haussa lentement un sourcil. Sa manière à lui de reconnaître qu'il venait de se faire avoir. Il l'aimait bien. Ça se voyait.

— Inspectrice Morrow, j'ai *vraiment* beaucoup de mal à le croire, dit-il avec quelque chose d'irrévocable dans la voix.

D'un regard, le juge suggéra à Atholl que l'endroit était mal choisi pour jouer les jolis cœurs. Le jury écoutait à peine : on avait beau essayer de se montrer discret, tout le monde avait remarqué qu'un message circulait dans la salle. Les jurés obser-vèrent le greffier tandis qu'il posait un bout de papier sur le bureau du juge.

Atholl faisait mine d'en baver. Son petit numéro n'était pas destiné au jury, il était destiné à Brown. Un numéro pour impres-sionner les taulards. Atholl ouvrit la bouche pour parler.

— Bien, l'interrompit le juge en glissant la note dans son dossier. Je crois que nous allons en rester là pour l'instant.

C'était étrangement brutal. L'huissière était soudain au pied des marches, faisant signe à Morrow de la rejoindre sans attendre. Morrow songea d'abord à une alerte à la bombe.

Elle pressa le pas, ses talons compensés heurtant bruyamment le plancher. L'huissière la prit par le coude et l'entraîna vers le raide escalier qui conduisait à la salle des témoins. À peine avait-elle franchi la porte qu'on ordonna à la cour de se lever. Alors que la porte se refermait lentement sur son groom, Morrow vit le juge quitter prestement la salle, les jurés poussés vers la sortie et Brown reconduit sans ménagement en bas, dans les cellules.

La porte se referma doucement sur le spectacle.

À présent, Morrow était seule dans la pièce sans fenêtre, le bruit du prétoire étouffé par la porte. S'il s'agissait d'une alerte à la bombe, elle ferait bien de quitter le bâtiment sans tarder. D'ordinaire, ils l'auraient prévenue, mais peut-être avaient-ils jugé qu'en tant que flic elle savait. Elle s'aperçut alors qu'elle avait oublié sa mallette dans le box des témoins.

Elle y avait des documents, son ordinateur, une clé USB contenant d'autres dossiers sur des enquêtes en cours. Il fallait qu'elle la récupère. Elle s'attarda à l'entrée du prétoire, telle une indiscrète qui écoutait aux portes, risqua un toc-toc discret mais personne ne vint. Elle entendait des bruits de pas traînants dans la salle, la voix grave d'Atholl, calme et insouciante.

Ça ne pouvait pas être une alerte à la bombe. Ils auraient évacué le bâtiment.

Elle frappa de nouveau, plus fort, et entendit quelqu'un approcher de l'escalier. L'huissière ouvrit la porte et coula un regard de l'autre côté.

— Excusez-moi, j'ai laissé ma mallette en bas, expliqua Morrow.

— Ah oui, bien sûr.

L'huissière recula pour la laisser entrer. Morrow descendit sur la pointe des pieds, vers le box des témoins.

Ne restaient plus que les employés du tribunal et ils n'avaient pas l'air tendu, le collaborateur d'Atholl bavardait avec le greffier, l'huissière tout sourire écoutait Atholl qui finissait de raconter une histoire.

— Ôtez-le de là ! criait-il en agitant un bras, jouant un rôle. Ôtez-le de mes cheveux !

La chute fit rire l'huissière, qui secoua tristement la tête.

— Ah, un grand homme, dit-elle. Un homme plein d'humour.

— Oui.

Atholl avait remarqué Morrow qui retournait dans le box des témoins et se penchait pour saisir la poignée de la mallette cachée dans la pénombre.

— C'est triste, soixante-quatre ans, ça n'est pas vieux.

— Les poumons ont lâché, c'est ça ?

— Après une chute. Il fumait tant que si ça c'était produit spontanément, je n'aurais pas été surpris, dit Atholl, puis il lança à Morrow : Vous avez oublié vos courses, jeune dame ?

Morrow se redressa et lui jeta un regard noir. L'accent d'Atholl avait dégringolé de quelques classes sur l'échelle sociale.

— Voilà qui est bien condescendant...

Un silence tomba sur la salle. Elle n'aurait pas dû dire ça. Avocats et flics faisaient semblant de s'entendre, c'était l'usage, ils faisaient semblant de ne pas être dans deux camps opposés ou issus de classes sociales différentes. La fiction voulait qu'ils fassent tous partie d'une seule et même machine.

Elle brandit l'objet.

— Ma mallette...

Tout le monde évitait de croiser son regard.

— Ce n'était pas une alerte à la bombe, alors ? lança-t-elle.

Tous échangèrent des regards, sans trop savoir qui était habilité à lui répondre.

Le greffier en prit la responsabilité.

— Quelqu'un était souffrant, dit-il prudemment, et si cette personne n'est pas en état de continuer, nous risquons de devoir ajourner.

Brown était malade. Elle l'avait vu faire passer des messages, le teint gris. Ils n'avaient pas voulu le lui dire ni que le jury le voie vomir, de peur qu'ils le prennent en pitié. Ça n'en restait peut-être pas moins un subterfuge.

— S'il quitte le bâtiment, répondit Morrow, désolée à présent pour son impair, vous devez en informer les policiers de service.

Le greffier eut l'air contrarié.

— C'est déjà fait.

Voilà. Morrow avait à présent insulté tout le monde. Elle n'avait déjà pas beaucoup d'amis au poste, l'équipe était presque entièrement nouvelle et ne la connaissait pas assez bien pour voir au-delà de ses manières sèches et des ragots sur son compte : sa précédente équipe avait éclaté après une histoire de corruption, son demi-frère était une célèbre crapule locale, elle mettait presque toujours les pieds dans le plat. Et voilà qu'à présent, même ici, elle avait trouvé le moyen de mettre tout le monde en rogne. Elle marmonna des excuses sans regarder personne en particulier. Le greffier les accepta d'un haussement d'épaules avant de se détourner, l'excluant d'office de la conversation.

— Alors Atholl, si on ajourne, vous y allez ?

— Oui. Je vous emmène ?

— Seulement si c'est en taxi. Je ne viens pas si vous conduisez.

— Théoriquement, on pourrait y aller à pied.

— En haut de la colline ?

Morrow descendit les marches du box.

— Inspectrice Morrow, vous connaissiez Julius McMillan ?

Atholl s'était avancé vers elle.

Elle acquiesça d'un signe, toujours sur ses gardes.

— Pourquoi ?

— Il est mort.

Atholl avait les yeux marron, le pourtour des iris constellé d'étonnantes mouchetures jaunes. Le blanc aussi était teinté de jaune. L'alcool, sans doute. Elle se rendit soudain compte qu'ils se dévisageaient avec insistance.

Elle hésita, se demanda pourquoi elle ne parvenait pas à détourner les yeux.

— Il est mort de quoi ?

— Collapsus pulmonaire, répondit-il avec un sourire déplacé. Le pauvre homme fumait soixante cigarettes par jour.

Ils se parlaient toujours les yeux dans les yeux, réfrénant tous les deux un sourire. Tous les autres regardaient ailleurs, gênés d'être les témoins d'une attirance si flagrante et si onctueuse entre deux personnes plus très jeunes et qui semblaient peu commodes. Ils se mirent à parler entre eux.

— J'ai l'air si condescendant ? J'en suis navré, dit Anton avec un regard de chien battu. Ce n'était pas mon intention.

Morrow tenait sa mallette serrée devant elle comme un bouclier.

— Vous m'avez insultée en public et vous vous excusez en privé. Je trouve ça un peu naze.

Elle aurait fait preuve d'autant de tempérament avec n'importe qui. Leurs deux visages se fendirent d'un large sourire incongru.

Atholl était aux anges.

— Inspectrice Morrow, je suis désolé, lança-t-il pour que tout le monde l'entende.

Il s'approcha encore.

34

— Si nous devons ajourner, vous m'accompagnerez aux obsèques ? C'est à l'Art Club. Juste en haut de la côte.

— Cet après-midi ?

— Oui.

Il fit un pas de plus dans sa direction.

— Je prendrai un taxi, vous pouvez vous joindre à moi. Nous pourrions boire un verre.

— Je ne peux pas. Je travaille.

Elle remarqua qu'elle avait évité de dire « en service » comme elle l'aurait fait d'ordinaire et se demanda si elle essayait d'avoir moins l'air de quelqu'un qui laisserait traîner ses affaires dans un box des témoins.

— Je vois.

Atholl jeta un regard de côté. Il voulait voir si on les écoutait. C'était le cas, mais les indiscrets cachaient bien leur jeu.

— C'est dommage, ajouta-t-il.

Alex posa sa mallette à côté d'elle en souriant. C'était agréable de discuter comme ça, une conversation plaisante, drôle et anodine. Elle n'avait pas flirté ainsi depuis longtemps.

— J'attends que vous me disiez si on ajourne ou pas, alors ?

Il avança de nouveau d'un pas, avec hésitation cette fois, avant de marmonner :

— Après votre service…

Il eut l'air le premier étonné par son invitation. Tous les deux se mirent à rire, tant la situation était ridicule. D'un geste vif, Atholl posa une main devant ses yeux.

— Seigneur…, fit-il en levant le regard au plafond, après toutes ces années, on oublie à quel point ça fait mal de… j'ai besoin d'un verre…

Morrow rit encore.

— Célibataire depuis peu ?

Il confirma d'un léger signe de tête.

— Trois mois. Ma femme et moi nous sommes séparés. J'ai trois fils, adolescents.

— Et moi un mari adorable et des jumeaux d'un an.

Atholl inclina la tête de côté, piqué de curiosité. Il ôta sa perruque et la tint contre sa poitrine, tel un gentleman.

— Eh bien, inspectrice, me voilà faisant preuve d'une maturité stupéfiante : je suis ravi de l'apprendre.

Elle eut envie de l'embrasser. Amusée de se voir réagir ainsi, elle pivota sur ses talons et gravit l'escalier, ne se rendant compte qu'une fois sur la dernière marche qu'elle lui avait offert une belle vue sur son postérieur.

Elle referma la porte derrière elle et s'y adossa. Elle riait en silence. Ridicule. Il était avocat et comte. Il jouait sans doute ce petit jeu avec toutes les femmes de la partie adverse. Elle souriait quand même, savourait cette sensation de bien-être qui l'avait envahie après coup, en sortant son téléphone de son sac. C'était sympa, malgré tout.

En rallumant son téléphone, elle fut assaillie par une rafale d'appels manqués en provenance du bureau. Un message de l'agent Fyfe. Rappelez au plus vite.

Assise où elle était en plein cœur de l'immeuble, elle n'obtenait qu'un signal faible mais elle rappela tout de même et quand Fyfe décrocha, la communication était hachée, un mot sur quatre ne passait pas.

— Madame... érieux problème : on a rele... les empreintes de Brown... scène de crime... la semaine dernière.

— Quoi ?

Fyfe parla plus lentement :

— Les empreintes de Brown ont été trou... la scène d'un meurtre il y a.... jours.

Morrow se figea, réorganisant les mots pour qu'ils fassent sens. Elle finit par dire

— Le bon Michael Brown ?

Fyfe était catégorique.

— Oui, madame.

Morrow ne saisissait pas bien.

— Celui avec qui je me trouve en ce moment ?

— Oui – la voix de Fyfe disparut dans un brouillard de friture – ... empreintes dans un meurtre... division nord... maine dernière.

36

Ça n'avait pas de sens. Brown était sous les verrous, et ce depuis des mois. L'espace d'un instant, elle sentit la méfiance et la colère la gagner : comment Fyfe pouvait-elle lui raconter quelque chose qui ne pouvait tout bonnement pas être vrai ?

— Restez en ligne, aboya-t-elle dans le combiné, irritée.

Laissant retomber contre son flanc la main qui tenait le téléphone, elle se dirigea vers la porte.

Une fois sortie de la salle d'attente des témoins, elle passa à hauteur d'un garde armé sur le qui-vive, prêt à voir surgir Michael Brown. Il se retourna brusquement vers elle, les doigts crispés sur la crosse et le canon de son arme tandis qu'elle ouvrait son portefeuille pour lui montrer son insigne avant de gagner à reculons le hall d'entrée.

Morrow avait tort : Fyfe était fiable et ne l'aurait pas appelée pour lui annoncer ça sans raison. Fyfe n'y était pour rien. C'était juste elle qui refusait l'information. Elle s'était attendue à ce que Brown saute par-dessus un mur ou casse une vitre pour s'enfuir, pas à le voir se lancer dans une machination complexe destinée à semer le doute sur le sérieux des preuves.

Debout dans le hall, elle prit une profonde inspiration avant de porter de nouveau le téléphone à son oreille.

— Attention, je suis dans un lieu public. Maintenant, lentement, répétez-moi tout ça.

— D'accord, répondit Fyfe. On a trouvé les empreintes de Michael Brown sur la scène d'un meurtre dans la vieille cité de la Route rouge.

— Les immeubles qu'ils sont en train de raser ?

— Ouaip. Et le meurtre date de trois jours.

— Trois jours, c'est certain ? demanda-t-elle.

— Absolument. Comme ils sont en phase de démolition, ils s'assurent sans arrêt qu'il n'y a pas de SDF qui traînent.

— Qui est mort ?

— Un type du nom d'Aziz Balfour.

Morrow ferma les yeux.

— Eh bien, Brown est en prison, Fyfe, il doit y avoir eu une erreur au niveau des empreintes, demandez-leur de revérifier.

— Ils ont vérifié, madame. À plusieurs reprises. À chaque fois, les résultats ont présenté une fiabilité élevée.

— Une fiabilité *élevée* ?

Morrow serra fort les paupières, elle n'avait pas envie d'entendre la réponse.

— Une fiabilité élevée, confirma Fyfe.

En ouvrant les yeux, elle vit un officier armé qui, les deux mains sur son fusil d'assaut, la dévisageait avec insistance. Elle ne savait pas s'il hésitait à l'abattre ou s'il attendait un ordre.

Elle détourna le regard.

Le hall du tribunal était neuf, il faisait partie d'une nouvelle aile attachée à l'ancien bâtiment. Deux étages, un mur de verre, le long des trois autres courait une mezzanine bordée d'une frise de calcaire jaune. Un méli-mélo de mots et de lettres de différentes textures, petits et grands, lisses ou rugueux. La tête ailleurs, Morrow y lut une expression incompréhensible :

CACHÉ DES PAROLES

ÉNIGMES ;

— Le mort, c'est quelqu'un qu'on connaît ?

— Non. Balfour travaillait pour une ONG.

Morrow entendait qu'elle lisait un document.

— Aide aux victimes de tremblements de terre. Un type bien, pas de casier ni d'antécédents. Trois mille personnes ont assisté à ses funérailles.

— On l'a déjà enterré.

— Je lis ici qu'il a été poignardé. La remise du corps a dû être rapide pour l'inhumation... pour que...

Elle était en train de dire à Morrow qu'il était musulman, sans savoir si ça se faisait de le préciser.

Morrow eut un soupir d'exaspération.

— Il était musulman, c'est ça ?

— Euh, ouais, probablement. Ça dit qu'il vient du Pakistan.

L'information retint l'attention de Morrow. Le Pakistan suggérait une connexion *hundi* avec Brown.

Mais les empreintes, c'était impossible. Auraient-elles pu être trouvées sur quelque chose qu'on aurait apporté là volontairement pour l'incriminer, quelque chose qu'on pouvait transporter, gobelet ou bout de papier ? Un complice aurait pu venir lui prendre ses empreintes lors d'un parloir. Il y avait forcément une explication. Elle la trouverait.

— Posez tout sur mon bureau.

Elle raccrocha et glissa son téléphone dans sa poche.

Brown n'avait pas sauté par-dessus un mur, mais c'était quand même le début d'un stratagème, aussi faiblard soit-il. Morrow s'était attendue à mieux. Peut-être que l'avocat rusé qui lui livrait ses conseils avisés sur les centimètres au-delà desquels une propriété n'était plus une propriété avait rendu sa robe, laissant un plus jeune prendre le relais. Le ton avait clairement changé en tout cas.

Tout en enfilant son imperméable, elle fit mentalement le tour des possibilités : des gens venus le voir avec des gobelets, avec du film cellophane aux poignets, des flics corruptibles.

Elle ferait bien de demander à consulter le rapport d'expertise dactyloscopique. Malgré la fiabilité élevée des résultats, on n'était pas à l'abri d'une erreur de lecture. Il fallait qu'ils fassent ça tout de suite, qu'ils expliquent comment ils s'y étaient pris, comment ils avaient analysé, comparé, qu'ils vérifient la concordance des points caractéristiques.

Elle leva les yeux et aperçut Anton Atholl. Il traversait le hall dans sa direction, tenant contre lui une liasse de dossiers entourée d'un ruban rose. Elle s'aperçut qu'il l'agaçait maintenant ; elle n'avait plus aucune envie de flirter, son humeur avait changé, elle était passée à autre chose.

Il était aussi de leur devoir d'informer la défense de Brown. Elle n'était pas au courant des délais ni de la manière dont elle était censée divulguer une telle information à Atholl. S'il y avait un truc qui clochait, Atholl était la dernière personne qu'elle voulait informer. Le ministère public pestait déjà contre les coûts du procès, il savait qu'il n'avait affaire qu'à du menu fretin. Brown allait de toute façon retourner sous les verrous, est-ce que c'était bien la peine de dépenser une telle fortune ? L'époque était aux économies.

— On ajourne, annonça Atholl. Mais on se revoit demain ?

Elle se demanda soudain s'il était déjà au courant, pour les empreintes. Atholl avait aussi bien pu manigancer tout ça, après tout.

— Ouais.

Morrow se demanda s'il attendait qu'elle lui dise.

— Alors vous allez tous prendre une cuite cet après-midi du coup ?

— En effet, confirma-t-il en hochant solennellement la tête, les yeux vers le sol. Quoi de plus approprié qu'une cuite pour rendre un dernier hommage à un suppôt de Bacchus ? J'ai fait mon stage chez McMillan.

Elle fut un peu surprise, elle croyait Atholl trop vieux pour que ce soit possible.

— C'était votre maître de stage ? Je vous croyais à peu près du même âge, plus ou moins...

Espiègle, il poussa une exclamation désapprobatrice.

— Je suis moins vieux que j'en ai l'air, dit-il. J'ai juste beaucoup vécu. Non....

Il prit soudain une mine grave.

— Nous devons tous y aller, dit-il. Offrir un peu de soutien à la pauvre Margery. C'est sa femme. Bref, je cherche des gens pour m'accompagner...

Elle voulait partir, filer au bureau sur-le-champ mais elle eut peur que sa précipitation éveille les soupçons.

— Ils avaient des enfants ?

— Un.

Il détourna le regard, vers le mur de verre baigné de lumière. Sans cette lumière du jour qui la fit luire, elle n'aurait pas remarqué la fine larme au coin de son œil.

— Un fils, précisa-t-il.

Il avait un beau profil, un gros nez sympathique.

— Il faut que je file.

Atholl la salua de la tête et s'éloigna à reculons.

— À demain.

Elle se dirigea vers la sortie, passa sous le détecteur de métaux en s'applaudissant intérieurement. Une fois franchie la porte tambour, elle tourna vers le parking. Du coin de l'œil, elle aperçut la silhouette d'Atholl à travers la baie vitrée avant qu'une camionnette blanche vienne lui boucher la vue. Elle continua jusqu'à sa voiture, jetant un dernier regard derrière elle pour voir si Atholl était toujours là, à la regarder.

Il n'y était plus.

3

1997

Il était 10 h 30 ce dimanche matin et Julius McMillan regardait les informations télévisées. La princesse Diana était morte. Des sanglots déchirants pareils à des hoquets remontaient de son abdomen, ses larmes dégoulinaient dans sa bouche ouverte ; il ne se savait même pas capable d'une émotion si profonde. Il pleurait tant qu'il ne parvenait pas à allumer sa cigarette. Robert, son fils de dix-huit ans, et Margery, sa femme, étaient toujours au lit. Soit ils dormaient encore, soit ils fuyaient sa présence. Ils ne devaient pas le voir dans cet état. Il serait bien incapable d'expliquer pourquoi il était à ce point bouleversé par la nouvelle. S'ils venaient à le surprendre et à lui poser la question, il craignait de laisser échapper quelque chose au sujet des fonds disparus de ses clients : le désastre pointait à l'horizon.

Diana, trahie et seule, constamment dépeinte seule. Trahie mais pleine d'espoir, cherchant toujours l'amour. Elle n'avait pas cessé de se soucier des autres, des mines antipersonnel, des malades du sida. Elle aimait tout le monde. Elle avait des petits amis, cherchait toujours l'amour. Mais personne ne songeait à savoir comment elle allait. Personne ne se préoccupait de sa solitude. Personne ne remarquait à quel point elle se sentait accablée. Personne ne savait combien elle avait peur parfois. Diana avait sans doute été entourée d'employés qui l'aimaient – ils ne pouvaient que l'aimer s'ils la connaissaient –, tandis que Julius, lui, n'avait personne. Il était dans le pétrin, avait besoin d'argent et Dawood McMann lui tournait autour, suggérait qu'il était au courant de sa situation, lui offrait une porte de sortie. *Aide-moi et je t'aiderai.*

Ce que voulait Dawood était illégal. C'était un personnage étrange – Julius ne voyait pas du tout à quoi il jouait. Il flottait d'un décor à l'autre – avocats, conseillers municipaux, responsables syndicaux – sans jamais s'arrêter nulle part, sans jamais s'intégrer vraiment. Mais il était à moitié écossais, à moitié pakistanais, alors peut-être était-il habitué à jouer sur plusieurs tableaux à la fois, exactement comme il le faisait là.

Julius savait cependant une chose : si Dawood l'avait choisi lui, c'était parce qu'il le savait aux abois. La société d'investissement qui voulait récupérer ses fonds avait dû parler de l'affaire à Dawood, lui dire que dans une semaine, ils intenteraient une action en justice. *Je te veux parce que tu connais du monde.* Julius connaissait tout le monde. *On va avoir besoin d'un certain nombre de gens.* Il le répétait sans cesse : un certain nombre de gens dévoués, loyaux. *C'est un truc de longue haleine, une bonne chose. Aide-moi à t'aider, Julius.*

Mais Julius ne pouvait pas. Anton Atholl, son avocat, était au courant de ses petites tractations avec McMann. S'il y avait la moindre ombre d'un accord, Atholl irait trouver la police. Anton Atholl avait une dent contre Dawood McMann. Il avait demandé à Julius de ne même pas lui adresser la parole. Il avait *entendu* des trucs sur son compte, mais refusait d'en dire plus. Atholl haïssait McMann à tel point que Julius avait le sentiment qu'il serait même prêt à faire de la taule, juste pour baiser McMann. Julius l'avait expliqué à Dawood : Atholl ne marchera pas, il ne marchera pas, c'est tout. Laisse-moi t'aider, avait répondu Dawood. Une semaine plus tard, il avait confié la photo à Julius. Un Polaroid. Atholl ivre. Très ivre. C'était révoltant, mais pas illégal. Ça n'aidait Julius en rien.

La sonnerie du téléphone, saccadée, retentissante. Julius se leva d'un bond pour décrocher, craignant que le bruit ne leur parvienne à l'étage, craignant qu'ils descendent, et le surprennent en train de pleurer.

Une arrestation pour meurtre au poste de police de Steward Street. Une mineure, une fille vivant en foyer, trouvée dans une voiture avec un mort et qui avait avoué. Est-ce qu'il pouvait venir ?

Dans vingt-cinq minutes avait-il dit avant de raccrocher, heureux d'avoir autre chose à penser que Diana morte à Paris, seule.

Il gagna la salle de bains du bas. Personne d'autre que lui n'en faisait usage et c'était là qu'il gardait son nécessaire de rasage et sa brosse à dents, pour ne pas avoir à déranger son fils ou sa femme. La pièce se trouvait dans un endroit étrange de la maison, il fallait traverser la buanderie au sol froid pour y accéder. Des points noirs de moisissure fleurissaient sur les joints en silicone autour de la baignoire jamais utilisée. L'une des ampoules au-dessus du miroir était grillée depuis des années. Il devait se raser comme s'il était une ombre.

Il laissa couler l'eau jusqu'à ce qu'elle soit chaude et ferma la bonde du lavabo avant de se regarder. Les yeux rouges, une bouche lasse agitée de spasmes. Et lui apparut alors ce que Diana avait vu le soir où ils s'étaient rencontrés.

Il y avait de nombreuses années, lors d'un bal de charité, une soirée rasoir à la Royal Academy d'Edimbourg. Elle était assise à une table loin de lui, tache blonde au milieu d'autres taches. Ça n'avait fait ni chaud ni froid à Julius. Après dîner, ils avaient porté le toast traditionnel. Julius avait vidé son verre en croisant les doigts, avant d'allumer la cigarette tant désirée. Tandis qu'il fumait, occupé à calculer mentalement le temps qu'il lui faudrait pour rentrer à Glasgow, Diana s'était levée pour lire un discours hésitant.

Il ne se souvenait pas comment ni pourquoi, mais au moment de sa sortie, toute la salle s'était levée. À hauteur de la table de Julius, elle s'était arrêtée.

— Je vous ai vu fumer, avait-elle dit.

— Je n'y tenais plus, avait-il répondu, ayant toujours en tête son trajet de retour.

Plus grande que lui, lumineuse, elle lui avait adressé un franc sourire.

— Les clopes, avait-elle ajouté, c'est très mauvais pour votre santé.

Très mauvais pour votre santé. Pas sur le ton de la critique. Pas comme ça, non : tendrement, comme si elle s'en souciait vraiment.

Et soudain, Julius était bien là, dans la salle, à Edimbourg, avec la princesse Diana. Elle était splendide. Un long cou, orné d'un collier de petites perles, six ou huit rangées, un cou incroyablement long. Elle portait une robe pourpre, sans manches, la peau de ses bras était hâlée et parfaite.

Elle s'était éloignée entre les tables, de sa démarche aérienne, mais Julius était resté là, dans la pièce, avec elle. Jamais il n'avait parlé à quiconque de ce qu'il avait ressenti. Il aurait eu honte. Il était républicain, antimonarchiste par instinct et par tradition. Mais à lui, il ne pouvait pas se la cacher, cette sensation qu'il venait de rencontrer quelqu'un de bien meilleur que lui. Elle s'était souciée de savoir s'il fumait.

Et elle était morte à présent.

À la télé, Julius vit les images de gens sanglotant devant les grilles de Kensington Palace, des inconnus qui s'étreignaient, chanceux de ne pas vivre à Glasgow la cynique, une ville exténuée par la peine.

Il fit mousser du savon sur ses joues et passa le rasoir, s'écorchant au passage, conscient que quelque chose clochait avec la lame, qu'un défaut marquait sa peau de minuscules égratignures, mais trop triste pour s'interrompre. Il s'aspergea pour ôter le reste de mousse et tamponna ses joues irritées à l'aide d'une serviette. Elle avait une vague odeur aigre.

Abattu, il alluma une cigarette et scruta son image. Il avait la tête du type accablé de chagrin. Ça sautait aux yeux.

Aux policiers, il parlerait d'une gueule de bois. Il prit la cigarette entre ses lèvres, rentra le cou dans les épaules comme s'il avait mal au crâne. Ferma les paupières à demi. Oui, une gueule de bois. C'était ce qu'il dirait. Si quelqu'un mentionnait Diana, il glisserait simplement qu'il avait entendu, avant de s'éclipser. Il ne pouvait aborder le sujet avec aucun d'entre eux. Il ne pouvait tout bonnement pas.

Julius finit sa cigarette dans le couloir jouxtant la salle d'interrogatoire de la cellule de détention. Il jeta un coup d'œil rapide sur Rose Wilson à travers l'oculus rectangulaire en verre armé.

Le verre était rayé à l'intérieur, presque opaque, mais il voyait qu'elle était fluette. Elle était assise devant une table en métal. Quand ils l'avaient trouvée, elle était couverte de sang et ses vêtements lui avaient été retirés – des pièces à conviction. Elle flottait dans sa tenue de prisonnière, comme si elle avait rétréci dedans.

Julius se débarrassa de sa cigarette et l'écrasa. D'un hochement de tête, il informa le flic de garde qu'il était prêt. Sortant sa grosse clé jaune, le flic vint déverrouiller la porte.

Elle leva la tête vers lui.

Elle était maculée de sang quand ils l'avaient trouvée. Ils lui avaient apporté une bassine mais pas de miroir. Si bien que son visage était barbouillé de sang dilué qui avait séché, marquant d'un trait rouge la moindre ride future, le moindre pli qui creuserait un jour sa peau. Le sang soulignait les lignes de son front, les rides d'expression autour de sa bouche, les sillons de chagrin prophétiques sous ses yeux. Cette vieillarde qui venait de naître posa sur Julius le regard d'une mère déçue.

Se rendant compte qu'il s'était figé sur le pas de la porte, Julius baissa le menton et se força à entrer, n'absorbant de la scène que ce qu'il pouvait endurer. Elle portait un T-shirt gris beaucoup trop grand pour elle et un bas de survêtement de la même couleur, roulé en un revers épais sur les chevilles. Elle avait les cheveux châtains, plutôt courts. Elle semblait les avoir coupés elle-même, car ils étaient plus courts d'un côté que de l'autre. Elle était assez frêle pour susciter l'émerveillement, comme on s'émerveille devant des ongles de bébés, mais les siens étaient noirs de sang séché.

La porte se referma dans un raclement derrière lui, le pêne crissa dans la gâche alors qu'il s'asseyait en face d'elle. Il ne voulait pas lever la tête. Il sortit un carnet et un stylo de sa poche, histoire de s'occuper, et les posa bien droits sur la table.

Elle le dévisageait.

— Putain, vous êtes qui vous ?

— Julius McMillan. Maître McMillan. Je suis votre avocat.

Il lui avait apporté une barre chocolatée. Il faisait toujours ça quand il avait affaire à des jeunes. Pour les gosses plus vieux, il apportait des clopes. Il n'en fallait pas plus, un petit cadeau pas cher et on en faisait des clients loyaux pour le restant de leurs jours. C'est pour ça qu'il aimait les délinquants juvéniles, ils conservaient le numéro du cabinet pour s'en resservir plus tard, et il y avait presque toujours un plus tard. Certains lui étaient fidèles depuis vingt ans. Mais Rose Wilson n'avait pas une tête à se laisser acheter avec du chocolat.

— Alors Rose, tu me racontes ?

Elle regarda le mur. Levant une main, elle se gratta la joue, décollant un flocon couleur de rouille. Il vit alors qu'elle n'était pas vieille, qu'elle n'avait pas l'air vieux. Elle n'avait l'air de rien en particulier, juste d'une enfant. Il prit son stylo.

— Quel âge as-tu ?

Sans le regarder, elle sourit. Un sourire qui cependant paraissait amer à cause des sillons sur son visage.

— Quatorze ans, dit-elle. Mais j'en parais seize.

Aujourd'hui, elle en paraissait cent.

Julius le nota.

— Et tu habites où ?

— Où *j'habite* ?

— *Crèches,* corrigea-t-il, utilisant leur argot. Où est-ce que tu crèches ?

— Turnberry.

Elle posa les yeux sur son carnet, attendant qu'il l'inscrive.

— Le foyer ?

— Ouais, le foyer.

Il le nota pour lui faire plaisir.

— Et depuis quand es-tu là-bas ?

— Deux ans.

Il lui suffisait d'un seul coup d'œil dans son dossier pour trouver la réponse à toutes ces questions, mais il essayait de l'amener à parler, un échauffement avant d'aborder les événements difficiles ayant mené à l'inculpation. Quand elle serait lancée, il pourrait prendre des notes, décider d'un plaider coupable et filer. Avec ses problèmes avec Dawood, il avait d'autres chats à fouetter.

— Tu t'y plais ?

Elle haussa une épaule. Elle regardait de nouveau le mur.

— C'est sympa ?

Elle marmonna.

— Tu aimes bien l'équipe ?

Elle secoua légèrement la tête. Marmonna de nouveau.

— Chocolat ?

Julius posa la barre de Dairy Milk sur la table et la poussa vers elle du bout des doigts.

Il la regarda hésiter. Elle la voulait mais ne la prit pas. Au lieu de quoi elle posa les yeux sur la porte, méfiante. Il suivit son regard. Elle s'assurait que l'oculus était ouvert. Elle reposa les yeux sur le chocolat, en eut envie de nouveau, mais fit signe que non avant de reculer contre le dossier de sa chaise, la tête dans les épaules.

— Je le laisse là, au cas où tu changerais d'avis, dit Julius nonchalamment. Tu fumes ?

Elle secoua la tête.

— Ça me fait vomir.

Elle était vraiment méfiante, maintenant, et s'enfonça encore davantage sur sa chaise.

— Vous, vous fumez. J'le sens. Allumez-en une si vous voulez.

— Alors, il t'est arrivé quoi la nuit dernière ?

— Chuis sortie.

McMillan resta silencieux.

— Chuis sortie, répéta-t-elle, attendant une interruption qui ne vint pas.

— D'accord, dit-il en posant son stylo. Commençons par ce que tu as raconté à la police concernant ce qui s'est passé.

Abattue, bouchée bée, elle fixait le mur derrière lui.

— Rien…

— Tu ne leur as rien dit ? Ils t'ont posé des questions, non ? Ils t'ont conduite dans une salle d'interrogatoire et ils ont enregistré tes propos ?

— Ils m'ont trouvée dans sa voiture.

Elle était sous le choc, s'exprimait d'une voix traînante.

— Ils ont rien enregistré.

Il comprit alors que les preuves matérielles étaient si accablantes qu'ils n'avaient même pas besoin d'un aveu.

— Tu leur as dit que c'était toi qui l'avais fait ?

— Ouais.

— Et c'est bien toi qui l'as fait ?

— Ouais.

— Tu as fait quoi ?

— Je l'ai poignardé.

— Où tu avais trouvé le couteau ?

Elle sombra de nouveau dans un état de choc. Ses sourcils remontaient lentement, croisant la carte des rides sanglantes.

Julius posa le bout des doigts sur la barre de chocolat et la poussa vers elle.

— Mange ça maintenant.

Elle s'en empara et entreprit d'ouvrir l'emballage d'un geste malhabile et absent. Il la lui prit des mains, retira l'intégralité du papier et la lui tendit.

— Mange au moins la moitié.

Elle obéit. Il la regarda faire. Elle n'avalait pas parce qu'elle avait la bouche sèche mais continuait à mâcher, attendant que ses glandes salivaires entrent en action. Obéir : une habitude. On lui avait beaucoup donné des ordres.

— Tu vis en foyer depuis quelques années, depuis la mort de ta mère, c'est ça ?

À ces mots, elle leva la tête. Elle donnait l'impression de mâcher de la boue sèche, consciencieusement.

— *Julius* McMillan, dit-elle, en faisant rouler sa langue engluée de chocolat autour de l'étrange prénom.

Son doigt tendu fit un va-et-vient entre elle et lui.

— C'est quoi ?

— Quoi ?

— Ça.

Elle refit le même mouvement, plus vite.

— À quoi ça sert ?

— Je suis là pour t'aider.

Un brusque sourire narquois, rapide comme un clin d'œil.

— Pour m'aider ? Et comment ? Ma vie sera de la merde de toute façon.

Il leva les yeux sur elle. Pas de trace d'apitoiement sur son sort, pas de chagrin : Rose Wilson s'était résignée à la désolation. Elle avait entièrement, sans rancœur, capitulé devant la calamité de la vie. Il la vit à côté de la voiture dans le tunnel parisien, haussant les épaules. Il l'imagina aux portes de Buchenwald, les mains dans les poches de son survêtement, désolée de voir ces interminables rangées de femmes et d'enfants, mais l'acceptant. Il la vit traverser toutes les catastrophes de l'histoire en témoin impassible, sur le bas-côté.

Il lui demanda :

— Tu as entendu la nouvelle pour Diana ?

Elle se rabattit contre le dossier de sa chaise, se recroquevilla dans son survêtement et murmura d'une voix venue d'ailleurs :

— Elle était jeune pour mourir...

Ses yeux se voilèrent de larmes tremblantes et elle ajouta :

— Et ces garçons...

Assis face à face, ils se tenaient tous les deux tête baissée, comme s'ils priaient. Ils restèrent ainsi un moment. Julius, en relevant les yeux, remarqua les larmes qui coulaient le long de ses joues.

Brusquement, peut-être à cause des pleurs, Julius la reconnut. Ce n'était pas la première fois qu'il la voyait. C'était *la* fille. Samuel McCaig, le défunt, c'était Sammy le Pervers, bien sûr. Bien sûr que c'était elle. Il n'avait jamais pensé l'avoir un jour devant lui, mais elle était là, en ce moment même, assise en face de lui. Elle allait pouvoir tout arranger, le tirer d'affaire.

— Quel âge as-tu ? Tu peux me répéter ?

— Quatorze ans.

Quatorze ans. Illicite. C'était parfait. Et il l'avait là, exclusivement sous son pouvoir et il avait la possibilité de l'empêcher de s'éloigner.

— Je peux t'aider, dit-il, sans en être certain mais en étant certain qu'il le voulait.

Décontenancé par sa propre détermination, il le répéta :

51

— Je peux t'aider.

De nouveau le bref sourire narquois, plus doux maintenant parce qu'elle avait pleuré.

— Vous allez offrir du chocolat au juge ?

— Ça, fit Julius en promenant un doigt autour de la pièce. Je sais comment me dépatouiller de ça.

Cette fois, c'était à lui de chuchoter. Il l'avait dit comme s'ils étaient deux enfants en train de comploter.

Intriguée, elle hocha la tête pour l'inciter à continuer.

— Je connaissais Samuel. Je sais quel genre de type il était.

— Un pervers.

— C'est comme ça qu'ils le surnommaient, non ? Sammy le Pervers.

Elle acquiesça d'un signe.

— Il avait un casier de condamnations pour abus sexuels sur mineures long comme le bras. Tu savais ça ?

— Ouais. Pour ça qu'ils l'appelaient Sammy le Pervers.

— Très bien, Rose, dit-il en posant son stylo. Rose, pour toi, tout ça peut se terminer par une longue peine ou par une courte. Mais dans un cas comme dans l'autre, tu iras en prison, tu comprends ?

Elle fit oui de la tête, attentive à ce qu'il disait.

— C'est notre manière de raconter l'histoire qui décidera du résultat.

Elle se pencha vers lui.

— Décrochez-moi une peine courte.

— Oui, on veut obtenir qu'elle soit courte. Alors voilà ce qu'on doit raconter : tu ne savais pas qu'on l'appelait Sammy le Pervers. Tu ne savais pas qu'il avait un casier. Tu croyais que c'était un type sympa, tu n'es qu'une enfant, tu te sentais seule. Sois une enfant à la barre, pendant les interrogatoires, d'accord ? Plus de jurons. Ils ne veulent pas en entendre. Plus de « ma vie, c'est de la merde de toute façon », personne ne veut entendre ça de la bouche d'un enfant.

— Ils veulent quoi ?

— Ils veulent te voir espérer.

— Espérer ?

— Avoir de l'espoir.

— Quel genre d'espoir ?

— Espérer que tu vas devenir pop star, que tu vas devenir vétérinaire, trouver le grand amour, ce genre de choses.

Elle le considéra un moment, elle en croyait à peine ses oreilles, puis partit d'un grand éclat de rire étonné.

— Monsieur McMillan...

— C'est ce que les gens attendent des enfants, la coupa-t-il. Tu dois te comporter comme ça. Si tu ne sais pas quoi dire, ne dis rien. Et essaie de pleurer.

— Je pleure pas.

Il l'adora pour ça : elle ne pleurait pas mais elle avait pleuré pour Diana.

— Pense juste à quelque chose qui te donne envie de pleurer et pleure.

Fouillant dans un coin reculé de son esprit, elle soupesa la suggestion quelques instants.

— Et je dois tenir combien de temps comme ça ?

— Aussi longtemps que tu peux. Jusqu'à la fin du procès en tout cas. Tu t'en sens capable ?

Elle leva les mains en signe de capitulation, ses paumes abîmées par mille ans de labeur.

— Je vais essayer.

— Alors voilà ton histoire : tu étais seule et tu as rencontré Sammy et il s'est montré gentil. Tu es montée dans sa voiture et il t'a agressée, d'accord ?

— D'accord...

— Je ne vais pas te poser de questions sur ta relation avec lui. Si quelqu'un d'autre demande, tu venais juste de le rencontrer.

Julius la dévisagea, attendant les questions. Il n'y en eut pas. Il la dévisageait et remarqua soudain son long cou, et la présence d'une traînée de sang qui formait comme une corde tout autour. Il attrapa ses cigarettes et de ses vieilles mains noueuses, en alluma une avant de poser les yeux sur la deuxième moitié de la barre de chocolat, l'invitant d'un signe à la prendre.

Elle s'en saisit et la fourra tout entière dans sa bouche, souriant de ses dents maculées de merde. Il lui rendit son sourire et ils restèrent ainsi, l'un en face de l'autre, lui fumant et elle mastiquant avec ardeur le reste du chocolat. Elle allait le sauver, le tirer d'affaire.

— Je vais te tirer d'affaire, Rose Wilson, dit-il pour finir. Je vais t'offrir une deuxième chance.

Elle bascula la tête en arrière et le toisa, méfiante, en colère.

— Vous voulez quoi en retour ?

— Je veux qu'on soit amis longtemps. Je viendrai te voir en prison, je resterai proche, je m'intéresserai à toi.

— Ouais c'est ça, je vais pas baiser avec vous ou qui que ce soit d'autre, pour moi c'est fini tout ça.

— Je viendrai te voir en tant qu'ami.

Elle avala son chocolat et considéra son offre.

— D'accord.

4

Robert McMillan avait loué un château sur l'île de Mull parce qu'il ne voulait pas mourir chez lui.

Seul dans sa voiture, une pluie violente tambourinant sur le toit, il le contemplait, déçu. Dans les faits, la bâtisse ressemblait davantage à un manoir de style gothique. Elle n'était pas assez grande pour être qualifiée de château.

Son téléphone était posé sur le siège passager. Il l'avait éteint en quittant Glasgow. Il ne pouvait pas se résoudre à écouter les messages d'oncle Dawood. *Rentre à la maison,* voilà ce qu'ils diraient. *Rentre, tu nous manques, on s'inquiète, ta mère est inquiète.*

Oncle Dawood avait appelé six fois avant que Robert ne quitte Glasgow. Il ne savait pas que Robert avait regardé dans le coffre-fort du fond, ne savait pas que Robert avait compris à quoi ils jouaient. Quand la police trouverait son corps, les messages y seraient toujours. Robert tenait à ce qu'ils aillent voir Dawood une fois qu'ils l'auraient trouvé mort.

La réalité de sa mort l'assaillit de nouveau sans prévenir, terrifiante, absolue. Robert se cramponna au volant, les doigts crispés, des fourmillements dans ses paumes moites de sueur.

Il jeta un coup d'œil sur l'horloge digitale du tableau de bord. Les obsèques avaient commencé, ils devaient être en train de chanter au crématorium. Oncle Dawood se chargerait de l'éloge funèbre. Du bénévolat. Tous ces voyages au Pakistan. Un type bien. Des mensonges sirupeux. Robert se demanda si ça avait commencé avec Dawood. Était-ce son idée ? Mais peu importait de savoir avec qui ça avait commencé. Ça avait commencé. C'était tout.

De vaillants balais d'essuie-glaces livraient une guerre inutile contre les grosses gouttes de pluie. Balayer, détruire, balayer, détruire : Robert s'aperçut qu'il était en train d'établir la carte de ce vain combat pour ramener l'ordre au lieu de se concentrer sur la vue qui se trouvait au-delà. Une perspective trop étroite. Il s'en voulait. S'il avait agi il y a longtemps, s'il avait mieux regardé, prêté plus d'attention aux détails, aujourd'hui il n'en serait pas là. Son père ne lui avait parlé du coffre-fort que dans son délire, mais il avait dû y avoir par le passé d'autres indices. Il aurait dû être plus attentif.

Il coupa le moteur et resta immobile un moment, la bouche ouverte ; ses yeux gonflés le démangeaient, il sentait la chaleur s'échapper du moteur. Les obsèques étaient peut-être déjà terminées, il ne savait pas trop combien de temps ces choses durent.

Après la cérémonie, ils traîneraient un peu dehors puis retourneraient à leur hôtel ou ailleurs ; sa mère ne voudrait pas de tout ce monde chez elle. Ils boiraient en chantant les louanges de Julius, un type fantastique, drôle, charmant, toujours prêt à s'investir pour le bien commun. Personne ne ferait mention de Robert ni de son absence. Margery boirait trop et tous ces inconnus rassemblés mettraient ça sur le compte de la mort de son mari. En vérité, bien sûr, tous étaient au courant de son malheureux passif avec l'alcool.

Rose accompagnerait les gosses dans l'allée, Francine dans leur sillage, deux pas derrière eux. Parfois, il avait le sentiment que le vrai couple, c'étaient elles deux : Rose et Francine. Comme s'il travaillait pour financer leur vie ensemble.

Il commençait à faire froid dans la voiture. Il avait les fesses humides d'être resté assis sur le siège chaud durant le long trajet depuis le ferry. La pluie redoubla soudain de vigueur, dérobant la lumière, emplissant l'habitacle d'une lueur verdâtre et bleutée. Cadavérique, songea-t-il, une voiture cercueil.

Les femmes auraient vêtu les gamins de tenues appropriées : costumes pour les garçons et une robe pour Jessica, noire mais de bonne facture. Ils pourraient de nouveau les porter pour ses obsèques à lui.

Un coup sec frappé contre la vitre de la portière le fit sursauter. Les yeux de Robert rencontrèrent l'entrejambe usée d'un jean rose. Il détourna le regard. Plutôt que de se baisser pour regarder par la vitre de la portière, le propriétaire de l'entrejambe recula comme s'il avait le dos raide et ne voulait pas se pencher.

C'était un vieil hippie, long cheveux gris ramenés vers l'arrière en queue-de-cheval, un parapluie de femme à la main, blanc, à fanfreluches et bordé de traces jaunes que de vieilles averses avaient laissées en séchant.

— Z'êtes McMillan ?

La voix grave était étouffée par le verre. Robert le regarda un instant sans bouger. La pluie dégoulinait le long de la vitre, effaçant inlassablement le visage du hippie. Robert se dit que c'était peut-être la face de la mort. Ce hippie était peut-être leur tueur à gages. Mais si c'était le cas, il l'aurait probablement déjà abattu à travers la vitre. Le visage de l'homme se trouvait dans l'ombre du parapluie mais Robert distinguait sa bouche qui tremblait entre les gouttes et le vit qui tentait de lui adresser un chaleureux sourire de bienvenue, qui s'évanouit aussitôt en une rangée de dents. Il n'était pas habitué à sourire.

L'homme plissa les yeux au-dessus du toit, avant de reposer le regard sur lui, méfiant.

— Z'êtes McMillan ? Z'avez loué le château ?

— Oui, pardon, répondit Robert sans baisser la vitre, puis il attendit.

Le hippie ne lui tira pas dessus. Il était temps de sortir.

Il ouvrit la boîte à gants, en sortit l'enveloppe de billets de banque et ouvrit sa portière. Il lança une jambe sous la pluie battante, regarda son pantalon de costume et la garniture intérieure de la portière se mouiller. Puis, il pivota sur son siège et sortit l'autre jambe. La pluie tombait maintenant sur sa nuque, froide, rafraîchissante.

Il se leva, ferma la portière et lui tendit l'enveloppe.

— C'est l'argent, dit-il.

Le hippie la prit, la pressa comme s'il pouvait compter la somme en la palpant et la glissa dans sa poche arrière.

Robert s'aperçut qu'il avait détourné le regard de la bâtisse et contemplait maintenant une épaisse forêt de pins écossais, au dense parterre de fougères qui scintillait de larmes d'argent. Même lui trouvait ça plutôt beau.

— Bon ben, fit le hippie, z'êtes content ?

Il désigna la maison d'un geste mou.

— Pébroc ?

Il était bien plus grand que Robert. Debout sous la pluie, Robert roula une épaule, simulant en pensée la démarche maladroite d'un grand et d'un petit partageant un parapluie.

— Non, dit-il. Allons nous abriter à l'intérieur.

— Ouais.

Le type dégingandé se mit en route vers la volée de marches qui conduisait à la contre-porte majestueuse à double battant.

Elle ouvrait sur un porche en pierre, séparé du vestibule par une porte vitrée.

Une fois à l'abri sous le porche, le hippie abaissa son parapluie et se retourna vers les marches pour l'égoutter en l'ouvrant et en le refermant plusieurs fois. Il avait une odeur de renfermé, et avec le mouvement, une bouffée de moisissure leur remonta jusqu'aux narines.

Robert contempla la vue. En contrebas, une mer déchaînée cognait contre le sable blanc. De hautes falaises abruptes de part et d'autre, surmontées de hautes collines de feutre vert. La pluie tombait si dru qu'elle aplatissait le gazon, rebondissait de plusieurs centimètres au-dessus d'un long banc tourné vers la mer. Et pourtant, au large de la baie, une vaste colonne de soleil tombait à l'oblique.

— Ouais, alors, vous entrez ? dit le hippie en ouvrant la porte.

Robert obéit et le hippie referma derrière lui.

L'intérieur du château était charmant. Le vestibule était peint d'un jaune plein de gaieté, les murs ornés d'images sans grande valeur, discrètes et tout aussi gaies. Au bout du petit couloir un escalier circulaire menait à l'étage, sa rampe aux courbes sensuelles taillée dans un chaleureux bois de cerisier. Le hippie devait avoir préparé son arrivée et mis le chauffage car la température était agréable. Un feu de cheminée brûlait dans un petit salon rose sur leur droite.

— Il fait bon, marmonna Robert.

— Ouais.

L'homme désigna d'un geste un couloir qui partait du vestibule.

— La cuisine.

Robert s'engagea là où on lui disait d'aller. Le hippie lui emboîta le pas, passant toute une série de détails en revue : voilà le frigo. Ici, c'est le thermostat. Là, vous avez un four.

Robert l'observait. L'homme portait une chemise orange et un manteau de femme en velours vert qui lui tombait à hauteur de genou. Drôle d'idée de porter du velours par un si mauvais temps. Et c'était un manteau de femme : il apercevait les pinces de poitrine. C'était un beau velours luxueux, les éclaboussures de pluie au-dessus de l'ourlet avaient imbibé en profondeur le tissu et une des manches. Quand l'homme leva le bras pour désigner quelque chose, Robert vit que la doublure était en soie rose imprimée de minuscules colibris, comme si l'homme s'était drapé d'un minuscule jardin exotique.

— Ce placard-là nous est réservé, alors s'il vous plaît ne vous servez pas de ce qui s'y trouve. Voilà le vôtre.

Il ouvrit le placard voisin. Sur l'étagère étaient alignés des produits laissés par d'autres vacanciers : bouteilles de ketchup, sachets de thé, sel, aromates pour cuisiner des plats raffinés – poivre au citron, quatre épices.

— Vous vivez ici ? s'enquit Robert.

— En bas. S'il vous plaît, ne descendez qu'en cas de problème. Je n'aime pas être dérangé. Je, euh, pratique la méditation.

Robert ne voulut pas lâcher prise.

— Je croyais que j'avais l'usage exclusif des lieux.

— Vous ne me verrez plus.

— Mais vous serez en bas ?

— Je suis l'intendant.

Il s'éloigna.

— Le salon de télé est ici.

Inquiet, Robert le suivit dans le couloir. Il arriva dans une petite pièce équipée d'un téléviseur merdique installé dans le coin. Le hippie désigna la table d'un geste vague.

— Les télécommandes sont dans le tiroir.

— Écoutez, intervint Robert fermement. J'avais besoin que la maison soit vide. C'est pour ça que je paie, pour en avoir l'usage exclusif.

L'homme le considéra un instant, bouchée bée. Robert se montrait trop véhément, il le savait. Il voyait l'homme passer en revue les possibilités : tu vas te pendre dans ma cuisine. Tu as prévu de foutre le feu. Il le vit décider d'être ferme et serrer les dents pour s'y préparer.

— Non, je vis en bas, répondit-il sans équivoque. Je suis l'intendant.

— Vous vivez ici ? dit Robert un doigt pointé vers le sol. Tout le temps ? J'avais compris, à la lecture des clauses du bail, que j'aurais l'usage exclusif du château pendant toute la durée de mon séjour.

Les yeux rivés sur la bouche de Robert, le hippie essayait d'intégrer ce qu'il venait de dire.

— J'habite en bas, répéta-t-il. Je ne suis là qu'au cas où il y aurait des problèmes.

— Quel genre de problème ?

— La chaudière n'est pas simple à utiliser. Il peut manquer du bois.

— Je voulais avoir l'usage exclusif du château.

Il réfléchit à la remarque.

— Vous voulez qu'on vous rembourse ?

— Non, je veux que vous, vous partiez.

Les lumières étaient éteintes et, debout dans la pénombre d'une fausse nuit, tous les deux détournèrent le regard.

Au bout d'un moment, le hippie se faufila dans le couloir, attentif à ne pas toucher Robert en passant, et poursuivit son topo.

— Là, il y a des toilettes. La chasse déconne mais tirez un bon coup dessus. La bibliothèque est ici.

Il franchit une grande porte. Robert suivit, son cœur s'emballait. Le hippie ne pouvait pas rester là. Des hommes allaient venir tuer Robert et ils tueraient un intendant ou un jardinier sans hésitation.

La bibliothèque était un ajout plus récent, une grande pièce carrée avec une double hauteur sous plafond construite en retrait de la façade sur le côté du bâtiment et dont les fenêtres donnaient sur la mer. Du sol au plafond, les murs étaient couverts de livres posés sur des étagères en bois rouge, pas particulièrement belles et à peine vernies. Un piano droit trônait dans un coin, à côté d'un grand secrétaire en acajou. La cheminée était immense, flanquée de deux canapés visiblement très appréciés entre lesquels était installée une grande table basse carrée équipée de tiroirs où ranger des jeux.

Le hippie désigna le panier à bois et les allumettes, le papier journal pour servir d'allume-feu.

— Il y a encore du bois dehors.

— Vous ne pourriez pas partir ? insista Robert d'une voix désespérée. Si je paie davantage ?

— Non.

— Pourquoi ?

— Parce que je ne veux pas.

— J'ai du liquide.

Le hippie avait l'air vraiment méfiant à présent. Il le toisa avec colère.

— Le reste du groupe, il arrive quand ?

Robert, de toute évidence, n'était pas dans son assiette et le hippie espérait voir arriver des gens pour s'occuper de lui.

— Demain, probablement, mentit Robert.

Le hippie grogna, tourna les yeux vers la fenêtre, comme s'il espérait les trouver là, arrivés en avance à l'improviste.

— Y a des chances qu'avec l'orage, le ferry de l'après-midi sera annulé, commenta-t-il.

Pivotant sur ses talons, il se dirigea alors vers la porte, Robert dans son sillage. Au moment où il s'éclipsait dans le couloir, il tendit la main sans un regard vers une décoration posée sur le bord de la fenêtre. Robert pressa le pas derrière lui et vit qu'il s'agissait d'une petite statuette de Pan en bronze. Le dieu à la culotte de poils soufflait dans deux pipeaux tout en exécutant une petite danse sur un socle en marbre vert. Seul l'un des sabots avait été épargné par l'oxydation et son alliage étincelant réfléchissait la lumière en provenance de la cuisine. Le hippie habitait visiblement là depuis très longtemps. Robert se dit soudain qu'il avait peut-être grandi ici.

Il attendit Robert au bas de l'escalier.

— Les chambres sont à l'étage, dit-il avant de monter.

En haut, il désigna deux portes.

— Chambre principale. Salle de bains attenante.

Il ouvrit une porte et Robert le suivit à l'intérieur. Un lit à baldaquin avec ciel de lit en toile bleue et couvre-lit assorti. Des fenêtres qui donnaient sur le porche crénelé et, au-delà, sur la baie. La trouée de soleil sur la mer avait disparu, tout n'était plus que grisaille et pluie. Une ligne noire souillait le sable blanc sur toute la longueur de la plage.

— Vous êtes le propriétaire ?

Le hippie sembla mal à l'aise. Il pointa le doigt vers une porte.

— La salle de bains.

Marquant alors un temps d'hésitation, il se retourna et quitta la pièce.

En le regardant s'éloigner, Robert remarqua que sa nuque s'était légèrement empourprée.

Dehors, les collines sombres prenaient un air menaçant. Ceux qu'ils avaient envoyés pour le tuer étaient peut-être déjà là, ils savaient toujours où Robert se trouvait. Ils avaient peut-être pris le ferry avant lui, ils pouvaient se cacher dans les collines, en ce moment même, suivant du regard leur déambulation à travers la maison au gré des fenêtres qui s'éclairaient. Robert avait envie de le hurler, de crier au hippie que s'il restait, il mourrait. Il ferait bien de fuir, de se tirer, d'aller voir un ami ou quelqu'un de la famille, de partir tout simplement. Mais s'il agissait comme ça, le type appellerait la police. Robert ne pouvait pas prendre le risque de voir débarquer la police. Pire, il risquait d'appeler un médecin – Robert avait l'air louche, évidemment, il le savait bien. Il portait le même costume depuis deux jours et il avait bu. Il ne sentait probablement pas la rose. Ils l'emmèneraient à l'hôpital du coin, apprendraient que son père était mort. Ils prendraient sa terreur pour du chagrin, lui administreraient des calmants, et il passerait les dernières heures de sa vie dans les vapes. Puis le meurtrier abattrait ceux qui se mettraient en travers de son chemin.

Le hippie le regardait depuis le couloir. La maison était terriblement silencieuse.

— Pourquoi vous voulez être seul ? demanda-t-il.

Robert ne savait pas quoi dire.

— Mon père est...

Il ne savait vraiment pas quoi dire.

— Mon père vient de mourir.

— Oh.

Il baissa les yeux puis désigna une autre porte.

— Une chambre à deux lits.

Robert détourna le regard vers la fenêtre. Il entendait le hippie avancer à pas feutrés dans la maison, sur le seuil puis dans l'escalier. Robert ne bougea pas. Il regardait la mer essayer de s'accrocher à la plage. Il regardait le ciel se chamailler avec la terre. Il regardait les deux falaises face à face qui se lançaient des grognements. Il avait essayé de se retirer loin du monde, de mettre ainsi les autres à l'abri. Il aurait pu tout aussi bien prendre la première chambre d'hôtel venue en bordure d'autoroute et payer avec une carte de crédit.

La pièce était décorée de photos de famille. C'était la maison d'une gentille petite famille, une vieille fortune. La maison de ses parents ne respirait ni la vieille fortune ni la fortune honnêtement gagnée. Sa grande maison de famille dans le quartier ultra-chic de Bearsden était un signe de réussite sociale mais dedans, tout n'était que crasse et chaos, tous les murs suintaient la misère, la misère dégoulinait des rideaux, tout était collant de crasse parce que Margery accueillait la femme de ménage sur le perron deux fois par semaine et la payait pour qu'elle s'en aille.

Dans les moments de calme, Robert avait conscience qu'il était en crise. Il buvait trop, comme sa mère, prenait de mauvaises décisions, comme son père. Beaucoup d'hommes se laissaient gagner par le nihilisme à un moment ou à un autre de leur vie, et voulaient mourir, il en était sûr. Mais dans l'œil du cyclone, il avait la certitude que les périodes de sa vie où il avait espéré et aimé, où il s'était senti en phase avec les autres, n'étaient qu'un ramassis d'illusions lamentables.

Il avait, pour être honnête, oublié l'âge de ses enfants. Neuf, huit et sept, c'était bien ça ? Jessica avait-elle déjà sept ans ? Il l'espérait. Donne-moi l'homme jusqu'à ce qu'il ait sept ans, comme disait Nietzsche.

Il les voyait peu. Quand il rentrait du boulot, ils étaient déjà couchés et le matin, il partait avant qu'ils soient levés. Il travaillait la plupart des week-ends. Il ne les connaissait pas.

Chaque année, ils passaient leurs vacances à Nice dans la villa de son père. Il avait l'impression de partir avec des inconnus à la triste mine. Robert se souvint de ses dernières vacances avec eux, allongé au soleil sur un transat au bord de la piscine d'un hôtel. Il faisait mine de lire le livre de merde que tout le monde lisait cet été-là, un œil sur les enfants qui se baignaient pendant que Rose et Francine étaient parties faire les boutiques. Les gosses se hurlaient dessus, se poussaient, la petite de sept ans – les avait-elle déjà ? – criait « T'es moche ! » à son frère. Robert s'avait qu'il aurait dû faire quelque chose, s'imposer, les rejoindre dans l'eau et les calmer, mais en les regardant, il s'était rendu compte qu'il ne les connaissait pas. Un serveur, un inconnu, aurait eu davantage d'autorité. Il ne les connaissait pas. Il écoutait sans bouger tout en se demandant s'il se cherchait juste des excuses parce qu'il n'avait pas envie de se lever. Mais non. Il ne les connaissait pas. Il s'était mis à pleurer, doucement, et s'était brusquement aperçu qu'ils ne criaient plus. Il avait levé la tête. Tous l'observaient, attendaient qu'il leur ordonne de se taire. Tout le monde autour de la piscine savait qu'ils étaient sous sa responsabilité et qu'il n'avait rien fait. Et maintenant il pleurait ?

C'était mieux comme ça. Son père et lui, tous les deux morts à quelques semaines d'intervalle. Une triste histoire dont les enfants parleraient en grandissant, mais au moins la souillure serait prestement effacée, balayée. Il espérait à demi qu'ils maquilleraient ça en suicide, pour que l'histoire s'achève par ses obsèques, sans enquête interminable et sans éventuel procès. Il les avait vues, ces familles usées, mises à terre par la lente marche des procès pour meurtre ; il les avait vus attendre, espérer, rêver que bientôt ils iraient mieux. Il avait été témoin de l'implacable violence de la conclusion : la peine n'était jamais assez longue, le coupable jamais assez repentant. Tous commettaient l'erreur de croire que le procès avait lieu pour leur bien. C'était arrogant, d'une certaine façon, de partir du principe que l'ensemble des institutions de l'État se mettrait en branle pour atténuer leur chagrin.

Demain, probablement. La tempête forcissait. Même en louant un bateau privé, ils auraient des difficultés à arriver ce soir.

Ce serait donc sa dernière nuit. Un dernier repas ? Une soirée télé ? Un feu de cheminée ? Une nuit reposante ? Rien de tout cela ne lui faisait vraiment envie. Il ne voulait rien sinon qu'on en finisse. Il était prêt à mourir.

Il contempla par la fenêtre les vagues féroces qui essayaient sans faiblir de s'accrocher aux falaises abruptes et cela le rasséréna de se dire que certes il allait mourir, mais pas en entraînant n'importe qui avec lui. Le hippie était pénible de toute façon. Il ne pratiquait sans doute pas la méditation dans son sous-sol, il y fumait plutôt du cannabis. Il le cultivait sans doute lui-même. D'ailleurs, il parlait comme un fumeur de shit, répondait en décalé, portait de drôles de vêtements et habitait toujours la maison de ses parents. Mieux valait que ça tombe sur lui que sur les enfants, ou sur Rose et Francine, ou sur sa mère, ou sur le personnel de l'hôpital du coin.

Son costume humide lui collait à la peau. Il avait un sac en plastique dans la voiture avec un pantalon de rechange. Tâtant sa poche pour vérifier que la clé s'y trouvait, il descendit.

— Hé !

C'était le hippie. Debout dans le salon, devant le petit feu de cheminée, comme si ça faisait longtemps qu'il l'attendait là.

Robert posa les doigts sur sa chemise humide.

— Il faut que je…

Le hippie désigna un guéridon près de l'accoudoir d'un canapé confortable. Dessus, deux grands verres en cristal étincelaient de manière attrayante. Pleins d'un liquide ambré.

— Whisky ?

— Aberlour. Vingt-cinq ans d'âge. Je vous en prie, servez-vous.

Robert oublia le picotement de ses vêtements humides. Sans quitter des yeux le whisky, il pénétra dans la douce chaleur de la pièce aux murs roses.

5

L'obscurité tombait, tôt comme en hiver, sous la pluie battante qui dérobait ce qu'il restait du jour. Le flot des voitures dans Bath Street contournait respectueusement deux Daimler noires garées devant le Glasgow Art Club.

Leurs conducteurs, en passant, tendaient le cou vers le groupe en deuil, la solennité des grosses voitures aux lignes pures, le noir des vêtements. Ils ralentissaient le temps d'apercevoir le *memento mori,* de se rappeler à quel point il était triste que la mort arrive toujours aux autres, avant de poursuivre leur chemin vers les fades sandwichs de leur pause déjeuner et les après-midi passés à ne rien faire comme si leur vie à eux était éternelle.

Debout à côté de la voiture, Rose tenait un grand parapluie ouvert au-dessus de la portière. Les enfants se précipitèrent dehors dans un mouvement désordonné, gloussant face aux gouttes folles qui ricochaient contre le trottoir et venaient leur piquer les mollets.

L'Art Club occupait un élégant hôtel particulier de style georgien dans le centre-ville. Un large perron équipé de gratte-bottes en fer forgé menait à une double porte en chêne richement sculptée : un motif de branchages encadrait les lourdes vitres en verre au plomb par lesquelles on apercevait le hall d'entrée. Margery avait réservé l'endroit pour accueillir tout le monde afin de prendre un pot après la cérémonie. Rose ne comprenait pas pourquoi. Cela les obligeait à refaire le long chemin entre le crématorium et le centre-ville, en compagnie de trois enfants à bout de nerfs, pour se retrouver dans une salle déjà pleine d'avocats ivres. Rose n'aimait pas l'idée de voir ses enfants là-bas, dans une pièce comme ça. De jeunes êtres cernés d'adultes avinés lui paraissait une idée dangereuse. Elle n'aimait pas non plus la compagnie de ces gens, leur cynisme bidon et exaspérant, les éclats de rire entièrement conditionnés au statut social de celui qui avait parlé. C'était épuisant de se souvenir de qui elle était censée être devant eux.

Avec un claquement de langue désapprobateur, elle pressa sa petite troupe vers le haut des marches. Ils étaient là seulement pour que l'événement se grave dans leurs mémoires. Ils n'avaient pas besoin de participer au reste. Une demi-heure, quarante minutes suffiraient, se dit-elle. Cinquante s'il y a des discours. S'il vous plaît, faites qu'il n'y ait pas de discours. Pas question de rester une minute de plus que nécessaire.

À l'abri dans l'embrasure de la porte, elle se retourna et vit Dawood, Francine et Margery sortir de la voiture de tête. Dawood resta en retrait, les yeux sur Margery qui s'avançait lentement vers le perron. Prenant appui sur la rampe, la veuve soupira et se mit à gravir péniblement la volée de marches. Elle n'avait pourtant que soixante-trois ans. Francine montait à côté d'elle, appuyée sur la rampe opposée. Un tandem, chacune protégée par des parenthèses invisibles tracées dans l'abîme qui les séparait.

Derrière, à travers le voile de pluie grise, Rose aperçut les voitures funéraires qui s'éclipsaient dans la circulation, telles des panthères retournant à la chasse.

Margery arriva devant la porte. En tant que membre de l'Art Club, elle était la seule à pouvoir appuyer sur la sonnette pour qu'on les laisse entrer, mais elle les fit mariner. Debout sous l'auvent en chêne, elle inspecta un à un les enfants, puis Francine. Les bras ballants, trop fatiguée pour objecter, Francine attendait qu'elle ait fini. Seul Dawood échappa à l'inspection.

— Vous, restez en retrait, fit Margery avec un geste vers Rose, attendez ici. Nous entrerons les premiers. Vous laisserez passer quelques instants puis vous entrerez à votre tour.

Rose s'écarta à reculons, enveloppée par la pénombre. Baissant les yeux, elle vit Jessica qui lui adressait un grand sourire édenté, trop jeune pour être gênée par la vue de sa grand-mère rabaissant le petit personnel. Hamish, dix ans et assez jeune pour croire en la justice, adressa un regard noir à la vieille femme avec une moue furieuse et la bouche pincée.

Margery s'en fichait. Elle s'était déjà retournée pour appuyer sur la sonnette et poser sa main à plat sur la porte sculptée, attendant le déclic d'ouverture. La porte s'ouvrit avec un grand bâillement rauque de voix et de rires.

Margery, matriarche du clan, franchit le seuil de son club. Francine lui emboîta le pas, tout en adressant à Rose un regard navré. Laquelle la rassura d'un battement de paupières, et posa une main bienveillante sur la tête d'Hamish quand l'enfant passa à sa hauteur.

La porte se referma entre elle et eux. Le visage sans expression pour ne rien montrer aux enfants, Rose regarda à travers la vitre la famille de Julius McMillan s'armer de courage avant d'aller se mêler à la réception venant clore ses funérailles.

Le manque d'égard l'avait piquée au vif. Ils ne devraient pas la traiter comme ça. Cela dit, se reprit-elle, ils étaient en deuil. La mort de Julius était pour eux une perte épouvantable, terrible, et Robert aussi était peut-être mort pour ce qu'ils en savaient. Et puis Margery était Margery. Une poupée dans sa jeunesse, disait souvent son mari. Elle avait certes perdu son charme et sa beauté, mais elle avait conservé toutes ces habitudes par lesquelles on reconnaissait les mondaines. Elle traitait toutes les femmes, même Jessica qui n'avait que sept ans, comme des rivales potentielles.

Alors, même si elle se sentait humiliée, inquiète et en colère, Rose savait qu'elle avait déjà ressenti tout ça. Elle avait déjà ressenti tout ça très récemment et savait que ce n'était pas ça qui la tuerait. Elle pouvait choisir ses pensées. Elle décida de profiter de ces instants de solitude pour se rappeler qui elle était ici. La semaine avait été rude, déstabilisante, douloureuse et chargée. Je suis nurse, songea-t-elle. Puis elle se reprit et sourit – je suis *la* nurse. Je ne sors pas. Je ne vois personne. Je suis la nurse. La nurse timide de presque trente ans. Je n'ai pas de passe-temps. Pas de passé non plus. Je suis la nurse. Le personnage l'enveloppa comme une soutane. Ses épaules se voûtèrent, ses yeux tombèrent, sa mâchoire se relâcha.

Elle savait qui elle était, mais il n'y avait pas de temps à perdre. Jetant un regard alentour, elle constata qu'elle était seule, presque invisible aux yeux des passants pliés en deux pour se protéger de la pluie battante. Elle n'avait pas oublié M. McMillan. Elle fit un pas vers la rue sombre, ferma les yeux et leva le visage vers le ciel.

De petites gouttes de pluie vinrent moucheter ses joues et son front. Elle vit M. McMillan, son visage, ses yeux pochés de vieillard, ses dents et ses doigts jaunis par la nicotine. Elle le vit et lui envoya une prière, avec son accent, l'accent qu'elle avait dans le temps : merci, monsieur McMillan. Merci pour votre gentillesse dans ce putain de monde pourri.

M. Julius McMillan, diplômé en droit, lui envoya une pluie douce et sourit. Elle le vit ouvrir une barre de chocolat. Elle le vit fumer une cigarette. Elle le vit sangloter parce que Diana était morte. Grâce à M. McMillan, elle ne voyait plus le remords comme une faiblesse. Elle ne voyait pas non plus cela comme une chance. Elle le voyait comme un état de grâce, une fenêtre vers le salut. Sans avoir été le meilleur des hommes que la terre ait porté, M. McMillan était son rédempteur.

La porte de l'Art Club s'ouvrit derrière elle et buta contre son talon. Deux hommes, qui n'avaient rien à voir avec la réception, sortaient, un peu éméchés, le sourire aux lèvres. Rose retint la porte avant qu'elle ne se referme.

Dedans, elle baissa le regard et suivit le bourdonnement des voix jusqu'à la réception. À travers un hall majestueux, puis une grande porte, un bar et une porte plus petite. Elle n'était jamais venue ici et s'arrêta sur le seuil pour s'imprégner du lieu.

C'était une galerie. Haute de deux étages et aussi large que l'hôtel particulier lui-même ; le plafond était en verre sur toute sa longueur, offrant de la lumière naturelle à une exposition de tableaux. Au centre de la pièce, trônait un piano à queue au couvercle baissé, ses lignes aussi pures et d'un noir aussi brillant que celle des Daimler funéraires.

À chaque extrémité de la pièce, deux grandes cheminées en bois sombre se faisaient écho. Une pancarte sur le mur indiquait qu'elles étaient l'œuvre de Rennie Mackintosh, mais d'une époque trop précoce pour illustrer son style à venir, plus audacieux. Sur la hotte de l'une des deux était accrochée une horloge cassée, sur l'autre une plaque de métal représentant une femme de profil, menton dressé, sa magnifique chevelure au vent.

L'assistance était maigre et composée presque entièrement d'hommes. Les quelques rares femmes étaient habillées comme des hommes, en tailleur pantalon et talons hauts. Des avocats. À cause de la dépression de Margery, le couple avait peu d'amis.

Rose s'attarda sur le seuil, hésitant à se mêler à la foule. Elle chercha les enfants du regard sans parvenir à repérer de petites silhouettes en train de gambader sur le plancher en bois. Alors elle leva les yeux et chercha Francine. Elle l'aperçut debout près de la cheminée la plus proche, qui faisait mine de suivre le monologue de son interlocuteur en hochant la tête.

Francine attrapa Rose par le bras, alors que l'homme parlait toujours. Le regard vitreux, il racontait une histoire de pêche ou autre chose du même acabit. Un monologue plein de signifiants évidents que Rose ne saisissait pas : *Deeside...* disait-il, *trois cannes... prises.* Et des noms, comme si tout le monde les connaissait, Jonny Machin, Gunter Truc de Bidule, comme s'ils fréquentaient tous les mêmes gens et se souciaient des mêmes choses. Perdu dans son propre cadre de références, il se montra toutefois assez bon pour baisser la tête et remarquer qu'il n'avait plus l'attention de Francine et que Rose attendait de pouvoir lui parler. Il s'interrompit et s'éloigna sans un mot.

Rose toucha le coude de Francine.

— Il y a beaucoup de portes. Vous avez trouvé facilement ?

— Oui. Je suis désolée pour Margery, répondit Francine en regardant vers le côté opposé de la pièce. Ils sont là-bas, dans l'autre pièce.

Dressée sur la pointe des pieds, Rose déposa un petit baiser sur sa joue et partit les rejoindre.

Les enfants faisaient du tapage dans la salle de bains. La porte était fermée à clé. Elle frappa une fois, entendit Jessica pousser un cri perçant et sentit quelque chose s'abattre contre le bois avec un bruit sourd.

— Ouvrez, ordonna-t-elle.

Le loquet recula et la porte s'ouvrit en grand. Le sol était mouillé. Hamish avait lavé les cheveux d'Angus dans le lavabo et se tenait debout contre le mur, honteux mais satisfait, vu son sourire. La manche de la chemise d'Angus était trempée.

Rose soupira et attrapa une serviette sur le porte-serviettes en bois pour frotter énergiquement le bras d'Angus et le sécher.

— Coquin, marmonna-t-elle.

Elle ne voulait pas en faire toute une histoire, pas aujourd'hui.

Elle enveloppa le bras d'Angus dans la serviette pour éponger le plus gros. Jessica se lavait les mains avec ostentation, elle voulait jouer la petite fille modèle, parce que Rose les houspillait sans arrêt pour qu'ils se lavent les mains.

Hamish vint se coller contre le flanc de sa nounou. Croyant qu'il attendait du réconfort, elle lui dit :

— Je ne suis pas du tout contente de toi.

— Grand-mère s'est montrée grossière avec toi, répondit-il afin de détourner la conversation.

Se relevant, elle plia la serviette pour essayer d'y trouver un coin encore sec.

— La journée a été dure, Hamish.

Ces mots, cependant, lui avaient fait plaisir.

Elle frotta de nouveau le bras d'Angus, essora son col. La chemise était à moitié transparente mais, à condition de ne pas lui remettre la veste, ce serait vite sec.

Elle se releva et contempla le trio.

— Bon. On va sortir tous ensemble. On va bien se comporter maintenant. On ne va parler que quand on nous adressera la parole, on dira gentiment son âge aux gens et dans vingt minutes, tout le monde rentrera à la maison pour regarder un DVD et boire un bon chocolat chaud. C'est bien d'accord ?

Tous firent signe que oui.

— Mais seulement si vous êtes sages, les prévint Rose.

Ils ressortirent. Apercevant des plateaux de sandwichs et de minibrownies sur une table à l'autre bout de la pièce, les enfants disparurent au pas de course. Assise sur un canapé sous l'horloge cassée, Margery buvait du vin blanc à petites gorgées, entourée d'un groupe d'hommes à la voix forte qui faisaient les coqs.

L'un d'eux, assis à sa gauche, regardait ailleurs. Vers Rose, vers son visage.

Elle le connaissait, en fait : 45 000 livres à Quetta, 7,5 % de commission, tous les trimestres. Elle sentait son regard la transpercer. Elle connaissait cette soif qu'elle y lisait mais choisit de l'ignorer. Elle nota dans un coin de sa tête qu'il faudrait qu'elle vérifie dans le livre de comptes s'il leur devait de l'argent ou si c'étaient eux qui lui en devaient. Quand l'image du coffre-fort lui vint à l'esprit, elle se rappela à quel point elle était loin d'avoir réglé l'écrasante quantité de choses qu'il restait à faire. Ici, elle était la nurse, elle était timide, elle ne connaissait personne.

Elle traversa la pièce à grands pas pour aller rejoindre les enfants. Une assiette et une serviette blanche à la main, tous attendaient en file indienne derrière un homme corpulent pour faire la razzia sur le plateau de brownies.

— Deux chacun, pas plus, dit-elle en voyant l'aspect des gâteaux, tout secs et rabougris.

Jessica grogna de dépit. Le gros type se tourna vers Rose.

— Bonjour.

Elle le salua d'un hochement de tête, sans vraiment le regarder, mais il insista.

— Vous ne vous souvenez pas de moi ?

Elle sentit son ventre se serrer : ici, cependant, elle était nurse. Elle leva les yeux vers lui : cet enfoiré de Monkton. Il était devenu énorme, sans rien perdre pour autant de la haute opinion qu'il avait de lui-même. Rose lui adressa un sourire fade et baissa les yeux.

— Je ne... hum.

Il tendit la main.

— Je suis David Monkton.

— Oh, bonjour.

Coincé de part et d'autre par la cohue autour du buffet, elle n'avait pas d'autre option que de lui serrer la main. Soudain, Dawood apparut à côté d'eux.

— C'était gentil, ce que vous avez dit sur lui, dit-elle, espérant qu'il était venu la débarrasser de Monkton.

Ils ne firent pas un mouvement pour s'éloigner. Dawood et Monkton se tenaient si près d'elle dans la mêlée qu'elle ne voyait plus qu'eux. Elle eut peur que les enfants échappent à sa vigilance.

— Rose, nous nous sommes rencontrés il y a des années, insista Monkton. Vous vous souvenez ? Avec Julius ?

Elle ne répondit rien. Il ne devrait pas être en train de lui parler, sans doute voulait-il quelque chose. Ou savait-il quelque chose. Et s'il savait quelque chose, il s'en servirait parce que c'était ce que Monkton faisait : il se servait de ce qu'il découvrait

— Alors, David, fit Dawood, contrôlant sa colère, comment êtes-vous entré ?

Elle aurait dû se douter que ça arriverait. Julius était mort, Robert avait disparu et soudain tout le monde faisait n'importe quoi. Il allait falloir qu'elle découvre à quoi ils jouaient. Mais pas tout de suite.

— Désolée, murmura-t-elle, baissant une épaule afin de se frayer un chemin dans la forêt de costumes.

Elle émergea juste à temps pour apercevoir Jessica qui fourrait dans sa bouche deux carrés de brownies, deux autres encore dans son assiette.

Rose alla jusqu'à elle, lui prit l'assiette des mains et la posa d'un geste brusque sur la table. Attrapant la petite par le col, elle la guida à travers les costumes à l'écart de la foule. Loin de la mêlée, Rose s'aperçut que sa main tremblait. Jessica n'était pas la responsable.

Jessica n'avait pas peur, elle riait, crachant de petits morceaux de brownie qui dégringolaient sur sa robe noire comme un éboulis de roches.

— Jessica, enfin ! J'avais dit seulement deux.

Elle avait dans son dos la foule vorace massée autour du buffet, une forêt de costumes sombres, mais devant elle, il y avait Jessica, qui riait, ses cils entremêlés, ceux du bas avec ceux du haut, des miettes de gâteau noir au chocolat pleuvant le long de son menton. Rose se pencha de façon qu'il n'y ait plus dans son

74

champ de vision que la peau de Jessica, d'un rose opalescent. Rien que de la bonté, de la douceur et de l'honnêteté sans fard. Rose eut envie, et ce n'était pas la première fois, d'ouvrir la mâchoire assez grand pour contenir la tête de Jessica et l'avaler tout entière.

Se relevant, elle poussa Jessica loin du buffet.

— Va-t'en.

Dès qu'elle fut sûre que l'enfant obéissait, elle replongea dans la foule à la recherche des garçons. Elle les trouva près de la table. Angus avait fait tomber son assiette et cherchait les brownies par terre. Hamish avait commis une bêtise, elle ne savait pas laquelle, mais il se tenait raide comme un piquet, avec ses deux brownies, l'air louche.

— D'accord, dit-elle. On arrête tout.

Elle jouait des coudes dans la foule, un garçon à chaque main, quand elle les vit : l'oncle Dawood et David Monkton toujours ensemble alors qu'ils n'auraient pas dû, en train de la regarder fixement alors qu'ils n'auraient pas dû. Le cœur battant, le ventre retourné, Rose leur rendit leur regard, pleine de défi. Fut un temps où ils la craignaient. Plus maintenant. Ils savaient ce qu'elle avait fait, elle n'avait plus d'influence désormais.

Elle les fixa, sans expression, jusqu'à ce qu'ils détournent les yeux. Elle n'en avait pas terminé. Rien ne la reliait à Aziz Balfour. Elle avait encore le livre de comptes et les contacts, elle était l'héritière de Julius et les ferait payer pour l'impertinence de ce regard. Elle ne pourrait pas recommencer, cependant, elle ne pouvait tout bonnement pas, jamais. Mais c'était inutile, elle n'avait qu'à payer quelqu'un d'autre.

Un tapotement innocent sur son épaule lui fit faire volte-face, prête à se battre. Les garçons en profitèrent pour s'échapper et filèrent.

— Pardon !

Un sourire, hésitant, des mains pleines, un double whisky dans l'une, et dans l'autre une assiette débordant de sandwichs enveloppés d'un linceul de papier.

— Je suis désolé, je suis un tel goinfre que ça a dû me rendre aveugle.

C'était Anton Atholl. Il se mit à rire de sa maladresse et elle se retrouva à rire aussi, une sorte d'ivresse nerveuse, un relâchement. Atholl rit plus fort, se cala sur elle, comme s'il avait peur et en avait besoin lui aussi. C'était le meilleur d'entre eux, Atholl. Julius le disait sans cesse. Le seul type bien. Elle était contente de le voir.

Atholl lui tendit son assiette de petits sandwichs en guise d'excuses.

— Œuf et cresson ?

Rose secoua la tête et recula d'un pas.

— Vous devez être Rose, dit-il innocemment. Je me souviens que Julius m'a parlé de vous.

Il prenait un risque en lui adressant la parole. Il était peut-être au courant de ce que Dawood et Monkton manigançaient.

Atholl, pour plaisanter, continua à prétendre qu'ils ne se connaissaient pas et baissa les yeux vers ses mains. Les voyant pleines, il lui tendit un coude avec un grand sourire.

— Je suis Anton Atholl.

— Enchantée.

Elle leva son coude contre le sien et ils se saluèrent ainsi, avec juste la bonne dose de sourires. Elle détourna le regard.

— Rose, vous comptiez tellement pour lui.

Si elle croisait le regard d'Anton maintenant, elle fondrait en larmes. Elle ne leva pas la tête.

— Merci.

Elle s'éloigna à travers la foule, décidée à réunir les enfants et à partir.

— Avez-vous vu Robert ? dit une voix derrière elle.

C'était Atholl, qui l'avait suivie. De retour dans son personnage, elle haussa les épaules.

— Robert ne va pas venir, j'en ai peur. Il ne se sent pas en assez bonne forme.

— Oh. Les gens demandent…

Il n'avait plus du tout l'air retourné, ni affamé ni drôle. Il avait l'air sérieux et se tenait penché au-dessus d'elle.

— Je le lui dirai.

— Sérieusement, Julius vous *aimait*, répéta Atholl.

Déjà ivre, songea-t-elle, et elle sentit sa lèvre se retrousser d'énervement.

— Il adorait vous avoir près de lui.

Elle baissa la tête et sourit avant de murmurer :

— D'accord.

Atholl fut avalé par la foule grossissante, mais elle ne releva pas les yeux pour autant.

Il fallait qu'elle parte avant qu'ils soient plus saouls. Elle fouilla la pièce du regard et repéra les enfants au pied de la cheminée à l'autre bout de la salle. Hamish, assis sur le canapé, mangeait avec ostentation son dernier morceau de gâteau. Angus et Jessica, debout devant lui, l'observaient avec convoitise. Rose se dépêcha de les rejoindre, regardant loin au-dessus des têtes pour éviter de croiser le regard de quelqu'un.

Elle sourit intérieurement : le joyau de la cheminée était un vieux bas-relief en métal représentant une femme sous un profil héroïque, cheveux au vent, menton dressé, les yeux clos. Un doigt devant les lèvres.

Rose baissa les yeux et s'élança jusqu'aux enfants. Elle avait hâte de rentrer et de laisser le monde dehors.

6

Assise dans le bureau de son supérieur, Alex Morrow regardait fixement les feuilles sorties de l'imprimante. Aucun des deux n'arrivait à le croire. Ridell, un homme mince et pâle, les dents légèrement grises et des cicatrices d'acné sur les joues, ouvrit la bouche mais se ravisa. Il fronça les sourcils, ses yeux passant de l'image de l'empreinte digitale prélevée sur la scène du meurtre à la Route rouge à la fiche décadactylaire de Michael Brown trouvée dans son dossier, les deux posées soigneusement côte à côte sur son bureau.

Brown était à la fois sous les verrous et à l'autre bout de la ville, à toucher des choses et à assassiner un type dans une barre d'immeuble abandonnée. Ces empreintes qu'on trouvait maintenant, juste au moment où il s'apprêtait à plonger pour longtemps... La coïncidence était trop grosse. Plus étrange encore que son petit numéro de téléportation : cela ne lui éviterait même pas la prison. Brown et d'autres avaient mis en scène ce canular complexe et inexplicable sans que ni Morrow ni Riddell n'arrivent à saisir quel bénéfice les responsables allaient bien pouvoir en tirer.

Ils avaient envisagé différents scénarios. Morrow les suggérait. Riddell les écartait :

Détourner les soupçons loin du vrai coupable ?

Trop compliqué. Ils se serviraient des empreintes de quelqu'un qui aurait vraiment pu s'y trouver.

Attirer l'attention sur les liens que le mort entretenait avec Brown ?

Sauf que le mort n'avait aucun lien avec Brown.

Envoyer un message ?

Sauf que personne ne saurait jamais qu'on avait trouvé les empreintes de Brown à moins que la police n'aille le crier sur tous les toits, chose qu'ils n'avaient aucun intérêt à faire.

Riddell annonça que les chefs voulaient voir cette histoire d'empreintes réglée avec méticulosité et au plus vite. C'était passé sur le dessus de la pile. Les autres dossiers pouvaient attendre. Une urgence parce qu'il fallait que ça coûte le moins cher possible au bureau du procureur, Morrow en était convaincue. Personne ne voulait passer pour un con le jour où les insignes de préfet seraient remis l'année prochaine.

Riddell se racla la gorge.

— Alors, vous en pensez quoi, inspectrice ?

Puis il se laissa choir contre le dossier de sa chaise, une main sur la bouche, et attendit. Il était paresseux. Il lui demandait comment elle allait régler tout ça pour lui. Ce n'était pas un sale type ni un mauvais flic, il était juste paresseux.

— Eh bien, monsieur, j'en reviens toujours à la même hypothèse : une tentative de Brown pour semer le doute sur les empreintes retenues comme preuve dans l'affaire entendue par le tribunal. Si ce n'est pas pendant ce procès-ci, alors en appel. Soit il a réussi d'une manière ou d'une autre à aller coller ses empreintes sur la scène du crime, soit il a payé un hacker pour les changer dans la base de données.

— Tout à fait, fit Riddell comme si c'était son idée, et donc vous allez... ?

— J'ai fait venir une experte en NTIC pour qu'elle passe le réseau au crible avec moi et pointe les faiblesses.

— Bien, bien, très bien, faites donc ça. Ça va nous coûter quelque chose ?

— Non.

— Parfait, alors faites ça.

Morrow voyait tout à fait pourquoi c'était lui qui avait été promu et pas elle. Il ne posait aucun problème à la hiérarchie. Alors qu'elle, si : par son passé, par son attitude, par son frère.

Elle récupéra les documents, le remercia pour son aide et retourna dans son bureau. Elle ne détestait pas Riddell, en fait. Il était assez insipide pour ne froisser personne et représentait un bon tampon entre elle et les ordres venus d'en haut. Quand elle lui demandait de ses nouvelles, il lui parlait toujours des gens qui l'agaçaient. Il était trop paresseux pour mettre en place avec poigne l'ensemble des réformes, parfois contradictoires, qu'on leur imposait ; il attendait la nouvelle police écossaise unifiée qui devait voir le jour dans un an. Ils jouaient tous la montre, retenaient leur souffle, espérant que quelqu'un d'autre tomberait le premier.

Elle s'assit à son bureau et contempla les documents qui y étaient éparpillés, tous urgents, tous compliqués. La matinée avec Brown au tribunal avait été épuisante. Une poussée d'adrénaline qui l'avait fait tourner à plein régime trop tôt. Elle avait passé le reste de son service à s'en remettre.

Elle tendit la main vers le téléphone mais se ravisa. Ça agaçait Brian qu'elle appelle à tout bout de champ, chaque fois que les jumeaux lui manquaient. Son besoin de contact semblait répondre à un rythme de vingt minutes. Quoi qu'il se passe dans sa journée, à moins d'être en pleine réunion avec des supérieurs ou lancée dans une course poursuite, toutes les vingt minutes, elle pensait soudain aux garçons, à leur odeur, à l'incroyable mouvement de leurs toutes petites mains, de leurs tout petits orteils, de leur tout petit visage. Son aîné, Gerald, était mort brutalement et elle se demandait si c'était la crainte du lendemain qui la poussait à vouloir ainsi des contacts incessants. Pourtant, ça n'avait pas l'air lié à cette tristesse. Ça ressemblait plutôt à de la joie, pure et simple. Elle ferma les yeux et s'autorisa deux secondes avec les jumeaux devant leur premier feu d'artifice. En portant chacun un dans ses bras, debout à la fenêtre de la cuisine plongée dans la pénombre, Brian et elle regardaient les garçons émerveillés face aux blanches explosions de chrysanthèmes de feu dans le ciel.

En vérité, même quand elle était chez elle, le jumeau sur lequel elle n'avait pas les yeux à un instant donné lui manquait. Elle se dispersait tellement qu'elle sentait sa carrière pour laquelle elle avait tant donné filer entre ses doigts fatigués.

81

Elle se força à ouvrir les yeux. La paperasse. Peut-être qu'elle pourrait grignoter un truc, mais elle n'avait pas faim. Un KitKat ou autre chose, juste pour rompre l'ennui.

Jurant à mi-voix, Morrow ferma les yeux. Tout semblait n'être plus qu'une interminable corvée administrative. Elle en avait fait la remarque à Riddell qui avait ri, avant d'ajouter qu'elle était peut-être prête pour une promotion. On ne donnait pas de pouvoir à quelqu'un avant d'être certain qu'il ou elle ne déconnerait pas avec, avait-il glissé. Elle avait eu envie de le gifler. Elle ne supportait pas l'idée de passer le restant de sa carrière à sortir à reculons sur la pointe des pieds, à servir les bonnes fables aux bonnes personnes.

Mentir, c'était le truc de son frère, Danny, se dit-elle. Il avait offert de lui prêter de l'argent. Y songer la fit sourire. Son frère était un gangster, il lui proposait du fric tiré d'activités criminelles et elle était incapable de lui dire ses quatre vérités. La vie de Danny était engluée dans un bourbier de fictions : il se souciait de la communauté, il adorait ses gosses, c'était un type honnête rattrapé par ses ennuis. Danny, en réalité, était loin d'être un type honnête. Il était mauvais, violent, cupide. Elle ne pouvait pas le lui dire : dans le temps, elle y arrivait, mais à présent, le mensonge avait grandi entre eux comme un fils bâtard qu'ils avaient engendré à partir de limon et de boue.

Assise dans son bureau, porte fermée pour fuir son équipe, elle établit la biographie du mensonge. Au début, elle pouvait mentionner son « travail », lui demander des tuyaux, qu'il lui donnait, et Danny pouvait lui en demander qu'elle ne lui donnait pas. Ils arrivaient à en plaisanter. Le temps d'une brève période dorée, ils avaient assumé qui ils étaient. Cela avait duré quelques mois. Puis elle avait commencé à tressaillir à la vue de l'étincelle du mal dans ses yeux et évitait de mentionner sa grosse voiture, ses vêtements bon marché, son empire. La tendresse l'avait poussée à arrêter, si bien que lentement, ces vérités étaient devenues taboues et, au goutte à goutte, elle avait été happée par le personnage qu'il s'était bâti, celui du prestataire de services qui ramait dans une conjoncture économique difficile. Elle savait, bien sûr, qu'il n'était pas ça, mais pour la paix des familles, c'était devenu l'histoire officielle. Ils s'étaient tellement enfoncés dans la fiction, à présent, que Danny pouvait lui proposer une liasse de billets sans ciller, sans qu'elle trouve la force d'appeler la chose par son nom. Les petits mensonges acceptés avec tendresse avaient remodelé leur monde par couches successives.

Son ancienne équipe lui manquait. Les gens bougeaient sans arrêt d'un service à l'autre mais, en haut lieu, on avait montré un zèle particulier à muter tous ceux qui se trouvaient sous les ordres de Morrow après la découverte d'un vilain scandale de pots-de-vin. Elle n'avait rien à se reprocher, elle avait fait tout ce qu'elle pouvait. Néanmoins, seul McCarthy avait échappé à la vague de changements d'affectation. Chaque flic dans sa carrière avait eu son équipe préférée et Morrow craignait que Harris, Leonard, Gobby et Wilder aient été la sienne. Le pire, c'était qu'elle ne s'en était pas vraiment rendu compte sur le coup. Elle avait croisé dans sa vie tout un tas de vieux flics nostalgiques et geignards qui ressassaient les souvenirs de leurs jours de gloire. Elle savait qu'après ça, ils n'avaient jamais été heureux.

Il y avait trop de changements. Ils avaient eu droit aux changements de personnel, de formulaires, à l'informatisation généralisée et voilà que maintenant, on allait centraliser les services pour l'ensemble de l'Écosse. Les syndicats avaient sonné l'alarme : ils risquaient désormais d'être mutés n'importe où n'importe quand. De l'intimidation sans doute, mais Morrow avait la sensation que chaque réforme la poussait un peu plus vers la sortie. Sa nouvelle équipe ne la connaissait pas assez bien pour l'apprécier. Elle n'était pas exactement du genre à semer le soleil sur son passage.

Pour Brian, peu importait qu'elle aime son boulot ou pas. Ça coûtait une fortune d'élever des jumeaux, il fallait quelque chose de neuf tous les mois. Ils avaient dû faire une demande de prêt social en prétextant une réparation de toiture juste pour payer le chauffage. Elle avait un boulot, contrairement à beaucoup d'autres, alors les jérémiades étaient malvenues. Et il avait raison.

Elle se redressa dans son fauteuil et balaya du regard la pièce terne. L'informaticienne ne serait là que d'ici une heure. Elle sortit le dossier sur Aziz Balfour.

Il lui avait été faxé par l'agent Paul Wainwright, dans le Nord. C'était lui qui était sur l'affaire et il acceptait qu'elle ait accès à tout. Un type bien, ce Wainwright. Ils se connaissaient depuis l'époque où ils patrouillaient, n'avaient jamais été proches ni rien, mais elle l'appréciait pour le génie avec lequel il évitait toutes les sales intrigues de couloirs qui minaient la police. Chaque fois que quelqu'un se lançait dans des ragots ou se mettait à geindre, il changeait de sujet ou s'éclipsait. Quand elle lui demandait comment il allait, il lui répondait par une pirouette, préférant parler de son candidat préféré dans la saison en cours d'*X-Factor*, le télé crochet.

Les clichés de la scène de crime montraient un homme gisant sur son flanc gauche. Près de sa tête, une poutre rouge jaillissait du ciment gris, la peinture défraîchie était couverte de poudre dactyloscopique noire. C'était sur cette surface qu'ils avaient trouvé les empreintes de Michael Brown, en haut comme en bas. Des partielles et des complètes. Comme si ses doigts avaient agrippé la poutre avant de glisser le long du métal. Détail exaspérant : ils n'avaient pu tirer aucune empreinte ADN du vomi laissé là par quelqu'un d'autre que le mort et contaminé par la poussière et le sang. Et pour couronner le tout : un ouvrier du chantier avait marché dedans.

Elle contempla la photo d'une flaque sèche au milieu de laquelle était plantée une trace de pas aux contours parfaits. Consternant.

Poignardé plusieurs fois, le mort s'était vidé de son sang et la mare gluante autour de lui attrapait la poussière et les plumes des nombreux oiseaux qui avaient élu domicile dans le bâtiment depuis son abandon. Elle chercha un plan plus rapproché de sa main. La main droite, paume contre le sol sinon elle n'aurait rien remarqué. On distinguait sur le dos un vieux bleu au niveau des jointures, jaune et gonflé.

Le mort, Aziz Balfour, avait vingt-cinq ans. Originaire du Pakistan, il était arrivé en Écosse en tant qu'employé d'une ONG qui levait des fonds pour les victimes sans abri du tremblement de terre de 2008. Un snob, diplômé dans son pays et claire-ment issu d'une famille fortunée. Il suivait les cours du master en développement international de l'université de Glasgow et avait épousé une Écossaise l'an dernier. Tous ses papiers étaient en règle.

On avait interrogé la famille écossaise. Personne n'arrivait à croire qu'il avait été assassiné. Ils le décrivaient comme « un type génial ». Il ne buvait pas, ne se droguait pas, ne jouait pas ; il ne jurait que par son travail et reversait un quinzième de ses revenus à des œuvres sociales, alors qu'il allait être papa dans deux mois. Sur une photo, on le voyait lors d'une soirée, tenant par la taille une fille fluette vêtue d'une robe ridicule pleine de fanfreluches. Il était bel homme. Souriant, arborant une banane et des pattes à la James Dean, assez exagérées pour être prises au second degré.

Elle regarda les photos du cadavre : les traits lâches, les yeux entrouverts dans la lumière crue du flash du photographe. Aziz était grassouillet, il avait de bonnes fesses et de bonnes cuisses. Il était vêtu d'un manteau trois-quarts gris qui s'était bouchonné dans son dos, exposant des hanches potelées écrasées sous une ceinture. Dans la poche arrière de son pantalon, on distinguait un portefeuille, ce qui signifiait qu'on ne lui avait rien volé. Il portait des mocassins vernis à semelle en cuir.

Aucun de ces détails ne lui apportait quelque chose. Morrow replaça les photos dans l'enveloppe, ouvrit la porte et se força à sortir.

Elle alla jeter un coup d'œil sur son équipe. Ils étaient au téléphone ou concentrés sur leurs ordinateurs, remplissant des formulaires de suivi d'une affaire en cours : la surveillance d'un concessionnaire auto. Tous étaient jeunes, pleins d'énergie. Elle se souvenait à peine de leurs noms. La voyant dans l'encadrement de la porte, l'agent Brigid Daniel leva les yeux vers elle. Morrow se souvenait au moins de son nom à elle, si résolument catholique. Pourtant Daniel n'avait pas eu droit à un surnom papiste. Un bon signe, le signe d'une évolution positive.

— Daniel.

D'un doigt, elle lui demanda de la rejoindre. Daniel obéit.

— Oui, madame.

Elle était à l'aise, les mains derrière le dos, le regard franc. Son polo et son pantalon noirs impeccables, sans peluches, sans une seule trace de régurgitation de bébé. Morrow se souvint qu'elle pratiquait la course à pied. Elle avait l'air en forme mais se tenait jambes écartées, les cuisses grasses, et quand elle marchait, on entendait le haut de ses jambes frotter l'une contre l'autre.

— Vous avez trouvé quelque chose ?

— Non, madame.

Morrow jeta de nouveau un regard sur son bureau. Elle avait demandé à Daniel de vérifier les casiers de tous ceux qui avaient un lien avec un concessionnaire auto particulier. Tout avait l'air en ordre.

— Vous avez regardé les comptes ?

— Oui, madame. Il y a eu deux ou trois gros transferts, mais ils ont l'air de correspondre à quelque chose. J'ai trouvé les reçus de virements et tout le reste.

— Très bien, venez par ici une minute.

Daniel se précipita dans le bureau de sa supérieure avec un enthousiasme déplacé. Morrow se retourna vers l'agent McCarthy.

— On a quelque chose ?

— Non.

— Vous en pensez quoi ?

— Que le vieux dit la vérité et qu'on est des enfoirés.

C'était la crainte de Morrow.

Le type était propriétaire du garage depuis vingt-trois ans, il vendait des voitures de luxe. Il n'avait attiré leur attention que parce que le fils d'un gangster, un gros gamin gâté, avait été vu au volant d'une Lotus provenant de chez lui. En débarquant, la brigade criminelle espérait trouver des preuves que le gosse avait payé avec de l'argent sale. Ils étaient tombés sur un petit vieillard qui leur avait raconté que le gamin s'était tout bonnement servi sans demander : il avait annoncé qu'il prenait la voiture et la rapporterait plus tard, quand il serait prêt, avant de filer avec. Sachant à qui il avait affaire, le concessionnaire avait eu bien trop la trouille pour protester. Ça sonnait vrai, mais ça n'avait pas empêché qu'une fouille minutieuse soit ordonnée pour retrouver l'argent : sans ça, en moins d'une semaine tous les concessionnaires auto de la ville leur cracheraient la même histoire. Alors ils avaient passé sa comptabilité au peigne fin, gelé tous ses comptes en banque, épluché ceux de ses proches, famille et amis, dans l'espoir d'y trouver une preuve de blanchiment, traquant les achats inhabituels, les remboursements de prêts, les sacs de liquide dans les placards. Ils n'avaient rien trouvé, ce qui signifiait sans doute que le vieil homme disait la vérité et que, par ricochet, il avait été par deux fois victime : une première fois du gosse, puis une deuxième d'une fouille effrénée destinée à retrouver les produits d'un crime. La question était toujours la même, brûlante : où diable allait l'argent ?

— Une informaticienne vient me voir, dit Morrow, sur un ton qu'elle voulait léger. Pour causer empreintes.

McCarthy acquiesça.

De la tête, Morrow lui fit signe de se remettre au boulot.

— Continuez, on n'est peut-être pas des enfoirés.

Assise devant le bureau de Morrow, Daniel attendait qu'on s'adresse à elle.

— Non, dit Morrow en lui indiquant de se placer plutôt face à l'écran. J'ai besoin d'un œil neuf sur quelque chose.

Elles piétinèrent maladroitement dans la petite pièce de manière à trouver toutes les deux un angle de vue convenable. Morrow se connecta à la base de données d'empreintes digitales INDENT 1.

— D'accord, dit-elle, expliquez-moi pas à pas comment ça marche et comment on parvient à prouver que des empreintes sont identiques.

Daniel fit signe qu'elle avait compris, inspira un bon coup et se lança. On aurait dit qu'elle récitait un polycopié distribué lors de sa formation.

— Les empreintes trouvées sur une scène de crime sont relevées, photographiées et chargées dans la base de données en tant qu'empreintes inconnues. Les fiches décadactylaires réalisées lors des arrestations sont téléchargées dans une seconde base de données, indépendante mais en lien avec la première, avec indication de la référence du casier si nous l'avons. Les recherches peuvent être faites localement ou nationalement. Elles passent par la base de données des empreintes inconnues. Les identifications positives reviennent classées selon leur indice de fiabilité, haute ou moyenne, et vous indiquent la date de naissance et le nom de famille, pour que vous puissiez vérifier si c'est bien la bonne personne.

Morrow fit signe qu'elle comprenait. La date de naissance sur la fiche décadactylaire correspondant aux empreintes de Brown était la bonne.

— On a trouvé sur une scène de crime les empreintes d'un inconnu. Elles correspondent à quelqu'un mais ne peuvent pas être les siennes. Disons qu'il est mort, par exemple. Vous en pensez quoi ?

— Une erreur d'identification donc, répondit Daniel. Si c'est le cas, alors on se trouve face à l'un des trois cas suivants : pas la bonne fiche décadactylaire, pas les bonnes empreintes inconnues ou alors, l'identification n'est pas la bonne.

— Non, fiabilité haute. On a vérifié plusieurs fois. Et la date de naissance est correcte.

Daniel hocha la tête et resta songeuse quelques instants.

— Alors, en y réfléchissant bien, est-ce qu'on n'aurait pas pu changer les empreintes dans la base de données ?

— C'est ce que je me suis dit.

Daniel retint un sourire.

— Merci Daniel, vous pouvez disposer maintenant.

Daniel se leva, essaya de trouver quelque chose à dire, puis s'en alla.

— Fermez la porte derrière vous.

L'experte en informatique, une certaine Clare McGregor, était en retard de trente-quatre minutes. Morrow, par sa faute, ne serait pas rentrée pour le goûter ni pour le bain des enfants. Le front contre la porte de son bureau, Morrow se raisonna : McGregor n'en savait rien. Ça n'était pas délibéré. McGregor avait peut-être une excellente raison. Elle inspira profondément trois fois, ouvrit la porte et partit l'accueillir dans le hall.

En chemin, elle se remémora les questions à lui poser : comment quelqu'un pouvait-il déposer artificiellement des empreintes sur une scène de crime, ou comment une base de données pouvait-elle se tromper.

Morrow ouvrit la porte et pénétra dans le hall. Dès l'instant où ses yeux se posèrent sur McGregor, elle sut que les choses n'allaient vraiment pas bien se passer.

Clare McGregor était hors d'elle. Appuyée contre le comptoir de réception, jambes et bras croisés, elle se mordillait les joues d'énervement. Mince, jolie, elle avait dans les vingt-cinq ans et portait un pantalon confortable, une chemise en soie grise et des bottes à talons. McGregor n'avait jamais connu l'uniforme, elle n'était pas flic et n'était pas habillée comme quelqu'un qui devait rester au sec vingt heures d'affilée, être à l'aise pour courir et – ou – poireauter dans une voiture quatre heures durant.

— Je suis l'inspectrice Alex Morrow.

Elle tendit la main.

— Tout va bien ?

McGregor décroisa les bras mais refusa de serrer la main de Morrow. Elle marmonna sèchement « oui » comme si elles étaient en pleine dispute.

— Il y a quelque chose qui ne va pas ? demanda Morrow.

— Non, répliqua McGregor. Je suis l'informaticienne. C'est vous qui m'avez fait venir.

Morrow tendait la main avec insistance, si bien que McGregor finit par céder et lui pinça le bout des doigts.

Morrow ne laissait pas McGregor indifférente, c'était évident, et cette dernière voulait que ça se voie. Elle arrivait en retard et en colère. Elle avait probablement passé tout le trajet à répéter ce qu'elle allait lui dire, à formuler ses objections. Elle tenait à être entendue.

Pour compenser le fait qu'elle allait manquer le bain des gar-çons, Morrow s'offrit le luxe de ne plus poser aucune question.

— Suivez-moi s'il vous plaît, dit-elle, avant de faire volte-face et d'ouvrir la marche jusqu'à son bureau.

Elle fit signe à McGregor d'entrer et désigna l'un des sièges face à l'écran d'ordinateur. Pendant qu'elle attendait son arrivée, Morrow était allée consulter son coefficient de salaire pour voir à quel point quelqu'un comme elle pouvait être sensible à la corruption. Elle touchait treize mille livres de plus que Morrow, avec des compétences polyvalentes.

— Bon, fit Morrow en prenant place à côté d'elle. Je vous ai fait venir afin que vous m'éclairiez sur quelque chose.

Morrow appuya sur sa souris pour allumer l'écran, et la base de données IDENT 1 apparut soudain.

— Nous avons un problème sur une enquête : nous avons trouvé des empreintes digitales à un endroit où elles ne pouvaient absolument pas se trouver. J'ai besoin que vous m'expliquiez comment la base de données peut me produire une correspondance erronée…

— Je ne peux pas, la coupa McGregor.

Morrow la considéra. McGregor regardait fixement l'écran, la bouche pincée.

McGregor avait tort. Elles savaient tous les deux qu'elle avait tort. Le silence dura presque une minute. Il était trop tôt dans la conversation pour que Morrow se lève et la fiche dehors.

Morrow prit une grande inspiration.

— Il y a des zones d'ombre qui méritent qu'on s'y attarde : les empreintes pouvaient être complexes et considérées par erreur comme facilement exploitables, non ?

L'adjectif « complexe », en jargon technique, désignait les empreintes pourries, difficilement exploitables, qui imposaient une procédure différente. Elles devaient être examinées indépendamment par trois personnes différentes. Lesquelles étaient ensuite tenues de rédiger un rapport détaillé de leur travail ainsi que leurs conclusions. Dans le cas d'empreintes facilement exploitables, une identification de bonne qualité dans la base de données pouvait être suivie par un seul technicien et ne donner lieu qu'à un rapport standard.

McGregor fixait l'écran d'un œil vide, comme devant une émission télévisée soporifique.

— Clare, ne pourrait-il pas y avoir des zones grises dans une identification ? Ce n'est pas une science exacte, si ?

McGregor avait du mal à accepter qu'elle avait tort. Morrow songea qu'elle devait être plutôt douée, sans quoi ils ne la lui auraient pas envoyée. Ou alors, c'était une cinglée et ils voulaient au contraire se débarrasser d'elle. Elle baissa brusquement le front vers l'ordinateur, comme si elle voulait lui flanquer un coup de tête.

— Des zones grises... oui.

— Quelqu'un pourrait-il se connecter à la base de données et changer la fiche décadactylaire d'un accusé ?

— Oui, si les empreintes ont été perdues ou détériorées, on peut les changer. Mais il faut des autorisations de sécurité de haut niveau et il y aurait une traçabilité. Chaque fois que quelqu'un se connecte à un dossier, on peut remonter à la source. Regardez...

En quelques clics, elle fit défiler deux ou trois fenêtres et accéda à l'historique des données qui détaillait qui était passé, son numéro d'identification et le moment où il s'était connecté.

Morrow n'en perdait pas une miette.

— Et les empreintes relevées sur les scènes de crime ? On peut se connecter à cette base de données et les changer ?

— Non.

Morrow savait pourtant que si.

— Vous êtes certaine ?

McGregor cilla. Elle avait tort et elle le savait.

— Plus maintenant, concéda-t-elle.

— Plus maintenant ?

— On pouvait si on travaillait sur une empreinte partielle et qu'on en récupérait un meilleur jeu, par exemple, mais ils ont changé tout ça il y a sept ans. Traçabilité totale, maintenant.

Morrow se renversa contre son dossier.

— Donc, on peut mais on nous retrouve ?

— Oui.

McGregor fit défiler trois fenêtres.

— Vous voyez, là ?

Dans le coin, en haut à droite, une notification clignotait en lettres rouges : la date de modification et le numéro d'identification de l'agent du service informatique qui l'avait effectuée.

— D'accord.

91

Les empreintes pouvaient être changées. Michael Brown avait pu trouver un pourri au service informatique pour modifier le jeu d'empreintes et faire croire à une identification positive.

— Est-ce qu'on peut pénétrer dans le système par effraction et les changer à distance ?

— Non. Il faut un accès au bâtiment et aux bons serveurs, ceux qui sont autorisés à accéder à la base de données.

McGregor l'avait déjà menée en bateau une fois cependant, Morrow ne parvenait plus à lui faire confiance. Elle nota dans un coin de sa tête de poser la question à quelqu'un d'autre et n'écouta plus McGregor qui lui expliquait à présent le système de codes d'accès et de mots de passe, qui les changeait et quand.

Histoire de la tester une dernière fois, Morrow posa une question qui appelait de toute évidence un oui :

— Quelqu'un aurait-il pu s'arranger pour enregistrer un autre jeu d'empreintes dès le départ ?

— Non, répondit McGregor.

Morrow ne bougea pas, laissant ce « non » ridicule résonner dans la pièce. Elles restèrent assises là, ensemble, jusqu'à ce que la page délaissée s'assombrisse sur l'écran, comme un œil ensommeillé en passe de se fermer. Puis l'ordinateur se mit en veille.

Morrow se leva.

— Je n'ai plus besoin de vous.

McGregor se mit debout à son tour, repoussant bruyamment la chaise derrière elle.

— Mon cousin travaillait dans ce service.

Elle avait préparé cette phrase.

— C'était qui ? demanda Morrow

— L'agent Harris. Il bossait ici.

Harris avait été pour Morrow ce qui se rapprochait le plus d'un ami dans la police. Il s'était fait pincer pour des pots-de-vin et se trouvait en ce moment sous les verrous. Il avait tellement déçu Morrow qu'elle lui avait flanqué un coup de poing et lui avait cassé le nez. Elle regrettait. Il lui manquait.

La colère de McGregor était telle qu'elle en perdait le souffle.

— Et vous…, dit-elle en reniflant, la bave aux lèvres, vous êtes juste le genre de…

Mais de nouveau, Morrow n'écoutait plus. Elle était aveuglée par des images d'Harris dans une rue sombre recevant son coup de poing sans réagir, puis la laissant le frapper de nouveau, parce qu'il savait que ce qu'il avait fait était bas et honteux.

— Harris a plaidé coupable.

— Vous êtes la sœur de Danny McGrath.

Morrow sans vraiment le vouloir, haussa le ton :

— Si ce qu'a fait un membre de votre famille vous empêche de trouver votre place dans le service, vous feriez mieux de partir bosser ailleurs, mademoiselle.

Elle ouvrit la porte et la tint le temps que la jeune femme s'éclipse. McGregor avait un bon boulot, un boulot facile, elles le savaient toutes les deux. McGregor craignait manifestement qu'elle fasse un rapport sur l'incident, qu'elle lance des accusations qui lui feraient perdre sa place.

McGregor se retourna. Elle ne ressemblait pas du tout à Harris, mais Glasgow était une petite ville et le service plus petit encore.

— Dites à Harris que j'ai demandé de ses nouvelles.

— Je n'y manquerai pas, répondit McGregor par automatisme.

Morrow claqua la porte. Tout le monde était au courant pour Danny, maintenant. Ça revenait tout le temps sur le tapis et même quand ça n'était pas le cas, elle sentait l'ombre de ce lien planer au-dessus d'elle, salissant son autorité morale.

McGregor rentrerait chez elle en sanglots. Elle s'inquiéterait pour son poste pendant quelques mois, mais finirait par oublier l'incident. Morrow, elle, n'oublierait pas. Tous les jours, Harris lui manquait.

Une pensée appelant l'autre, elle baissa la tête vers sa montre : c'était trop tard pour le bain mais en se dépêchant, elle pouvait encore les coucher.

Elle ouvrit la porte et appela l'agent McCarthy.

— McCarthy, vous savez vous servir d'un lecteur portable d'empreintes digitales ?

— Oui.

— Procurez-vous-en un et apportez-le au tribunal à 9 h 30 demain matin.

McCarthy eut l'air surpris.

— On va reprendre ses empreintes ?

— S'il nous laisse faire.

Elle se retourna pour attraper son sac et son manteau.

— J'ai comme la sensation qu'il ne se fera pas prier.

7

Dès que Rose Wilson entendit la sonnette, elle sut que c'était la police. C'était si typique de Margery de sombrer profondément dans le déni que, constatant le départ de Robert, elle était capable d'avoir signalé sa disparition. Francine n'aurait jamais fait ça. Mais Rose se rappela que c'était normal, c'était ce que les gens faisaient en pareil cas. Les flics trouveraient même le moyen de savoir où Robert était passé. Elle avait vérifié sur Internet le relevé de sa carte de crédit. Il ne s'en était pas servi depuis deux jours. Elle avait aussi essayé de localiser son iPhone par iCloud. Mais il l'avait éteint. Au moins, personne d'autre ne pourrait le pister de cette façon.

Elle jeta un regard sur l'écran de l'interphone. Deux hommes en costume bon marché attendaient au portail, tous les deux un peu gros. L'un d'eux, dégarni, s'adressait à la caméra, expliquait qu'ils étaient de la police de Strathclyde, est-ce qu'ils pouvaient entrer un instant ? L'autre flic, un brun, contemplait la maison, l'air un peu perplexe. Elle savait ce qu'il pensait. La maison clochait.

Elle déclencha l'ouverture du portail et ouvrit la porte d'entrée.

Le portail de sécurité était assez bas pour qu'on puisse le franchir d'un bond. L'allée n'était pas longue. En réalité, le propriétaire des lieux pouvait se faire une meilleure idée de l'identité de ses visiteurs en regardant par la fenêtre. Le portail et la caméra n'étaient que de pâles copies d'un véritable système de sécurité. Pour satisfaire le genre d'acquéreurs prêts à dépenser un million de livres dans l'achat d'une maison, les promoteurs n'avaient pas hésité à doter les lots de tous les équipements dont ils étaient friands : portails de sécurité, sauna, doubles garages... tout y était. La nuit, ou en arrivant vers le bâtiment par un certain angle peu flatteur, Rose voyait parfois la bâtisse avec un œil neuf : un bric-à-brac chaotique de totems inutiles.

Les flics examinaient l'édifice, déconcertés par les petites fenêtres mal assorties et percées à différentes hauteurs, certaines à cheval sur deux étages pour former des tribunes de musiciens. Un toit gris en saillie surplombait la façade blanche, le portique de l'entrée comptait trop de colonnes.

La maison ressemblait à la famille qui l'occupait : désorganisée, apprêtée, névrotique et débordée.

— Bonjour, dit-elle alors que les deux hommes approchaient du perron.

Le flic au crâne dégarni lui sourit.

— Police de Strathclyde, dit-il avec un nouveau sourire, en lui montrant son insigne. Nous sommes ici au sujet de M. McMillan.

— Entrez, je vous en prie.

Elle ouvrit la porte en grand.

Ils franchirent le seuil, jetant autour d'eux des regards embarrassés, faisant de leur mieux pour masquer leur étonnement.

C'était un grand vestibule, large mais bas de plafond. Un escalier en pin branlant grimpait le long du mur avant de décrire un angle brusque. Le plafond trop bas était percé de dix-huit spots halogène qui aveuglaient comme autant de projecteurs. Elle offrit de les débarrasser de leurs manteaux. Tandis qu'ils refusaient poliment, son attention fut attirée par les chuchotements des enfants à l'étage.

Ils n'étaient pas censés jouer sur le palier. Depuis une mauvaise chute d'Angus dans l'escalier, elle le leur interdisait.

Elle ferma la porte d'entrée et tendit le cou.

— Hamish, Angus, pas là !

Deux petits visages apparurent en haut des marches, Angus souriant bêtement derrière son frère qui était trop intéressé par la police pour se soucier de la punition qu'il risquait.

— J'ai dit pas là, Hamish.

Hamish pointa un doigt vers les deux policiers.

— C'est qui ?

— On ne pointe pas les gens du doigt ! lança-t-elle.

Le flic au crâne dégarni leva la tête et sourit.

— Bonjour, dit-il.

— C'est qui ? sourit Angus, toujours planqué derrière Hamish.

— Hamish, qu'est-ce qu'on dit ?

Les garçons se turent un instant, le temps de passer en revue toutes les choses qu'elle les pressait de dire. Hamish décrocha le gros lot avec un « bonjour » de circonstance, tandis qu'Angus lançait « merci ».

— Ces hommes sont des policiers.

— Ils sont là au sujet de papa ? s'enquit Angus.

Elle ne voulait pas les regarder.

— Oui, répondit-elle. Oui.

Elle entendait le chuintement dans sa voix se répercuter contre les murs froids du vestibule.

— Vous deux, montez à la salle de jeux. Vous pouvez jouer à la Wii pendant vingt minutes.

Ils se précipitèrent en haut et Rose désigna d'un geste la porte de la cuisine.

— Vous voulez entrer ?

Les flics se dirigèrent vers le fond de la maison, Rose derrière eux.

C'était une cuisine ouverte, étroite, qui donnait sur une salle à manger. Des tabourets de bar branlants étaient disposés autour d'un comptoir de petit déjeuner. La salle à manger était équipée d'une table, mais elle ne tenait pas à ce qu'ils se mettent à l'aise, à ce qu'ils s'attardent. D'un geste, elle les invita à s'asseoir et attendit qu'ils se soient hissés sur les tabourets en tirant gauchement sur le bas de leur veste pour la coincer sous leurs fesses. Une fois installés, ils levèrent les yeux vers elle comme s'ils attendaient qu'on les félicite d'avoir réussi à s'asseoir.

— Je peux vous offrir un thé ou un café ?

— Non, fit le dégarni, non merci.

Il posa une horrible mallette en plastique sur le plan de travail propre. La poignée était couverte d'une pellicule grasse et luisante. Rose crut distinguer des miettes, de biscuit peut-être, dans la fermeture éclair. C'était dégoûtant. Elle s'imagina en train de la lécher, se sentit prise de nausée et se força à détourner le regard.

— Je vais prévenir Mme McMillan de votre arrivée. Elle se repose.

— Attendez, fit l'autre qui s'exprimait pour la première fois, vous n'êtes pas Mme McMillan ?

— Non, je suis la nurse. Je vais la chercher.

Elle avait déjà fait demi-tour quand il dit :

— Excusez-moi, vous vous appelez comment ?

Rose connaissait ce ton. Un ton qui dénotait l'intérêt, envisageait d'éventuelles complications. Il allait se poser des questions sur Robert, sur des liaisons ou des béguins non partagés, des allées et venues dans l'obscurité au milieu de la nuit. Elle avait déjà entendu ce ton chez les amis de Robert, lors des rares incursions de Francine dans le monde des autres mamans, chez des artisans qui venaient à la maison. Elle ne s'en formalisait pas, plus maintenant. La plupart des gens ne pouvaient même pas s'imaginer à quel point elle et Robert étaient proches. C'était son frère. Son grand frère candide.

Elle se retourna.

— Rose Wilson.

Les flics échangèrent un regard.

— Peut-être qu'on pourrait d'abord vous parler à vous, Rose ?

Rose n'avait pas envie mais ça semblerait bizarre. Elle revint sur ses pas et prit place sur un tabouret, les mains croisées devant elle sur le comptoir, face à eux.

— Pardon. La journée a été pesante. Obsèques dans la famille.

Le brun ouvrit sa mallette et en sortit un formulaire.

— Les obsèques de Julius McMillan ? C'était ce matin ?

— Ce n'est sûrement pas encore terminé.

— J'ai rencontré McMillan une fois, fit le dégarni.

Il marqua une pause, la bouche ouverte, attendant qu'on le pousse à continuer.

98

Épuisée, Rose lui donna ce qu'il voulait.

— Ah oui ?

— Ouais, dit-il en souriant, les yeux sur le bar. Quand j'étais jeune, j'avais arrêté des gosses d'un foyer et McMillan était leur avocat. Même à l'époque, et c'était il y a dix ans, on voyait qu'il avait été brillant, et là il défendait un petit...

Il leva les yeux en se souvenant de l'endroit où il se trouvait.

— Vous savez. Enfin, vous savez comment il s'occupait de ce genre d'affaire.

Rose se racla la gorge.

— Écoutez, hum, je crois que je peux vous épargner un peu de travail, si vous voulez. C'est comme ça que je l'ai rencontré. J'étais une de ces affaires. Il m'a défendue quand j'ai eu des ennuis.

Il leur fallut un certain temps pour piger. Puis le brun baissa la voix, comme pour lui parler de manière confidentielle.

— Quel genre d'ennuis ?

— Vous n'avez pas besoin de chuchoter. Homicide volontaire.

Elle remarqua qu'elle aussi parlait moins fort.

— La famille sait, mais pas les enfants, alors j'aimerais autant que vous n'en parliez pas devant eux...

Les flics étaient trop mal à l'aise pour le noter.

— Homicide volontaire..., répéta le brun pour se donner le temps d'enregistrer l'information.

Ils allaient retourner droit au poste et jeter un œil sur son dossier. Ils verraient qu'elle avait plaidé coupable, auraient accès aux détails. Les photos s'y trouvaient-elles ? S'ils tombaient dessus, ils seraient horrifiés. Julius McMillan les lui avait montrées. Il voulait qu'elle les voie, qu'elle encaisse, qu'elle s'en remette. Elle s'en souvenait dans leurs moindres détails : Sammy avachi contre le volant tel un costume vide, du sang partout. En noir et blanc, en couleur. Son visage à elle, couvert de sang séché sur les photos d'identité judiciaire.

Le flic au crâne dégarni se racla la gorge.

— Et vous êtes restés en contact ?

— Lui. Il m'a aidée à ma sortie de prison.

— C'était gentil de sa part.

Il haussa les sourcils.

— Oui. C'était quelqu'un de bien, plus que ce que pensaient les gens. Je peux comprendre que Robert ait envie d'être seul. Il va lui falloir du temps. Julius est une terrible perte pour tout le monde ici.

— Il était très malade, non ?

Le dégarni voulait en venir à quelque chose.

— Julius ? dit-elle, essayant de deviner ce qu'il allait dire ensuite. Oui, oui, je le crains. Un problème aux poumons. Ça devait arriver un jour ou l'autre. Il n'a pas souffert.

— Alors c'était une délivrance, vraiment ?

Elle haussa les épaules. Ils se dévisagèrent. Rose n'en montrait rien mais elle comprit que ce flic n'avait jamais assisté à la mort de quelqu'un. Rose savait qu'on n'attendait pas la mort et qu'on ne l'acceptait pas. Jamais. Personne ne partait en douceur. Il y avait toujours ce battement de pied impuissant contre le sol d'une cuisine. Elle baissa les yeux vers la table et répéta le mensonge apaisant :

— C'était une délivrance, oui, sans doute.

Il accueillit ses mots par un sourire.

— Mais Robert n'est pas de cet avis ?

— Il n'en a rien montré mais je suis certaine qu'il est bouleversé.

Le flic brun était occupé à la sonder. Elle n'avait pas la tête de l'emploi, elle le savait. Elle s'habillait comme une diplômée de la classe moyenne : jean de bonne qualité, grosse ceinture, grand pull en cachemire. Que des vêtements que lui avait achetés Francine ou que Rose s'était achetés pour remplacer des vêtements usés que la femme de Robert lui avait offerts. Et elle avait cette aisance et cette arrogance qui troublait les gens, le regard franc de quelqu'un qui savait exactement qui elle était mais s'exprimait avec un accent populaire.

— Il nous faut remplir les formulaires.

Il nota son nom, son âge : vingt-neuf ans. Son adresse : ici. Et son métier. Elle était nurse, titulaire d'un diplôme d'éducatrice de jeunes enfants de l'université de Langside.

Il fit mine d'être heureux de l'apprendre.

— Vous l'avez obtenu en prison ?

— Après. Francine et Robert attendaient leur premier, Hamish. Ils m'ont proposé le poste avant même sa naissance.

— Une attitude très citoyenne.

Il jeta un regard vers son coéquipier pour voir s'il allait le soutenir dans le mensonge.

— On n'entend pas souvent ce genre d'histoire, vous savez.

Rose sourit poliment.

— Je sais, ce sont des gens bien, de bons chrétiens.

— Oh ! fit-il, ils sont *croyants*.

Elle sourit mais sans confirmer ni démentir. Tous les deux étaient manifestement satisfaits d'y voir la raison qui justifiait qu'un couple de cadres puisse confier son nouveau-né à une jeune femme condamnée pour meurtre. À la vérité, c'était Francine qui l'avait réclamée. Rose et Robert s'appréciaient, se sentaient proches en bien des façons, mais c'était sur l'insistance de Francine que Rose avait eu la place. Francine lui faisait confiance. Tu sais t'occuper des gens, avait-elle dit à Rose, en secret, parce que Robert n'était pas encore au courant. Je vais avoir besoin de toi. Tu peux garder un secret ? Ils étaient tous rongés par le besoin de protéger Robert.

Bon, est-ce qu'elle pouvait leur dire quand elle avait vu Robert McMillan pour la dernière fois ?

Avant-hier soir, leur répondit Rose. Il avait l'air d'aller bien, précisa-t-elle.

Et récemment, s'enquirent-ils, comment semblait-il être ?

Elle leur dit que Robert avait pris la mort de son père avec calme. Il avait passé du temps à la clinique et était présent lorsque son père avait rendu son dernier souffle après l'opération destinée à regonfler ses poumons.

Est-ce qu'elle s'entendait bien avec Robert ?

Elle raconta qu'elle le voyait peu en réalité. Il travaillait pour un gros cabinet d'avocats et passait la plus grande partie de son temps au bureau. Il parvenait rarement à rentrer pour dîner en famille et elle était toujours occupée auprès des enfants. Quand il était là, elle avait pour mission de s'occuper des petits afin de permettre à Robert et Francine de passer un peu de temps seuls tous les deux.

C'était vrai d'une certaine façon : elle ne savait pas quels films il aimait, lesquels il regardait ou appréciait. Elle ne le voyait même pas si souvent manger. Mais Robert et elle se connaissaient depuis l'enfance, elle n'avait que quatre ans de moins que lui. Deux faces d'une même pièce, disait Julius à leur sujet. Elle adorait ça quand elle était plus jeune.

Elle se revit soudain à quatorze ans, en détention préventive, dans la pénombre, la peau poudrée de sang séché. Elle se grattait sans cesse le crâne et ramenait sous ses ongles une fine poussière rouge. Elle avait le cuir chevelu à vif quand McMillan était arrivé. Elle avait beau avoir quatorze ans et en paraître seize, elle était encore petite, trop petite pour les vêtements qu'ils lui avaient donnés. Elle était assise face à lui dans la salle d'interrogatoire, minuscule chose raplapla arrivée au bout de son existence.

Pas ici. Ce souvenir n'avait rien à faire dans cette maison, mais elle ne parvenait pas à s'en défaire. Elle savait qu'elle s'était figée, le regard perdu dans le vague, attisant l'intérêt.

En y appliquant toute son énergie, elle parvint à faire refluer les images, les envoyant d'un coup de pied à travers le sol de la cuisine. Elle leva les yeux vers les flics.

— Pardon, murmura-t-elle d'une voix rauque. Ça a été un sacré choc, vraiment, tout ça. Tout le monde est bouleversé. On savait qu'il n'allait pas bien, mais ça a quand même été un choc affreux. Affreux.

Les flics acquiescèrent du menton, comme s'ils pouvaient comprendre.

— Vous dites que vous êtes devenus très proches ?

— M. McMillan venait me voir en prison. Je n'allais pas faire appel. Cinq ans pour homicide volontaire, il a fait du bon boulot, la cour s'est montrée clémente. Mais il venait me voir et m'encourageait à reprendre mes études quand j'étais là-bas – il s'intéressait à moi.

— Et à votre sortie, il vous a donné du travail.

— Non, quand je suis sortie, je me suis inscrite à Langside pour devenir éducatrice de jeunes enfants. J'habitais en hébergement accompagné. Francine était enceinte et il m'a obtenu un entretien. Trois enfants plus tard, je suis toujours là.

Et comment Rose s'entendait-elle avec Francine ?

Elle s'essuya le nez, tendit l'oreille vers le vestibule, dressant mentalement la carte de la présence des enfants dans la maison.

— J'adore Francine, elle est comme ma sœur. Je l'adore, c'est tout.

Avait-elle un petit ami ?

Non.

C'était étonnant, une jolie femme de son âge. Ils lui sourirent. Elle ne leur répondit pas. Ils persistèrent.

Avait-elle eu quelqu'un récemment ?

Non.

Elle ne pouvait pas jouer la comédie qu'ils voulaient qu'elle joue. Elle ne pouvait pas accepter le compliment en gloussant ou inventer une histoire. Il n'y avait personne. Il n'y avait jamais eu personne. Elle n'avait jamais voulu qu'il en soit autrement. Tous les soirs elle allait se coucher, avant de s'endormir elle se rappelait que dans la journée aucun homme ne l'avait touchée, et elle souriait.

Ils notèrent quelque chose sur leur document, elle voyait qu'ils pensaient tous les deux qu'elle entretenait une liaison avec Robert, ou avec Francine. Ou avec les deux. Mais en regardant leurs visages de flics replets, elle se dit que leur imagination n'irait sans doute pas jusque-là. Sauf s'ils regardaient beaucoup de films porno. Les hommes qui faisaient ça, on les repérait. Ça leur donnait tout un tas de drôles d'idées sur les gens.

Après avoir rempli le bas de leur formulaire, ils lui demandèrent d'aller sortir Francine de son lit.

Rose se leva, tout en repensant à sa prestation. Elle la trouva satisfaisante.

— Messieurs, dit-elle, vous ne voulez pas une tasse de thé, vous êtes sûrs ?

Sa voix était implorante, surtout parce qu'ils l'énervaient, mais elle les vit répondre à l'intérêt et au respect qu'elle leur montrait comme des enfants répondent à l'amour. Ils posèrent les yeux sur elle et leurs visages s'épanouirent, pleins de douceur et de chaleur. Eux et nous. Nous et nous.

— Non merci, mademoiselle Wilson, si vous pouviez simplement aller nous chercher Mme McMillan.

Elle retourna dans le vestibule, la tête baissée afin que les enfants ne voient pas qu'elle était en colère.

Francine lisait au lit. Un plaid sur les genoux, elle avait *Le Moulin sur la Floss* en format folio ouvert sur les genoux. Elle avait pleuré.

Rose s'avança à son chevet et posa les yeux sur le livre. Elle en était à la page 4. Rose s'assit.

— C'est la police en bas ?

— Ouais.

— Ils veulent me parler ?

— Ouais

— Ils t'ont posé des questions sur toi ?

— Ouais.

— Tu leur as dit quoi ?

— Tout.

Francine tendit le bras vers Rose et lui prit la main.

— Quand la police sera partie, je vais devoir sortir, dit Rose.

Francine serra ses doigts.

8

Assis dans son cabinet de travail, Julius McMillan réfléchissait à la situation en tapotant son bureau du bout de son stylo. Elle était dans de sales draps. Elle avait tué deux hommes en une nuit. Ils avaient préparé leur histoire pour Samuel McCaig. Et l'histoire était bonne. Rose venait de le rencontrer, il s'était jetée sur elle, elle avait paniqué. Bien. Homicide volontaire, légitime défense. Ça allait. Le meurtre de Pinkie Brown, en revanche, ça sentait mauvais.

Il alluma une Rothmans et se renversa contre son dossier. Il remontait le tunnel de l'histoire, à la recherche de lueurs. Pinkie avait acheté l'arme. Pinkie avait un passé violent. Ils pourraient prétendre qu'il avait tenté de violer Rose mais ça mettrait à mal la défense pour Sammy le Pervers. Ils étaient camarades d'école. C'était difficile. Julius ne trouvait pas de porte de sortie. Il n'y avait pas d'issue. Le seul élément d'importance jusqu'ici, c'était qu'elle n'avait pas été inculpée pour le meurtre de Pinkie, on ne lui avait posé aucune question. Mais elle le serait, bientôt, s'il n'agissait pas.

Rose était un étonnant petit animal. McMillan avait défendu des gosses, des femmes, des gens dans des situations terribles ; mais jamais il n'avait eu affaire à quelqu'un comme elle. Elle n'avait personne : pas de famille, pas d'amis, même son assistante sociale changeait tous les six mois. Elle n'avait jamais eu droit à une famille d'accueil et ne s'était liée à aucun de ses camarades d'école. Sa vie semblait fonctionner sur un schéma selon lequel elle n'avait qu'une personne à la fois, qui était tout pour elle. Sa mère, d'abord, une épave dévorante. Ensuite personne pendant un an, et puis Sammy. Fidélité absolue. McMillan l'avait vu en elle. Quand elle lui avait promis sa loyauté, il avait vu le reste du monde mourir dans ses yeux. Ce n'était pas pour autant qu'elle lui faisait une confiance aveugle, elle n'était pas idiote. Elle lisait en lui, il le savait.

Saisissant son téléphone, il appela Dawood McMann. Ils décidèrent de se rencontrer sur un parking, ce que Julius trouva un peu mélodramatique.

Il prit soin de ne rien dire à Mme Tait, sa réceptionniste, de l'endroit où il se rendait. Elle glissait des informations à Anton Atholl, il en était sûr.

L'agent David Monkton suspendait soigneusement son T-shirt et son jean sur un cintre. Il écoutait les bavardages des autres agents avec un demi-sourire. Il se sentait mal à l'aise, parce que ce sourire n'était pas franc, il savait qu'il ne l'était pas. Il essayait de donner l'impression qu'il était dans son élément mais pas complètement, qu'il était en quelque sorte au-dessus du lot mais qu'il ne la ramenait pas pour autant. Mais le sourire était glissant. La blague qu'ils racontaient durait depuis trop longtemps et n'était vraiment pas si drôle.

— Hé Monkton !

L'agent qui lui parlait était debout, en chemise bleue et caleçon froissé. Un gros qui détestait Monkton.

— Quoi ?

Un court instant, ils se dévisagèrent par-dessus les têtes des autres sans dissimuler leur aversion, que le gros maquilla en sourire.

— Tu passes ta bite au fer à repasser ?

Tout le monde éclata de rire. Monkton savait quelle expression adopter : une indifférence amusée, mais aujourd'hui, il ne parvenait tout bonnement pas à faire obéir les muscles de son visage. Il donnait l'impression qu'il n'était pas dans son assiette, alors il tenta une autre expression et craignit d'avoir l'air vexé. Il se tourna vers son casier et y accrocha ses vêtements de ville. Un jour, je serai ton chef, lui répondit-il intérieurement.

— Je demande juste parce que t'as un pli vertical sur le devant.

S'il avait vu sa bite, il ferait moins le malin. Les rires se calmèrent un peu cette fois, plus prudents. Quelqu'un lança :

— Arrête, mec.

Monkton se retourna. Le flic le dévisageait toujours salement. Monkton croisa son regard, haussa les sourcils. Tous les autres regardaient ailleurs maintenant.

— Quoi ? fit le flic, pensant qu'il se préparait à en venir aux poings.

Monkton ne répondit rien. Il enregistra la tête du type pour plus tard, pour quand il aurait pris du galon. Il tourna les talons et quitta le vestiaire pour aller prendre son service. Il venait tout juste de franchir le seuil quand il entendit le type lancer :

— Il se prend pour qui, celui-là ?

Monkton eut envie de faire demi-tour pour aller lui foutre la beigne de sa vie. Mais il n'en fit rien parce qu'il savait se maîtriser, parce qu'il savait ce qu'il faisait, et des ordures comme ça ne se mettraient pas en travers de son chemin. Il allait droit vers le sommet. C'était ça que les autres ne supportaient pas : son ambition. Un jour, il dirigerait des divisions, des équipes entières de troupiers comme ce gars-là et il n'aurait plus à endurer leurs conneries, leurs conneries humiliantes et méprisantes.

Il monta au premier, vers le bureau qu'il partageait avec son inspecteur. Il partageait un bureau avec un putain d'inspecteur parce qu'il avait de l'ambition. Il avait déjà une longueur d'avance et c'était pour ça qu'ils le détestaient. Ils étaient jaloux. Son téléphone sonna dans sa poche alors qu'il arrivait à l'étage. Il le sortit. C'était un appareil minuscule, c'était dingue à quel point ils réussissaient à en faire de petits maintenant.

Il répondit et trouva Dawood McMann à l'autre bout du fil. Une chaleur l'envahit. Un appel de McMann, ça voulait dire de l'argent. Du liquide à dépenser, du liquide qu'il *devait* dépenser parce qu'il ne pouvait pas le déposer.

— Qu'est-ce que je peux faire pour vous ?

— Un peu plus compliqué que d'habitude. On peut se voir ?
Monkton jeta un regard alentour. Personne d'important dans les parages.

— Bien sûr. Quand ?

— Tout de suite ? Dehors ?

C'était une Range Rover, il faisait bon dans l'habitacle et les fauteuils étaient en cuir. Monkton se tourna légèrement sur son siège, même le volant était recouvert de cuir, un cuir pâle. Sa main s'attarda sur la peau du fauteuil. Elle le caressait, s'en imprégnait, s'en délectait.

— On monterait donc d'un cran, résuma McMann. Mais est-ce que vous êtes prêt ?

— Combien ?

Dawood ne répondant rien, Monkton le dévisagea. Il avait une tête étrange. À moitié pakistanais, il portait la moustache quand personne en Écosse n'en portait. Une grosse, de surcroît, et il étalait dans ses cheveux une mixture d'une sorte ou d'une autre qui leur donnait un aspect mouillé et soulignait les traces de peigne. Il portait aussi des bijoux, de grosses bagues en or et des bracelets brésiliens crasseux à son poignet gauche.

— Cinquante mille, fit McMann.

Il savoura la réaction de Monkton, le grand sourire qui s'étalait sans effort sur son visage, regarda ses dents comme s'il les comptait, avant de sourire à son tour.

— C'est un sacré paquet d'argent.

Dawood sourit de nouveau.

— C'est que je vous demande beaucoup. Ce n'est pas juste une petite information cette fois. Trouvez quelqu'un, faites que ça colle. C'est tout.

Leurs sourires se firent encore plus francs. Les bracelets sales ou l'effet mouillé dans les cheveux ne dérangeaient pas Monkton. Il se fichait aussi du plombage en or dans l'une des incisives de Dawood, autant que de son étrange façon de hocher la tête, à cheval entre le oui et le non.

9

Les yeux de Morrow se posèrent sur la maison : la lumière accueillante à la fenêtre en façade, l'herbe pelée de la pelouse en pente, la haie broussailleuse. Elle leva un regard inquiet vers le toit. Il avait vraiment besoin d'être retapé, mais ils avaient déjà dépensé l'argent. Ne restait plus qu'à espérer qu'il tiendrait bon jusqu'à la fin de l'hiver. Malgré ces tracas, elle souriait, trop heureuse d'être presque chez elle. Elle s'engagea dans le cul-de-sac, mimant les baisers dont elle allait couvrir ses fils, leurs doux cheveux de bébé lui chatouillant déjà les lèvres. Et c'est là qu'elle le vit : son frère, Danny, qui attendait garé devant chez elle.

Appuyant d'un coup sec sur l'accélérateur, elle s'avança vers lui capot contre capot, laissant entre eux deux l'espace d'une voiture, puis coupa le moteur. Ils se dévisagèrent dans la pénombre. Comme au ralenti, elle le vit se rendre compte que sa présence la mettait en rogne. Elle le vit baisser la tête et décider de faire comme si de rien n'était, avant de la relever. Il se força à afficher un sourire docile.

Elle demeura où elle était, le toisa. Danny McGrath qui laissait passer un affront. Toujours flic dans sa tête, elle savait que c'était de mauvais augure. Danny était un prédateur, il n'était pas là pour rien.

Les yeux levés vers lui, assis dans sa voiture à l'imposant capot, elle ne lui rendit pas son sourire. Il devait être au courant des informations qu'elle détenait sur son compte : les jambes brisées, les magasins incendiés, le blanchiment et l'armée de gros bras.

Danny contrôlait la moitié des taxis de Glasgow depuis qu'il avait comme par magie acquis une licence, malgré sa réputation et son casier judiciaire chargé. Alex savait à quoi ce business lui servait, combien d'argent était blanchi par les courses qu'on réglait en liquide. Elle repensa aux larmes du brave concessionnaire auto quand ils avaient embarqué dans des sacs en plastique les dossiers d'une vie de labeur. Les responsables étaient une famille rivale, mais elle en voulait à Danny.

Elle sortit, attrapa son sac et s'avança jusqu'à sa portière. La vitre descendit en douceur et Danny lui sourit.

— Comment tu vas ? dit-il.

Morrow se mordit la joue.

— Qu'est-ce que tu fiches ici ?

Faire acte de tolérance l'étranglait, mais Danny laissa couler :

— Je viens voir mes filleuls, c'est tout. Comment tu vas ?

Il attendit qu'elle lui réponde par une banalité. Elle n'en trouva pas. Elle jeta un regard au-dessus du véhicule.

— Tu ne te pointes pas chez moi quand je ne suis pas là.

Danny n'était pas habitué à ça, à entendre des gens lui répondre sèchement, sans prendre de pincettes. C'était un homme puissant. Il avait connu les bagarres au couteau, balancé son pied dans la gueule des gens. Il regarda droit devant lui et laissa échapper un rire indigné avant de se retourner vers elle, amusé et intrigué.

Elle le répéta.

— Je ne veux pas te voir chez moi.

— Mes filleuls, dit-il en souriant, mais le regard étincelant de colère.

Ils restèrent immobiles dans la pénombre, sans se regarder.

— Danny, ce n'est pas..., finit par dire Morrow.

— Ce n'est pas quoi ?

Elle n'était pas d'humeur à discuter.

— Je ne suis pas assez bien pour toi ?

Elle détailla son visage, la cicatrice sur le menton, le regard faux. Non, en effet, il n'était pas assez bien pour qu'elle le laisse s'approcher de ses enfants, mais ils étaient tous les deux si profondément englués dans le mensonge qu'elle ne pouvait pas le lui dire.

110

— Dan, je crois qu'on devrait arrêter de se fréquenter un moment. Je t'appellerai.

Sur ce, elle s'engagea dans l'allée qui menait à la maison.

— Alex !

Il était sorti de sa voiture et lui avait emboîté le pas. À force de manger des plats à emporter tous les soirs, il avait pris du poids et le survêtement ne le mettait pas à son avantage.

— Alex, attends.

Il la rattrapa, plongea la main dans sa poche arrière et en sortit une vieille photo.

— C'est pour ça que je suis venu. Je voulais juste te donner ça.

Il la lui tendit.

— 1976, précisa-t-il.

C'était une vieille photo fanée aux tons pastel des années 1970. Presque entièrement déchirée en son milieu, elle avait été recollée au ruban adhésif. Deux filles, se tenant par les épaules, en short et haut smocké en étamine de coton. Alex reconnut la coiffure de sa mère : brushing à la Farrah Fawcett et couleur à la Debbie Harry, les mèches brunes à l'arrière et blondes sur le devant. La fille la plus âgée était la mère de Danny, on la reconnaissait même sans le nez cassé. Sa coiffure était du même style mais en moins soigné, le brushing moins marqué.

Morrow ne savait pas que leurs mères avaient été amies. Chacune des deux filles avait eu un bébé environ un an après cette photo, toutes les deux du même sale type. Danny et Alex. Ils avaient commencé l'école ensemble sans savoir qu'ils étaient demi-frère et demi-sœur. Ils avaient eu le béguin l'un pour l'autre en première année de maternelle, jusqu'au jour où leurs mères s'étaient retrouvées devant le portail de l'école, pour une petite explication. Il n'y avait aucun mystère dans la relation entre Danny et Alex à l'époque, juste de la honte et de la fascination.

Mais ici, leurs mères étaient si jeunes, si fraîches, si pleines d'espoir. Elles souriaient debout dans un terrain vague au sol desséché. Il y avait eu une canicule cette année-là, elle se souvenait que sa mère en parlait. Sa mère aux jambes et aux avant-bras rougis par le soleil.

Danny détestait la sienne. Quand il était très jeune, treize ou quatorze ans, elle ne savait plus trop, il l'avait cognée et avait fini au poste. À l'époque, Morrow avait trouvé ça injuste. Tout le monde avait trouvé ça injuste. La femme avait la main leste et s'il ne s'en était pas trop mal tiré, ce n'était sans doute qu'à lui qu'il le devait. Il la détestait. Pourtant, il était là, le sourire aux lèvres, la tête légèrement de côté, contemplant la photo par-dessus l'épaule de Morrow. Mais Danny ne faisait jamais rien pour rien.

— Je voulais que tu la gardes, dit-il. Pour les garçons, pour plus tard. Pour qu'ils puissent voir à quel point elles étaient proches. Ça n'a pas toujours été la merde...

Elle contemplait la photo. Les mensonges entre eux s'étaient cristallisés à présent. Elle contemplait la photo tout en se demandant à quoi ils jouaient : se mentaient-ils l'un à l'autre ou à eux-mêmes ?

— Joli.

Elle recula d'un pas.

— Tu en as un double ?

— Ouais.

Plein d'espoir, il fit un pas vers elle.

— Merci.

Elle se retourna, glissa sa clé dans la serrure, entra et lui referma la porte au nez avec conviction.

Elle était dans un autre monde à présent, les yeux sur l'escalier où elle avait perdu les eaux, l'escalier de Noël, l'escalier des anniversaires, l'escalier taché à l'endroit où bébé Dan avait été malade.

Une odeur aigre de lait vomi flottait dans l'air tiède. Elle ôta son manteau et laissa ses sens l'engloutir.

— Alex ! cria Brian depuis le salon. Alex, viens !

Elle passa la tête dans l'encadrement de la porte. Brian avait Danny sur les genoux, une main en coupe sous le menton du bébé, pleine d'un écœurant vomi.

— Un torchon ! Un torchon !

Les garçons s'endormaient. Alex leur avait donné un deuxième bain avant de les coucher, laissant Brian profiter d'une heure de solitude devant un match de football à la télé. Les garçons n'avaient ni fièvre ni boutons, ils n'avaient pas l'air de couver vraiment quelque chose. C'était juste un de ces microbes passagers qu'ils n'arrêtaient pas d'attraper. Pas étonnant. Ils fourraient dans leur petite bouche tout ce qu'ils touchaient.

Sur le pas de la porte de leur chambre, elle les regardait en souriant lutter contre le sommeil, se mettre à genoux et retomber aussitôt, ivres de fatigue. Leurs deux lits à barreaux étaient poussés l'un contre l'autre parce qu'ils aimaient se tenir la main.

Immobile, elle attendit qu'ils s'endorment, écoutant leurs reniflements jusqu'à ce que ses pieds endoloris ne puissent plus la porter. Après avoir allumé le babyphone, elle gagna le salon sur la pointe des pieds.

Brian était avachi sur le canapé. Tout autour de lui, la moquette était mouchetée de restes de taches des gloires passées.

— On va devoir changer la moquette, dit-elle.

— Hum..., fit Brian sans décoller ses yeux de l'écran. Pas tout de suite.

Elle s'assit à côté de lui et le repoussa doucement pour partager le repose-pied. Brian se rebiffa, regagna du terrain et perdit une pantoufle. Quand elle retira ses pieds, il lui fit enfin une place. Et tous les deux sourirent, sans se regarder, les orteils bien alignés face à l'écran. Le match opposait deux équipes sans intérêt. Toujours 0-0 à la cinquantième minute.

Elle donna un petit coup dans le pied de Brian.

— Il voulait quoi, Danny ?

— Il n'est rentré qu'une minute. Il était tout sourire. Il a des soucis au boulot.

— Des soucis de quel genre ?

Brian haussa les épaules.

— Je crois qu'il en a marre, c'est tout. C'est dur pour tout le monde en ce moment. Il voulait te voir.

— Eh bien, fit-elle, soudain fatiguée, il m'a vue.

Il se redressa brusquement.

— Eh, devine quoi ?

Se levant d'un bond, il quitta la pièce et revint avec trois bouteilles dans un porte-bouteilles en carton. Il le brandit en souriant.

— Tadam !

— D'où ça sort ?

— Cet après-midi. Les garçons se sont endormis vingt minutes et quelqu'un a sonné, pour une enquête marketing. Tu veux un verre ?

Morrow leva les yeux vers lui, calculant si une réponse positive impliquerait qu'elle se lève.

— *Aye*, allez, d'accord, sourit-elle.

Il quitta la pièce et revint avec deux petits verres. C'était un vin agréable, sucré mais corsé.

— Il est pas mal, dit Morrow les yeux sur la télé.

— Ouais, hein ? Mais j'aimerais autant une bière, en fait.

— L'enquête, elle était sur quoi ?

— Les vacances.

Elle avala une autre gorgée.

— Il faut qu'on remplisse un questionnaire ou un truc ?

— Non.

— Ils sont aussi allés voir les voisins ?

— Je ne sais pas.

— Un homme ou une femme ?

Brian poussa une exclamation désapprobatrice.

— Bon Dieu, Alex !

— Je demande, c'est tout.

— Tu es très méfiante.

— Ouaip. Un homme ou une femme ?

Il sourit.

— Une femme, d'accord ?

— Une causette de vingt minutes et elle t'a laissé trois bouteilles ?

Brian grogna, mais elle ne savait pas trop s'il réagissait au match ou à ce qu'elle venait de dire.

— Tu lui as raconté quoi ?

— Qu'on n'avait pas les moyens de se payer des vacances.

Voilà à quoi tout le monde aspirait aujourd'hui, songea Morrow en suivant du regard les millionnaires qui trottinaient au milieu du terrain : juste un peu de vin gratuit, une assiette pleine, l'absence de guerre civile.

10

Rose avait la clé, mais elle sonna quand même. Elle voulait donner à Atholl l'impression de la courtoisie, afin qu'il la croie d'une certaine humeur, pour mieux ensuite le prendre au dépourvu.

Le bâtiment était en brique orange et jaune, à l'image des vieux immeubles d'appartements : du moderne qui jouait la carte de l'ancien. Il n'avait que dix ans, mais vieillissait déjà mal. La sonnette bloquée d'un occupant faisait chuinter l'interphone en continu. Au rez-de-chaussée, les rideaux étaient toujours grossièrement tirés comme si les locataires n'en pouvaient plus des regards indiscrets des visiteurs de leurs voisins.

La voix d'Atholl, presque inaudible, grésilla dans l'interphone.

— C'est moi, dit-elle.

La porte s'ouvrit.

L'escalier étroit et raide était insonorisé par un tapis. Partout régnait le silence.

Atholl avait trouvé des surnoms à la résidence : « Les Manoirs de la Solitude » et « l'Étape Panse-Plaies ». Ses occupants ? Pour la plupart des gens séparés ou divorcés, selon lui, certains avec des enfants, d'autres avec des bouteilles. Personne ne voulait y connaître personne. Personne n'y entendait personne. Un service de réanimation, disait-il. Les appartements offraient tout au plus le minimum obligatoire : une chambre assez grande pour contenir un lit double, mais pas assez pour en faire le tour. Des plafonds bas, mais qui, Dieu merci, avaient échappé à la finition à texture amiantée. Atholl aimait les descriptions. Il lui avait confié une fois avoir voulu être écrivain.

Elle gravit au petit trot les trois étages et les six volées de marches, et frappa. À peine avait-il ouvert qu'elle comprit à l'odeur qu'il était ivre. Pas l'odeur de la vodka mais celle de sa transpiration. Un effluve étrange qui lui rappelait la mélancolie de sa mère. Elle prit une profonde inspiration et entra avant de pousser la porte derrière elle.

— Ce n'est pas le moment, fit-elle.

Pas le moment d'être ivre, c'était ça qu'elle voulait dire, mais c'était trop tard.

Anton Atholl, qui titubait vers la salle de séjour, se cognait aux murs. Le dos de sa chemise était trempé de sueur.

Appuyé au chambranle, il négocia difficilement son virage et pénétra dans la pièce, Rose derrière lui.

Il se laissa tomber dans un fauteuil bas. Sur la table à côté de lui : des flasques de vodka et trois verres de tailles différentes avec des traces de jus d'orange. Il tournait le dos à une longue fenêtre panoramique donnant sur le Clyde. Deux kilomètres d'eau sombre qui suintait jusqu'à la mer, et au-delà, sur l'autre rive, de petites fenêtres ouvrant sur d'autres solitudes.

Le voir s'apitoyer ainsi sur son sort ne lui donnait pas envie d'entrer. Elle resta contre le chambranle, les mains dans les poches de sa veste à capuche. La déprime flottait dans la pièce comme un brouillard de fumée de cigarette.

Atholl tenta un sourire.

— Tu as entendu pour Aziz Balfour ?

— Il a quoi Aziz Balfour ?

Anton Atholl haussa les épaules. Rose se sentit de nouveau prise de nausées et promena son regard autour d'elle. Il avait quitté sa femme et ses gosses sans emporter beaucoup de meubles. Il n'était pas du genre à aller choisir des tissus de canapé chez Laura Ashley. Il possédait un fauteuil en cuir, une table où poser son verre, et un poste de radio pour les matchs de cricket. Par bonheur, l'appartement était équipé d'un lave-linge.

Assis dans son fauteuil, lord Anton Atholl n'avait que sa détresse pour compagne. Rose imagina sa femme et ses enfants, qu'elle n'avait jamais rencontrés, qui riaient à l'autre bout de la ville, chacun sur sa chaise, avec de la belle vaisselle et des serviettes de table, des livres qu'ils avaient toujours eus, des commodes, des lits et des sofas ; ils riaient en pensant au vieil homme gras dans son appartement vide. Les Manoirs de la Solitude : c'était bien vu.

Elle avait sincèrement cru qu'Anton serait celui qui irait un jour trouver la police. À la mort de Julius, il était devenu son souci numéro un. Il était le maillon faible, ils l'avaient toujours vu comme ça. Elle avait toujours pensé que s'il n'était pas allé les dénoncer, c'était par loyauté envers Julius. Mais Julius était mort à présent et il n'avait pas bougé. Elle le contempla, assis dans son naufrage : qu'il soit resté les bras ballants l'avait fait baisser dans son estime.

Elle alla droit au but.

— Il est où, Robert, putain ?

En proie à la panique et au désarroi, Atholl haussa les sourcils, le regard perdu dans le lointain. Un sanglot se forma dans son ventre et lui traversa la poitrine, jaillissant de sa bouche en une longue plainte. Le visage dans les mains, il pleurait. Il ne savait pas où était Robert.

Elle l'observait depuis le seuil, impassible. Elle ne partirait pas sans avoir appris ce qui se tramait.

— Qu'est-ce que Dawood manigance ?

— Je ne sais pas. Je ne sais pas...

Il fut interrompu par un sanglot.

— Je... ce qui se passe... Julius, lui il savait tout.

— Je croyais que Dawood aussi, dit-elle.

— Julius s'était fait ses propres contacts, dernièrement. Il...

Atholl perdit son souffle et se tut, en larmes. Pas des larmes désordonnées, incontrôlables, comme celles qu'elle avait versées face aux flics. Non. Des pleurs d'enterrement. Il voulait juste qu'elle cesse de lui poser des questions.

Elle l'observa encore un moment. Il ne la laissait pas complètement de marbre, mais elle savait que la réaction d'Atholl était à tout le moins amplifiée par l'alcool. Julius l'avait prévenue de ne jamais perdre de temps à essayer de convaincre des gens saouls.

Sans plus d'espoir que d'essayer de faire tenir un cube de gélatine sur l'arête.

Elle l'observa encore. Juste au moment où, ayant décidé qu'il n'allait probablement pas se calmer de si tôt, elle s'apprêtait à partir, elle entendit le rythme de sa respiration changer. Elle se retourna vers lui. Rouge et dégoulinant de larmes, Atholl leva les yeux dans sa direction.

— Je suis désolé.

Elle ne comprit pas.

— Désolé de quoi ?

Il se remit à pleurer, une main devant les yeux. Rose poussa une exclamation agacée.

— Qu'est-ce que tu as fait ?

— Moi rien. C'est le coffre-fort du bureau, il est fermé. Les clés ont disparu.

Elle se figea. Le coffre-fort. Elle aurait dû aller voir mais n'avait pas trouvé le temps.

— Tu viens de dire quoi ?

— Les clés ont disparu. On n'y a plus accès.

Il tenait l'information de quelqu'un d'autre. Le coffre-fort n'avait pas besoin de clés. Atholl ne faisait que transmettre.

— Qui t'a dit ça ?

— Dawood.

Dawood et Monkton. Qui cherchaient le répertoire des contacts, les livres de compte. C'était ça, l'histoire. C'était ça qu'ils manigançaient.

Rose le regarda se redresser, attraper une flasque presque vide et avaler d'un trait le fond de vodka. Juste à le voir, elle sentit ses mâchoires se serrer.

— Il espérait y trouver quoi, Dawood ?

Au loin, quelque part sur l'autre rive, une alarme de voiture poussait des gémissements plaintifs.

— Il n'y a rien dedans, dit Atholl. Plus important : tu as retrouvé l'ordinateur portable de Robert ?

Rose secoua la tête.

Atholl prit une grande inspiration.

— Robert a envoyé un signalement de blanchiment d'argent à la SOCA, l'Agence de lutte contre la grande criminalité.

Rose eut un hoquet de surprise. Il leva une main et détourna les yeux, comme s'il ne supportait pas de la voir choquée.

— St... non ! Dawood l'a intercepté. C'est bon. Dawood l'a intercepté.

— Putain, ça veut dire quoi, ça, « l'a intercepté » ?

Atholl réfléchit un instant à la façon de présenter la chose puis il ferma les yeux et dit :

— Robert l'a envoyé de son ordinateur portable par le wifi du cabinet après avoir fouillé dans le coffre. Dawood a dix minutes pour scanner tous les emails qui transitent par le réseau. Le message n'est jamais sorti du cabinet.

Rose avait du mal à tout intégrer : Robert qui trouvait le coffre, Robert qui fouillait dedans, Robert qui prévenait la SOCA. Et cet accès qu'avait Dawood à tous les emails du cabinet.

— Julius savait que Dawood avait ça ?

Il haussa les épaules.

— Qu'est-ce que ça change maintenant ?

Rien. Elle espérait que personne n'avait jamais envoyé d'emails à son sujet. Ça avait cependant dû être le cas, son affaire avait été jugée fin 1997. Tout le monde possédait déjà un email à l'époque, non ? Mais Julius n'aurait jamais rien dit d'indiscret la concernant dans un email. Il n'avait même pas de téléphone portable.

L'alarme de voiture gémissait toujours de l'autre côté du fleuve. Ça lui faisait peur, ça ramenait de vagues souvenirs désagréables. Elle voulait partir.

— Bon, ben, l'ordinateur de Robert n'est pas à la maison.

— C'est l'ordinateur qu'il faut que tu retrouves. On se fiche du coffre. Il aurait pu renvoyer le signalement depuis un autre système de messagerie.

Pas Robert. Quoi qu'il fasse, il s'y prenait toujours comme un manche parce qu'il y avait systématiquement quelqu'un pour passer derrière lui. Elle se redressait, prête à partir, quand elle se souvint qu'elle était venue à la pêche aux informations, au lieu de quoi c'était elle qui en avait donné. Même bourré et au désespoir,

Atholl était malin. Elle se souvenait à peine de la raison de sa venue, mais ça lui revint :

— Atholl, putain, pourquoi Monkton m'adresse la parole devant tout le monde ?

C'était la plaie qui rongeait Monkton : le marché conclu avec Dawood toutes ces années auparavant pour la tirer d'affaire. Julius lui avait dit que Monkton s'était occupé de tout, qu'il avait trouvé le garçon, monté le coup. Il voulait qu'elle sache pour ne pas perdre la main sur Monkton, une assurance. Monkton ne lui avait jamais adressé la parole jusqu'ici, jamais. Ni au tribunal où ils s'étaient croisés plusieurs fois, ni en présence de Julius, ni même à aucun des baptêmes des enfants de Francine et Robert.

Atholl secoua la tête. On aurait dit qu'il allait de nouveau fondre en larmes. Encore une ruse pour mettre un terme à ses questions.

— Qu'est-ce qui le rend si arrogant ? Pourquoi est-il si sûr qu'il ne risque rien ?

Il pleura de nouveau, les doigts appuyés fort contre ses yeux ; ça avait l'air douloureux. Il avait déjà pleuré par le passé, quand il savait qu'elle voulait demander quelque chose. Il avait paniqué quand elle avait posé sa question sur Monkton.

Le signalement à la SOCA était inquiétant, mais il avait été intercepté et tout ça n'avait rien à voir avec le coffre.

— Il pourrait y avoir autre chose dans le coffre ?

Il haussa les épaules.

— Non. Le coffre est... il n'y a rien dedans. Robert a rangé les clés dans un endroit à la con, c'est tout. C'est le signalement à la SOCA qui l'a poussé à fuir.

Rose le regarda examiner les bouteilles qui gisaient sur la table basse, à la recherche d'une gorgée. Elle détestait la vodka. Elle en détestait l'odeur, l'aspect graisseux, l'âcreté qu'elle donnait à la sueur. Elle scruta le visage d'Atholl et le vit alors : le regret. Il ne cherchait pas des gorgées de vodka au fond des bouteilles, il se cachait d'elle. Atholl avait fait quelque chose de terrible. Il avait commis un acte qu'il ne pourrait jamais se pardonner, un acte qui le hanterait jusque sur son lit de mort. Avait-il tué Robert ?

— Robert est mort ? demanda-t-elle.

— Quoi ?

Il fouillait encore parmi les bouteilles.

— Robert ? Il est mort ?

— Je ne sais pas. Pas encore, peut-être.

Rose eut envie de pleurer. Ses canaux lacrymaux rouillés s'ouvrirent avec douleur. Elle prit une courte inspiration, ordonna à ses larmes de rebrousser chemin, pivota sur ses talons et quitta le morne appartement sans un au revoir. Prenant bien soin de fermer la porte derrière elle.

La nuit froide l'enveloppa et elle remit sa capuche, s'engagea les mains dans les poches dans la côte qui menait à la gare.

Robert était quelqu'un de charmant. Elle l'avait vu grandir, à peine quelques années devant elle, et elle l'aimait comme son père l'aimait : il avait l'innocence et la loyauté d'un bon chien. Il avait épousé une gentille fille rencontrée à l'université, fait de gentils enfants et vivait dans une belle maison proprette. Et quand Julius avait convaincu Rose de passer un diplôme pour devenir nurse et s'occuper des enfants, il avait toujours été entendu qu'elle prendrait aussi Robert sous son aile. Elle faisait tampon, parce que Julius avait besoin de deux choses : de mains sales et d'un héritier. Julius et elle étaient perdus, mais Robert représentait leur espoir, leur humanité. Elle avait échoué à le protéger. Elle avait laissé tomber M. McMillan.

Progressant vers la gare à travers les rues de banlieue désertes, elle pleurait pour eux tous, laissant couler les larmes comme quand elle était enfant. Si quelqu'un lui posait la question, elle dirait que c'était Julius, la cause de sa tristesse. Un signalement à la SOCA signifiait que Robert avait trouvé le coffre-fort de derrière. Comment diable était-il entré là-bas ? Il ne savait même pas que la pièce existait. Dawood aurait-il pu le lui dire ? Non, il n'aurait pas pu avoir la certitude que Robert enverrait l'email depuis le cabinet.

Robert avait dû pénétrer dans le bureau de son père et fouiller partout. Partout, sans quoi c'était juste un tas d'argent sans explication. Rose ressentait le vide maintenant, une mort soudaine. Pas comme pour Julius, pas juste de la tristesse. Elle avait voulu mieux pour Robert. Elle sentit qu'elle s'affaissait, le poids de l'innocence de Robert la tirait vers le bas, ralentissait son pas.

Devant elle, les lueurs vives de la gare perçaient la nuit d'encre. Mais Robert avait rempli un formulaire de signalement de blanchiment d'argent. Il avait vu ce qu'il avait vu et ça l'avait indigné. Il avait lutté contre le fait qu'il savait, il n'acceptait pas de savoir, et quelque part c'était encourageant. Tout ce qu'il lui restait à faire à présent, c'était tirer Robert du pétrin, et elle l'avait déjà fait des centaines de fois. Personne ne savait où il se trouvait, c'était une bonne chose.

Le moral regonflé, décidant que c'étaient les effluves de vodka, le signalement à la SOCA et les funestes privilèges de Dawood qui l'avaient abattue, Rose se sécha le visage de sa manche. Elle emprunta le passage souterrain qui menait au quai et attendit, capuche sur la tête, tournée dans la direction opposée à l'arrivée du train afin de n'être vue de personne quand il entrerait en gare.

Elle repensa alors à Atholl. Il ne savait pas où Robert se trouvait, elle était sûre que c'était vrai. Atholl était doué, se dit-elle de nouveau, il pouvait mener une conversation où bon lui semblait. Trois fois, il lui avait dit de ne pas se soucier du coffre. Rose ferma les yeux, laissant son instinct décider de ce que ça signifiait.

Il y avait quelque chose dans le coffre.

11

L'heure de pointe matinale commençait, impitoyable. Morrow et l'agent Wheatly étaient garés à l'entrée de la cité de la Route rouge. Wainwright lui avait fait savoir qu'ils avaient obtenu toutes les autorisations nécessaires : elle pouvait enfin venir jeter un coup d'œil à la scène de crime, mais il faudrait qu'elle arrive tôt.

Ses mains charnues agrippées au volant, Wheatly tourna son cou de paysan pour suivre du regard un lève-tôt au teint jaune qui courait vers le bas de la colline. Tous attendaient de rallier Glasgow, agglutinés en masse aux arrêts de bus, cigarette au bec. Ils jetaient des regards curieux dans la voiture, sur Morrow et Wheatly, et savaient aussitôt qui ils étaient, parce qu'ils avaient l'air tellement rigides, tellement pincés, tellement flics.

— Vous pourriez me raser cette moustache, Wheatly, remarqua Morrow, relançant un sujet de conversation récurrent depuis une semaine.

Wheatly voulait faire davantage d'infiltrations, mais son apparence le trahissait trop.

— J'ai déjà essayé, dit-il en lissant ses poils noirs vers ses lèvres à l'aide de son index. Mais quoi que je fasse, j'ai la gueule de l'emploi.

Morrow haussa les épaules et leva les yeux vers la barre d'immeubles. Le corps n'était plus là, tant mieux. Un corps était toujours une distraction sur une scène de crime. Il avait tendance à attirer le regard, à susciter des étincelles d'empathie ou, dans le cas de Morrow, à détourner son attention car elle se demandait justement pourquoi elle ne ressentait pas d'empathie. L'endroit était si spectaculaire qu'il serait déjà assez difficile en soi de se concentrer sur les détails.

Vingt-sept étages de cinq cents mètres de long désossés en vue de leur démolition. Avant la pose de la dynamite, on abattait les cloisons, on se débarrassait des revêtements et surtout des fenêtres pour éviter une tempête de verre au moment de l'explosion. Morrow et Wheatly n'avaient pas pu accéder au site du meurtre avant ce matin, le temps que soit réglée toute une paperasse administrative de gestion de risques de santé et de sécurité, sans laquelle ils ne pouvaient même pas franchir la clôture de protection. Morrow n'aimait guère les hauteurs.

Un jour, au début de sa carrière, elle avait fait partie de l'équipe de maintien de l'ordre dépêchée lors de la démolition des Gorbals, une autre cité de la ville. Trois heures durant, dos au spectacle, les agents avaient surveillé la foule. Les curieux venaient avec leur pique-nique, de quoi boire, des trucs sur lesquels s'asseoir. Il régnait une étrange atmosphère, fébrile. Morrow scrutait la foule de plus en plus dense et tapageuse, guettant les ivrognes, les pickpockets, les problèmes. L'après-midi durant, elle avait entendu les gens essayer de donner du sens à leur excitation. Une page de l'histoire de la ville qui se tourne, commentaient-ils. Mais ça n'était pas que ça, ça n'expliquait pas le bourdonnement d'impatience. Alors ils enchaînaient les récriminations : c'était humide, ma tante y est morte, j'ai vu un type se défénestrer. Des excuses, parce qu'ils savaient qu'il y avait quelque chose de malsain dans leur avidité. C'était la version moderne d'une pendaison sur la place publique. Ils étaient là pour assister à la mort de plus gros qu'eux, pour prendre part à un acte de destruction irréversible.

Morrow descendit de voiture. Une pluie froide tambourina sur son crâne et elle jeta un regard vers le bout de la route, coupée par une haute grille. Un camion à hamburgers était garé devant des garages, sans doute pour les ouvriers. En bas du site de démolition, une pharmacie était toujours ouverte. Elle devait participer à un programme de distribution de méthadone, à maintenir les gens du coin tranquilles, sans quoi le conseil municipal l'aurait déjà fermée.

Remontant dans la voiture, Morrow demanda à Wheatly de contourner le site. Déboîtant, ils gravirent la colline, prirent à droite au rond-point, puis de nouveau à droite jusqu'à l'entrée principale du bâtiment. Wheatly scrutait son rétroviseur.

— Une camionnette blanche nous suit, dit-il. Elle s'est d'abord arrêtée là-bas derrière nous, mais elle vient de partir vers le haut de la colline.

Morrow ne savait trop quoi dire.

— Vous avez sa plaque ?

— *Aye*, confirma-t-il.

Il se gara avec soin et la nota dans son carnet.

— Je m'en occuperai quand on sera rentrés.

Devant eux, la route était coupée par une grille et un ensemble de conteneurs portant le nom de l'entreprise de démolition.

Morrow sortit. Le flanc de la colline était exposé aux quatre vents. Assaillie par une bourrasque et la pluie horizontale, elle serra son manteau contre elle et s'avança vers le grillage. Ce qui restait de la cage de l'escalier principal servait désormais pour les goulottes d'évacuation des gravats. En bas, une pelleteuse emportait les débris loin de l'ouverture, vers des dunes de brique et de ciment.

Wheatly sortit et la rejoignit de son côté de la voiture. Derrière le portail grillagé, ils regardèrent un ouvrier casqué sortir d'un conteneur de transport. Il s'approcha et jeta un œil à leur insigne avant d'ouvrir le cadenas pour les laisser pénétrer sur le site. Il leur désigna le conteneur d'où il venait de sortir. Un rectangle d'acier ondulé bleu, percé d'une porte et d'une fenêtre.

Empruntant la rampe métallique qui menait à la porte, ils frappèrent. Un petit homme vif, la cicatrice discrète d'un bec de lièvre au visage, vint leur ouvrir.

Elle tendit la main.

— Inspectrice Alex Morrow.

Il la lui serra.

— Farrell McGovan, répondit-il avec un mouvement diagonal de sa lèvre supérieure.

Il s'effaça pour les laisser entrer dans la pièce en métal sur-chauffée. De la moquette au sol, des chaises, deux bureaux et une affiche murale, mais ça restait très visiblement un conteneur métallique.

L'inspecteur Paul Wainwright était déjà là, accompagné d'un agent. Grand et laid, le teint bistre, Wainwright lui serra la main en souriant et salua Wheatly du menton. Quand Wainwright le lui présenta, elle salua de même son agent, oubliant instantané-ment son nom.

— Enchantée, dit-elle, coupable. Alors, on monte là-haut ?

McGovan confirma d'un signe de tête.

— Vous devez me signer cette décharge, qui stipule que nous ne sommes pas responsables de votre sécurité. Et comme je suis seul, je ne peux pas tous vous emmener, je ne peux en prendre que deux. C'est le protocole, désolé.

Morrow et Wainwright firent signe qu'ils avaient compris. McGovan leur tendit les formulaires, des documents interminables et vétilleux, déjà faxés à leurs supérieurs et approuvés. Morrow et Wainwright les signèrent et les lui rendirent.

— Il vous faut aussi des casques et des gilets haute visibilité ; protocole de sécurité encore, précisa McGovan.

Comme ils acquiesçaient de nouveau, il ouvrit la porte.

— Vous deux, vous attendez ici, d'accord ? lança-t-il aux agents.

D'un regard vers leurs officiers, les agents demandèrent la per-mission de profiter des chaises et de la chaleur du bureau pen-dant que Morrow et Wainwright graviraient les onze étages du squelette de béton.

Morrow se creusa la tête pour trouver une mission à confier à Wheatly.

— Appelez pour vous renseigner sur cette plaque d'immatri-culation et puis… euh… asseyez-vous là et attendez-moi.

À côté d'elle, Wainwright eut un petit rire.

Fermant la porte derrière eux, ils emboîtèrent le pas à McGovan jusqu'au conteneur voisin tout en échangeant des banalités : Comment ça va ? Ça se passe comment dans le Nord ? On va tous devoir bouger l'an prochain, vous croyez ? Morrow, pour sa part, en doutait, mais c'était de bon ton, en ce moment, de s'en inquiéter.

McGovan les accueillit dans un abri de chantier beaucoup plus froid que le bureau : une étagère de casques jaunes et un portant de gilets fluo couraient tout le long d'un mur.

Il dégota à chacun un équipement à sa taille. Morrow passa le sien, tout en se demandant pourquoi ils avaient tant besoin d'être visibles. Était-ce pour qu'on les voie mieux s'ils tombaient ? Ou pour mieux repérer leur corps sous une tonne de gravats ? Quand Wainwright lança une blague vaseuse sur les Village People, elle rit. Ce n'était pas drôle, mais elle aimait bien Wainwright.

Ce dernier contemplait le bâtiment, le regard plein d'appréhension.

— C'est... euh... ça fiche un peu la frousse, vraiment.

Traversant cent mètres d'éclats de verre et de bois, ils pénétrèrent dans le cadavre en décomposition d'une révolution immobilière.

Les marches de l'escalier situé à l'angle étaient en ciment, le coffrage des murs avait disparu. Ils commencèrent leur ascension derrière McGovan, ralentissant de temps à autre pour reprendre leur souffle. Au sixième étage, les rampes disparurent à leur tour. À partir du huitième, ce furent les murs extérieurs. Le vent faisait tournoyer la poussière autour de leurs genoux, projetait celle des étages supérieurs dans leurs yeux, leur cou. Des oiseaux volaient à hauteur de leurs chevilles. Chaque fois que Morrow levait la tête, elle voyait sous un angle nouveau la ville gigantesque et bourdonnante à l'horizon. Le manque de repères qui empêchait d'évaluer les distances lui donnait la nausée.

Tout l'édifice oscillait légèrement avec le vent, dans un gémissement de poutres métalliques. Le bâtiment semblait se désagréger, squelette shooté à la chaux.

Morrow prit conscience du vide au point que bientôt elle ne vit plus que ça. L'escalier n'était à présent plus rien d'autre qu'un enchaînement d'arêtes mortelles, hypnotiques et terrifiantes. Un vent mugissant la poussait vers elles, ses muscles perdaient confiance, résistaient, se contractaient. Des images de petites taches indistinctes sautant du World Trade Center lui vinrent à l'esprit, qui la firent se raidir plus encore, jusqu'à ce que le moindre de ses mouvements devienne rigide et maladroit.

Perdant haleine, elle venait de décider qu'il lui était impossible de monter plus haut quand, criant pour couvrir le vent, McGovan leur annonça qu'ils étaient arrivés.

Morrow tendit les mains devant elle, le temps de retrouver son équilibre sur le plat, soulagée de laisser le vide dans son dos pour s'avancer sur cet immense plateau qui avait été jadis des appartements. Mais ne l'était plus. Un sol de béton sur cent cinquante mètres puis de nouveau l'appel du vide. McGovan les conduisit trois poutres plus loin, jusqu'à une tache sombre et une poutre rouge maculée de traînées noires de poudre à empreintes.

Aucun seau d'eau n'avait fait l'ascension terrifiante des onze étages pour venir nettoyer le chantier : la flaque de sang séché était toujours là, intacte.

Debout à l'endroit où s'étaient sans doute trouvés les pieds d'Aziz Balfour, Morrow s'imprégna de la scène. Ils étaient à une dizaine de mètres de l'arête de l'immeuble en façade, assez près pour qu'elle se sente encore nauséeuse.

Pourquoi onze étages ? Telle était la question. Pourquoi quelqu'un se serait-il cassé la tête à le faire venir jusqu'ici ? Difficile d'imaginer un endroit plus paumé. Le lieu devait représenter quelque chose pour quelqu'un.

— Qui vivait ici avant les expulsions ? cria-t-elle à Wainwright pour essayer de se faire entendre malgré le vent et les grincements du métal.

— Une demandeuse d'asile, répondit-il, sa voix emportée par une bourrasque. Somalienne.

Il leva trois doigts.

— Trois gosses.

Deux mains en signe de capitulation, un froncement de sourcils, un hochement de tête.

— On peut pas faire plus adorable.

Il désigna le nord.

— Elle habite là-bas, maintenant. Elle a un alibi. Une femme bien.

Il leva de nouveau les mains en signe de capitulation, utilisant une langue des signes de fortune, brouillonne.

Répondant à l'avenant, Morrow fit un mouvement de moulinet :

— Et avant ça ?

— Vide depuis des lustres..., cria Wainwright, à court de gestes.

Il n'avait pas cherché d'informations sur les occupants précédents, elle ne pouvait pas lui en vouloir. C'était son affaire et il était en droit de décider des pistes à suivre.

— Vous en dites quoi ? demanda-t-elle.

Par le ton de sa voix, elle aurait voulu lui montrer de la déférence, mais c'était trop subtil pour la circonstance. Alors elle accompagna ses propos d'un geste interrogateur. C'était ridicule, comme un touriste qui haussait le ton dans l'espoir de se faire mieux comprendre.

Mais Wainwright avait pigé.

— L'ONG de Balfour a ses bureaux là-bas, dit-il avec un vague hochement de tête vers le nord. Ils l'ont pris en chasse depuis là-bas. Il y a des empreintes. (Wainwright balaya l'air à l'horizontale, paume ouverte.) Aziz courait.

Abandonnant l'idée d'essayer de se parler, tous les deux regardèrent ce qu'ils avaient autour d'eux. De nouveau, Morrow se demanda ce qui avait bien pu les motiver à le prendre en chasse jusqu'ici, ça signifiait forcément quelque chose. Ou peut-être rien. Peut-être s'étaient-ils juste dit qu'ici on ne le trouverait jamais. La démolition imminente avait été retardée par un couple de faucons pèlerins qui avait élu domicile et pondu deux œufs au vingt-quatrième étage. Comme il s'agissait d'une espèce protégée, on ne pouvait pas les déplacer. Un être humain, en revanche, ne choisirait pas de s'installer ici. Elle vit McGowan jeter un regard vers l'escalier.

Wainwright tourna le poignet vers son visage pour lui faire comprendre que l'heure tournait.

— D'accord, lança-t-elle.

Elle désigna l'escalier d'un geste.

— Ça suffit ? demanda-t-il.

Elle fit oui de la tête.

Voyant qu'ils étaient prêts, McGowan pivota pour que le vent porte sa voix dans leur direction.

— Je vous préviens, lança-t-il, tout à fait audible, la descente fait un peu peur.

Une bourrasque souleva un nuage de poussière, les forçant à baisser la tête pour se protéger le visage. Ils rentrèrent le menton et se dirigèrent vers l'escalier.

McGovan avait tort. La descente ne faisait pas peur, elle était terrifiante. Les marches étaient couvertes de gravats et de poussière des étages inférieurs. Wainwright non plus n'appréciait guère, Morrow voyait son dos se raidir, ses pieds chercher prudemment la marche suivante. Il dérapa, son pied glissant d'un millimètre dans une direction inattendue, et elle lut l'horreur soudaine dans sa posture. Il baissa les yeux, concentré sur les marches.

Ils arrivèrent à l'étage où les murs du bâtiment étaient encore intacts. Puis deux étages encore et une rampe apparut. Ils s'y cramponnèrent, reconnaissants, et poursuivirent leur route, avalés par la pénombre.

De retour sur la terre ferme, ils se sentaient encore tendus, tâtaient le terrain devant eux du bout de leurs orteils à chaque pas, les bras toujours écartés pour ne pas perdre l'équilibre, jusqu'au moment de franchir ce qui restait du seuil.

Ils se souvenaient à peine de la bénédiction que représentaient la lumière du jour et le plancher des vaches. Morrow transpirait sous son casque et la contraction, une demi-heure durant, de tous les muscles de son corps l'avait exténuée.

Elle suivit McGovan. Wainwright, à côté d'elle, se cala sur son pas.

— Et dire qu'on nous fait la leçon sur la sécurité au travail, hein ? commenta-t-il.

Affichant un large sourire, Morrow lui jeta un regard.

— Vous êtes montés combien de fois ?

Wainwright fit la grimace.

— Cinq. C'est de pire en pire.

— Merci Paul, je ne me doutais pas que c'était si...

Elle chercha désespérément un terme plus héroïque mais abandonna.

— Si effrayant. Aziz Balfour avait l'air d'un type sympa.

— À tous points de vue, vraiment. Drôle. Pieux, le cœur sur la main, il s'est marié l'an passé, sa femme doit accoucher dans deux mois. Il s'est installé ici après le tremblement de terre de 2008 pour aider à gérer une association humanitaire.

— Qu'est-ce qu'ils fichaient là-haut ?

Wainwright se retourna et leva les yeux.

— Ce soir-là, il est passé à son bureau, très tard.

D'un signe de tête, il désigna de nouveau le nord.

— Et puis, on l'a trouvé là-haut. On pense qu'il courait, qu'il essayait d'échapper à quelqu'un. Il est monté par l'escalier central. Il y a des traces de pas irrégulières jusqu'en haut, qui montrent qu'il était pressé. Ses semelles.

— Juste les siennes ?

— Et d'autres baskets, dit-il. Petits pieds, du 39. On aurait dit des pieds d'enfant.

— Un type pas grand ?

Elle imagina une petite frappe, un jeune voyou essayant d'impressionner un boss.

— Peut-être. On ne les a trouvées qu'une fois, cela dit. Des Adidas.

Plus personne ne portait des Adidas.

— Il fallait que le lascar soit sacrément déterminé pour le suivre jusque là-haut, fit Wainwright. Quelle tristesse. Balfour était un héros dans son pays. Il a pris part aux opérations de sauvetage lors des tremblements de terre de 2005 et de 2008. Il venait d'une famille fortunée, une famille de militaires corrompus, mais il avait coupé les ponts. C'était vraiment un bon gars.

Wainwright frotta le sol du bout du pied, sourcils froncés, troublé de ressentir une intimité avec la victime. Le genre de sentiment qui n'aidait pas.

— Et sa main ?

Morrow leva sa propre main, doigts repliés contre la paume.

— Sur la photo, on a l'impression qu'il a donné un coup de poing dans quelque chose, dit-elle, la veille ou l'avant-veille de sa mort.

— Ça, on ne sait pas. Sa femme n'en sait rien. Elle a vu le bleu, mais il lui a dit qu'il s'était cogné par maladresse au boulot. La veille de sa disparition.

— Les contusions sont jaunes...

Paul baissa les yeux vers elle.

— Vous pensez que ça vous aura servi à quelque chose de monter ?

— C'est plus compliqué que ce que je croyais. La mort d'Aziz n'a pas de sens. La connexion pakistanaise est intéressante, cela dit. Je pensais à un coup monté de Michael Brown, mais il n'est pas malin à ce point. On dirait bien qu'il bénéficie de conseils de haut vol...

Wainwright acquiesça d'un signe de tête.

— L'argent a cet effet. Un crime est un crime, mais quand le fric s'en mêle, c'est une tout autre histoire.

Morrow approuva.

— *Aye*, Paul, ne m'en parlez pas.

— Oh pardon, Alex, ce n'était pas à votre frère que...

— Oh non, je sais bien..., dit-elle, en lui faisant signe de ne pas s'en faire, avant de tourner de nouveau le regard vers l'immeuble. Je n'arrive simplement pas à comprendre comment ils s'y sont pris. J'espérais trouver les empreintes de Brown sur un objet mobile.

Ils firent quelques pas de plus, contents de voir que leurs muscles s'étaient détendus.

— Bon, fit Wainwright en redressant les épaules, le regard au-dessus de la tête de Morrow. Retour aux joies de la routine.

— Vous avez quoi sur le feu ?

— J'ai ça (il hocha la tête en direction de l'immeuble) et un autre meurtre, querelle familiale. Puis deux adolescentes qui ont poignardé leur copine à coups de talons aiguilles dans un club. Et une disparition.

Il se pencha vers elle avec un sourire.

— Le disparu est avocat.

— *Aye*, ce qui veut dire ?

— De meilleurs gâteaux secs à la clé, dit-il.

Et tous deux partirent d'un long rire sonore, parce qu'ils étaient vivants.

12

1997

Le dimanche de la disparition de Diana, Glasgow était une ville morte. Les bouquets de fleurs de supermarché s'entassaient en désordre sur George Square. Les voitures roulaient au pas. Il pleuvait. L'arrêt de l'activité était moins une réponse naturelle à un chagrin écrasant, comme à Londres, qu'un silence gêné. La ville baissait les yeux, en retrait, attendant que le moment passe.

L'inspecteur George Gamerro avait travaillé sans relâche la journée durant, pour être à jour de sa paperasse et coordonner celle des autres. C'était le milieu de l'après-midi et il s'apprêtait à interroger le suspect dans le meurtre de Pinkie Brown.

Assis à la cantine, il mangeait les sandwichs préparés par sa femme et buvait sa soupe directement dans la Thermos. Dehors, le temps était gris et menaçant, déprimant, les premières notes de la soirée glissant imperceptiblement vers la nuit.

Il aimait les dossiers simples comme celui-ci. George était presque en fin carrière, il avait accumulé assez d'années de service pour se rendre compte que rien n'était l'effet du hasard. Cette affaire allait être réglée en deux temps trois mouvements, et il laisserait en partant ce soir-là un bureau impeccable. Et puis ça faisait du bien de se dire qu'on arrachait à la rue un jeune de quatorze ans, avant qu'il puisse nuire encore.

Des collègues en uniforme entrèrent et vinrent se joindre à lui, ou s'assirent non loin, sortant à leur tour leurs casse-croûte. Ils campaient dans la grande salle déserte et prenaient leur temps. Ce jour-là, à cause de ce qui s'était passé à Paris, tout le monde s'accordait de vraies longues pauses. Pas de voleurs dans les magasins faute de magasins ouverts. Pas de bagarres au football faute de matchs.

Quelqu'un assura que les esprits s'échaufferaient dans la soirée, quand l'alcool s'en mêlerait. Tous approuvèrent d'un signe. Prédire le désastre était une habitude tenace chez les flics, mais tous savaient que la ville ne connaîtrait pas la folie d'un samedi soir, ni même les contrariétés d'un dimanche. Tout le monde était un peu K.O. Ce soir, les vrais ivrognes auraient tellement picolé la journée durant qu'ils dormiraient. Et les alcooliques mondains resteraient chez eux devant la télé, à tuer le temps. La conversation dévia sur le tunnel de l'Alma, chacun raconta où il se trouvait au moment où il avait appris la nouvelle, comme s'ils cherchaient à se faire une place dans l'événement, puis il n'y eut plus grand-chose à dire et tous se sentirent un peu perdus.

George referma son Tupperware et revissa le bouchon de sa Thermos.

— Eh bien, fit-il en se levant, une main sur le ventre, avant de lancer ce qu'il lançait toujours après son déjeuner : fameuse, cette soupe.

— Ce n'est pas toi qui fais ta soupe, George ?

— Si. Bon sang, elle était bonne !

Ils gloussèrent et George se dirigea vers la porte avec un sourire. Il descendit d'un étage au petit trot pour rejoindre son bureau, lourdement, ses vieux genoux protestant contre la désinvolture de son pas.

Ils se partageaient la pièce à quatre et travaillaient tous face au mur. Trois des bureaux étaient inoccupés mais l'agent David Monkton attendait derrière le sien. Il accueillit George avec un grand sourire.

— Il est arrivé, dit-il.

Monkton était nouveau dans le service. Il avait demandé à prêter main forte à Gamerro pour l'interrogatoire Pinkie Brown.

Il avait besoin d'expérience. Il comptait bientôt passer le concours d'inspecteur.

Monkton était jeune, rusé, ambitieux. Il connaissait visiblement des hauts gradés qui intimidaient Gamerro, les saluait du menton dans l'escalier, souriait d'un air entendu à la mention de leurs noms.

George était un vieux briscard, qui comprenait le fonctionnement des systèmes de pouvoir formels, les grades, l'ancienneté, les qualifications. Il savait aussi qu'il existait des systèmes informels. Ceux-là, il avait du mal à les appréhender. Plus jeune, quand il était encore plein d'ambition, il avait envisagé de rejoindre les francs-maçons. À présent, il serait gêné de l'admettre. Personne n'appartenait vraiment aux francs-maçons ou à une loge. Les vrais systèmes de pouvoir informels étaient invisibles – aux yeux de George tout au moins.

Gamerro, du coup, était mal à l'aise en présence de Monkton, qui pour sa part ne faisait pas mystère du fait qu'il les maîtrisait. Le ton de Monkton n'était jamais mesuré, jamais respectueux, il parlait fort, s'attendait toujours à ce qu'on l'écoute. Il y avait une autre raison pour laquelle George ne l'aimait pas : il s'était acheté une maison. Il était célibataire. Comble de la décadence pour Gamerro, un homme d'une autre génération, qui avait vécu chez ses parents à qui il avait reversé ses salaires jusqu'à son mariage. Il n'appréciait pas Monkton, soit parce qu'il avait fait faux bond à ses parents, soit parce qu'il venait d'une famille qui n'attendait pas des enfants qu'ils contribuent.

Mais à la vérité, si George n'aimait pas Monkton, c'était parce qu'il le faisait se sentir vieux et mal à l'aise. Gamerro offrait ses conseils, comme il le faisait toujours avec les jeunes, mais Monkton savait visiblement déjà tout. Il écoutait patiemment, se montrait respectueux en surface, mais il savait déjà. Les concours d'inspecteur étaient devenus plus exigeants. Les nouvelles recrues ne venaient plus du même milieu qu'à son époque. Si bien que George se surprenait à envisager de quitter la police plus tôt que prévu. Son cousin, qui tenait un magasin de journaux, lui proposait un poste à mi-temps.

Mais il avait trop roulé sa bosse pour ne pas se dire que si Monkton le mettait mal à l'aise, c'est qu'il y avait quelque chose.

Il cherchait sa compagnie de la même façon qu'il reviendrait inlassablement vers un témoin malhonnête.

— D'accord, répondit-il à Montkon.

Il posa sa Thermos sur le bureau, pour plus tard.

— Alors on y va, vous êtes prêt ?

Monkton se leva.

— *Aye.*

Ils gagnèrent les cellules ensemble, sans se presser, en silence pour mieux se concentrer.

Interroger un enfant sur un meurtre brutal promettait d'être épuisant. Les gosses de George avaient la vingtaine à présent et, malgré lui, des images d'eux à quatorze ans, jeunes êtres malléables encore en devenir, lui venaient à l'esprit. Il se rassura en se disant que ça serait sans doute simple : dans la voiture avec Monkton et Harry, le gamin avait déjà avoué. Ils avaient juste besoin d'un enregistrement pour corroborer. Et s'ils n'y arrivaient pas, il y aurait tout un tas d'empreintes. La ruelle était tapissée de traces de main sanglantes.

La lumière dans le couloir était faible, en net contraste avec l'éclairage blanc et cru des salles d'interrogatoire. George s'était souvent dit qu'inconsciemment, les suspects devaient s'y sentir comme des naufragés.

Arrivés à la porte, Monkton et lui hésitèrent, se regardèrent, rassemblèrent leurs esprits. George ouvrit la porte. Ébloui par la lumière vive, il sentit ses pupilles se contracter, un élancement douloureux quand la lueur claqua contre sa rétine. Ses yeux se brouillèrent de larmes tant et si bien qu'il gagna sa place à l'aveuglette, suivant le chemin que ses jambes avaient emprunté pour des centaines d'autres interrogatoires lors de centaines d'autres dimanches pluvieux.

Il ne regarda pas le garçon assis à la table. Ni lui ni Monkton ne le saluèrent ou ne saluèrent la femme assise derrière lui. Ce n'était pas une impolitesse délibérée. Ils étaient tenus de lancer le magnétophone avant de prononcer le moindre mot, afin de s'assurer que tout serait enregistré. George était conscient que ça devait sembler mal élevé, ou froid, ou quelque chose comme ça, mais il avait une procédure à suivre et c'était important qu'ils la respectent. Il était également conscient qu'il faisait ce qu'il fallait pour Monkton, qu'il lui montrait comment les choses devaient être faites, qu'il était toujours dans la partie. L'espace d'un instant, quand son dos entra en contact avec le dossier de sa chaise, il se vit comme Monkton le verrait dans ses souvenirs de début de carrière, une histoire transmise aux flics en devenir, pour l'heure encore à l'école primaire, des garçons qui deviendraient un jour les hommes face auxquels ce serait à Monkton de se sentir vieux et d'un autre temps.

Assis près du mur, il battit des paupières pour chasser l'éblouissement avant de glisser les cassettes dans le magnétophone, qu'il enclencha. Il articula la date, le lieu et le nom des présents. Puis il se lança.

— Michael Brown, c'est bien ton nom.

Un murmure :

— *Aye.*

— Eh bien Michael, comme tu viens de me l'entendre dire au magnétophone ici, je suis l'inspecteur George Gamerro. C'est moi qui vais mener l'interrogatoire.

Le garçon ne leva pas les yeux. Il était petit pour son âge, les épaules étroites, un T-shirt Nike jaune et sale. Il avait les yeux gonflés.

— Tu comprends, Michael ?

Sans lever la tête, le garçon fit timidement signe que oui.

— Cette femme, derrière toi, tu sais qui c'est ?

Il ne répondit rien.

— Yvonne travaille à Cleveden House, où tu habites, n'est-ce pas ?

Le garçon confirma de nouveau.

— Tu veux bien parler, Michael, qu'on puisse entendre tes réponses sur la cassette ?

George se montrait aussi doux que possible mais le garçon persistait dans son mutisme.

— D'accord. Bon, Yvonne n'est pas là pour te donner des conseils concernant ta défense, ni rien de tout ça. Elle est simplement là pour s'assurer que tu vas bien, n'est-ce pas, Yvonne ?

141

Yvonne leva les yeux vers George et confirma par un sourire hésitant, presque aussi timide que le garçon. Elle n'était elle-même qu'une enfant, un tout petit bout de femme, elle ne serait pas gênante.

Les yeux de George se posèrent sur le T-shirt du garçon. Jaune et sale. Pas de boue ni rien, poussiéreux avec de la terre par contre, comme s'il s'était roulé sur un sol sec. George se reprit. Quelque chose clochait avec le T-shirt. Il leva les yeux vers le garçon.

Celui-ci était face à la table, mais il fixait Monkton du regard et l'espace d'un instant, George se demanda s'il n'avait pas les yeux gonflés non à cause des larmes mais parce qu'il détestait Monkton. Il avait l'air minuscule, les mains sur les genoux, les épaules basses, le regard concentré derrière ses cils.

Conscient qu'il était enregistré, George souleva une feuille de papier pour donner l'impression qu'il avait marqué une pause pour consulter ses notes. Mais l'idée que quelque chose clochait avec le T-shirt l'obsédait. Soudain, il comprit pourquoi : il n'y avait pas de sang. Mais ce gosse était en foyer. S'il était venu d'une maison où régnait le chaos, après avoir ôté son T-shirt couvert de sang, il aurait pu avoir ramassé en hâte pour se changer un T-shirt sale qui traînait par terre. Les foyers, aux yeux de George, n'étaient pas un endroit où élever des enfants d'où qu'ils viennent, mais on savait les y garder propres. Il devait leur reconnaître ça. Ils lavaient leurs vêtements et leur linge de lit, décrottaient leurs chaussures et leurs genoux. Aucun T-shirt empoussiéré n'aurait traîné dans un foyer.

George posa les mains sur la table devant le garçon afin d'attirer son attention. Il fit glisser ses doigts vers lui, entraînant à leur suite le regard du petit. Celui-ci posa les yeux sur lui. George adopta une expression plus douce.

— As-tu l'intention de me parler, Michael ?

Il se montrait beaucoup plus indulgent que d'ordinaire. Il sentait Monkton irrité à côté de lui, qui se mordait les lèvres, s'agitait sur sa chaise.

Le garçon regardait George comme il fallait, maintenant, le sondait.

— C'est ton T-shirt ?

Étonné par la question, le garçon fit courir un doigt sur sa poitrine.

— Je l'ai acheté.

— Tu l'as acheté où ?

Le garçon fronça les sourcils, le dévisageant comme il avait dévisagé Monkton. Il croyait que George demandait s'il l'avait volé.

— Je te demande ça, ajouta George, parce que ma nièce cherche un T-shirt jaune avec le logo de Nike dessus.

La mauvaise ruse arracha au gamin une exclamation désapprobatrice, ridiculisant George devant Monkton.

— D'accord, dit-il, soudain plus froid, ce T-shirt, tu l'as mis quand ?

Le garçon tourna le regard vers la gauche, se demandant où était le piège, puis vers la droite, cherchant une raison pour ne pas répondre. Il n'en trouva pas.

— Hier. Hier matin.

Il l'avait mis avant le meurtre. George le croyait. Monkton, en revanche, poussa un léger soupir qu'on n'entendrait pas sur l'enregistrement. George craignit d'avoir manqué quelque chose, d'être en train de se ridiculiser encore. Il décida de changer de sujet.

— Hier soir, qu'est-ce qui s'est passé ?

Mais le garçon ne répondit pas, il scrutait simplement Monkton.

— C'est ta chance de nous donner ta version, Michael.

Rien. Des regards pleins de colère. Quant à Monkton, il souriait d'un air suffisant.

— Quelle image tu crois que ça va donner de toi si on va au tribunal et que tu as refusé de répondre à toutes nos questions ? Un jury se dira que seul un coupable refuserait de parler.

Le garçon remuait sur sa chaise, comme s'il jouait avec quelque chose sous la table.

— Les mains sur la table ! ordonna George, et le garçon obéit.

George changea de tactique.

— Michael, raconte-nous. Tu as déjà raconté aux agents qui t'ont amené ici que tu avais tué ton frère.

Il se tripotait une coupure, c'était ça qu'il faisait sous la table. Il avait de petites mains, un peu bouffies. Cela retint l'attention de George. Il regarda mieux et vit soudain des gonflements, des égratignures, des zébrures. Les blessures n'étaient pas au sommet des jointures, pas là où elles se seraient trouvées si le garçon avait frappé quelqu'un. Les coupures et les bleus étaient concentrés dans les vallées douces tout autour, sur les plaines du dos de ses mains. Quelqu'un l'avait frappé. Son grand frère l'avait frappé, Michael avait répliqué et ça avait été l'escalade. George se sentit soulagé. Elle était là, la raison, une excuse pour ressentir de la compassion.

— Et ces bleus sur tes mains, demanda-t-il en massant ses propres jointures. Tu te les es faits comment ?

Mais le garçon ne répondit rien. Il ne laissa pas échapper une excuse pour avoir tué son frère. Il resta assis là, muet, les yeux rivés aux écorchures sur les jointures de Monkton. George observa Monkton tandis qu'il cachait sous son autre main sa main contusionnée. Son soulagement disparut : Monkton avait maltraité l'enfant et s'il assistait à l'interrogatoire maintenant, c'était pour l'empêcher de parler.

George avait deux options désormais : il pouvait reposer la question et le garçon dirait peut-être que Monkton l'avait frappé. Ou il pouvait changer de sujet. S'il parlait des mains, ça serait sur la cassette. Même si George ne faisait pas de rapport, celui ou celle qui retranscrirait l'interrogatoire serait contraint de le faire.

George était assez vieux pour savoir ce qu'il adviendrait d'un flic jouant ce genre de tour à un autre flic. Il songea aux relations que Monkton entretenait avec des personnages au bras long, au petit sourire entendu à la mention du chef, aux poignées de main dans les couloirs.

Et George savait ce qu'il adviendrait quand l'avocat du petit l'apprendrait. Il s'en servirait pour invalider les aveux dans la voiture. Michael Brown bénéficierait d'un non-lieu, sortirait libre et ils le ramasseraient de nouveau dans un ou deux ans pour un autre meurtre, une deuxième vie perdue à cause d'une gifle, peut-être, de pas grand-chose, peut-être.

— Quand as-tu vu ton frère pour la dernière fois, Michael ?

Le garçon haussa une épaule, se souvint. Un éclair de panique dans son regard et il perdit tout son courage. Il se couvrit les yeux de ses mains meurtries et pleura, tout son souffle désertant sa poitrine. Il allait avouer maintenant, George en était certain, il suffisait d'attendre.

Mais Michael Brown n'avoua rien. Il inspira profondément, d'un coup, bruyamment, un type en train de se noyer qui remontait à la surface, et d'un même élan, il commença à se frapper le visage de ses mains, à se griffer les joues, les paupières. Yvonne lui saisit les coudes par-derrière, l'immobilisa en tirant sur ses bras.

Son visage était un chaos de zébrures, les yeux écarquillés, la poitrine agitée de hoquets, le souffle râpeux dans sa gorge. George n'avait jamais rien vu de tel ; ça lui rappela un animal paniqué à l'entrée de l'abattoir. Il voulut sortir.

Débitant en hâte la formule de circonstance, il interrompit l'enregistrement et fit signe à Monkton de sortir. Ils ne se dirent rien avant d'avoir disparu dans le couloir, fermant la porte derrière eux.

Monkton parla le premier, un sourire dédaigneux sur le visage.

— C'était quoi ce cirque ?

George lui envoya un coup de poing dans l'épaule, l'empoigna pour le tourner vers lui et pointa sous son nez un doigt menaçant.

— Vous avez levé la main sur ce gosse ?

Monkton leva le menton avec insolence, presque moqueur.

— Vous plaisantez !

George était furieux.

— Est-ce que vous avez frappé le petit quand vous l'ameniez au poste ? Oui ou non ?

— Comme si j'allais frapper un gosse, rétorqua Monkton, d'un ton plat qui signifiait à George de laisser tomber.

Mais George avait déjà laissé tomber. Il aurait pu poser la question de manière à ce que ce soit enregistré. Il avait déjà laissé tomber. Ce qu'il ne pouvait pas laisser passer, en revanche, c'était le manque de respect, et Monkton le savait.

Monkton soupira et expliqua :

— On l'a juste maîtrisé, monsieur. Il a résisté à l'arrestation dans la voiture. Il a pété un plomb, exactement comme il vient de faire.

Il se retourna vers le bout du couloir.

— Il s'en prenait à lui-même, à l'appuie-tête et tout ça, alors on a dû le maîtriser et il s'est cogné les mains.

Il leva les bras d'un air suppliant.

— Qu'est-ce que vous voulez que je vous dise ?

— Je voulais que les aveux obtenus sur la banquette arrière soient recevables, pour qu'on n'ait besoin que des empreintes pour les corroborer et clore le dossier. Mais ce n'est pas ce que j'ai, n'est-ce pas, agent Monkton ?

— Non, monsieur, répondit Monkton alors que George s'engageait dans l'escalier. Mais ce n'est pas pour rien que vous envoyez des jeunes comme nous sur le terrain comme ça.

George ralentit, juste un pas derrière Monkton. L'affirmation en mettait un coup à sa fierté. Elle suggérait que George n'était plus dans la fleur de l'âge, ce qui était vrai, il le savait. Mais elle avait aussi un autre effet. Elle l'inquiétait. Et, alors qu'il s'arrêtait pour essayer de décortiquer ce sentiment de malaise – la fierté blessée d'un type âgé, pas à sa place, la crainte de voir comment Monkton et d'autres jeunes agents interprétaient leurs prouesses physiques –, il remarqua la griffure dans le cou de Monkton. Une coupure profonde, en diagonale, qui disparaissait dans son cuir chevelu. Les cheveux tout autour étaient légèrement roses, là où le sang avait été lavé à la va-vite. La preuve que le garçon s'en était pris à lui dans la voiture. Mais ce que George voyait, c'était la blessure causée par une main agrippant un cou, un flic baraqué à genou sur le torse d'un petit garçon mal nourri en T-shirt jaune qui, une main levée pour se protéger, lui griffait la nuque.

Monkton se retourna vers lui et sourit.

— Je peux aller vous chercher une tasse de thé, monsieur ?

George secoua la tête.

— Je reviens dans dix minutes.

Monkton continua au petit trot dans l'escalier.

George trouva Harry à la cantine, en train de manger, et le prit à part.

— Asseyez-vous, dit-il en lui désignant une chaise tout au fond de la pièce.

Harry prit la chaise en souriant et posa son Tupperware devant lui. George prit place en face de lui, saisit le coin de la boîte en plastique et la poussa sur le côté.

— Hé ! fit Harry en le suivant des yeux. Je meurs de faim.

— Racontez-moi, minute par minute, ce qui s'est passé quand vous êtes allés chercher Michael Brown à Cleveden.

Harry eut l'air méfiant.

— Ben, fit-il en plongeant la main dans sa poche poitrine. J'ai mes notes...

— On s'en fout de vos notes, rétorqua George.

Ils connaissaient tous les deux la valeur des notes. Les notes étaient des excuses qu'on servait aux étrangers qui n'avaient jamais eu droit à des coups, des morsures, des crachats. C'étaient des mots pour les professeurs, pas une conversation qu'on avait au sein de la famille.

— Racontez-moi.

Harry et George s'étaient toujours appréciés. Ils jouaient tous les deux aux boules, étaient supporters des mêmes petites équipes de football. S'ils avaient été voisins et d'un âge plus proche, ils auraient été amis. Mais ce n'était pas le cas.

Harry posa les mains à plat sur la table, chacune le reflet parfait de l'autre, et regarda George droit dans les yeux.

— C'est à *vous* que je m'adresse, dit-il, ce qui signifiait : ce n'est ni un rapport ni un témoignage. Juste à *vous*.

— D'accord, répondit George.

— Monkton a pété un câble. On avait fait la moitié du chemin quand il s'est garé et a tiré Brown hors de la voiture en lui hurlant dessus : « On pourrait te descendre et personne n'en saurait rien », « Ton frère était une sous-merde, une ordure ». Bon débarras, ce genre de chose.

Il s'interrompit, baissa les yeux. George le laissa rassembler ses pensées.

— C'est le frère du gamin. Mort, vous savez ? Le gamin...

Harry se perdit dans ses tristes souvenirs.

— Qu'est-ce qui a énervé Monkton comme ça ?

Harry eut l'air perdu.

— Chais pas. Le gosse pleurait, il n'a que quatorze ans, c'était la fin de la journée. Monkton conduisait, il regardait sans arrêt dans le rétro, de plus en plus sur les nerfs. Chais pas.

De son index, George lui tapota le bras.

— Michael Brown, il a réagi comment ?

Harry n'arrivait pas à regarder George. Il haussa lentement une épaule jusqu'à son oreille.

— Comment il pouvait réagir ?

George ne savait pas quoi répondre. Harry était un type bien. Un bon flic. George savait qu'il aurait empêché Monkton de continuer et l'aurait ramené au poste. Il savait qu'il aurait glissé quelques mots au garçon, que c'était sans doute lui qui avait appelé le foyer et s'était assuré que ce serait la jeune Yvonne qui viendrait et non pas l'éducateur de service.

— Il a avoué le meurtre ?

Harry baisssa les yeux vers la table.

— Je l'ai pas entendu.

— Monkton prétend que si.

Harry ne pouvait pas croiser son regard.

— Je sais.

— Quand est-ce que c'est devenu la version officielle, dans ce cas ?

Harry soupira.

— Quand on l'a inscrit dans le registre. Montkon a raconté l'histoire comme si on avait tous les deux entendu et m'a juste regardé pour que je confirme. Il m'a pas quitté des yeux jusqu'à ce que je fasse signe que c'était vrai.

— Bordel de Dieu, Harry.

— Je suis un crétin...

Harry voulut se justifier.

— Je pense juste que... bon...

Mais George n'avait pas oublié ses propres péchés par omission et ce n'était pas la première fois qu'il balayait les irrégularités d'un revers de la main pour s'assurer que le dossier reste propre. En levant les yeux, il vit qu'Harry fixait la porte.

148

Monkton était là-bas, à l'autre bout de la pièce. Qui les observait. Il n'était pas en colère, ni navré, mais il avait sur le visage une expression que George avait maintes fois utilisée face à un accusé qu'il trouvait détestable. C'était du dégoût, ou du dédain. Une expression qui signifiait que le civil face à lui ne se rendait pas compte du mal qu'il avait fait à son entourage. Soudain, George se demanda si Monkton n'était pas un très haut gradé envoyé dans leur service pour le tester. L'idée était ridicule, il le savait, mais Monkton avait de l'assurance et George ne savait pas d'où elle lui venait.

George dut se rappeler qu'il était son supérieur. Il se leva – il avait un peu peur, il devait le reconnaître – et se dirigea vers lui.

— Vous, dit-il en plantant son index dans la poitrine de Monkton en passant à sa hauteur. Suivez-moi, tout de suite.

Ils se trouvaient dans une salle d'interrogatoire minuscule à l'arrière du poste de police. George avait dit à Monkton de s'asseoir mais celui-ci n'avait pas obéi.

— Je préfère rester debout.

— Je me fiche de ce que vous préférez, mon garçon. Asseyez-vous bordel de merde.

Monkton prit une chaise face à lui. Les deux hommes se dévisagèrent.

— Vous avez frappé ce gosse.

Monkton eut un sourire suffisant et se laissa choir contre le dossier de sa chaise, roulant des yeux comme un ado insolent.

George se pencha au-dessus de la table et hurla : POUR QUI VOUS VOUS PRENEZ BORDEL ? Il brûlait de le frapper, mais se retint. Monkton eut un mouvement de recul mais soutint son regard. Il n'avait pas peur.

— Et si le gosse n'a rien fait, vous y avez pensé à ça ?

Monkton secoua la tête.

— Il l'a fait.

George cria de nouveau.

— Ça, pour le moment, on ne *sait* pas.

— Si, on sait, George, répondit Monkton d'une voix calme. Les empreintes correspondent.

George ne comprenait pas.

— Qu'est-ce que vous voulez dire, « correspondent » ?

— Ses empreintes, les empreintes du garçon sont partout dans la ruelle. Les empreintes du gosse.

Il leva sa paume ouverte, doigts écartés.

— Elles correspondent à celles qu'on a trouvées sur les lieux.

— *Peut-être* qu'elles correspondent.

— Non, répéta Morton avec soin. Elles *correspondent*.

Et il leva un doigt vers le plafond.

— Ce sont les siennes.

George se leva alors sans un mot et sortit dans le couloir. Fermant soigneusement la porte derrière lui, il alla s'enfermer aux toilettes. Il n'arrivait même pas à pleurer. Assis sur la cuvette, il battit des paupières, encore et encore, en fixant la porte. C'était dimanche. Diana était morte. Il n'y avait personne. Personne de l'administration. Les empreintes du garçon ne seraient pas analysées avant lundi matin.

Mais Monkton avait désigné le plafond, ce qui signifiait que la décision venait de plus haut, quelque part. Si George décidait d'insister, il se heurterait à des gens très puissants. Il serait dégradé, perdrait sa retraite d'inspecteur. George ne savait pas qui était Monkton, ni qui il connaissait, ni pourquoi il se montrait si sûr de lui.

Alors il décida de quitter la police et d'accepter l'offre de son cousin au magasin de journaux.

13

Robert McMillan était juste sur le point de s'endormir quand il se sentit pris d'un violent accès de nausée. Il bondit hors du lit, cherchant quelque chose dans quoi vomir et se retrouva dans une pièce étrange. Il regarda à gauche. Puis regarda à droite, distinguant vaguement un tapis persan et un immense lit double. Une poubelle de bureau en étain noir apparut devant sa bouche et il y vida ses entrailles, suivant son mouvement vers le sol quand on l'abaissa doucement devant lui.

Il était à quatre pattes, nu, vomissant de la bile, l'estomac vide, incapable de contrôler ses convulsions mais soudain conscient de ce qui l'entourait. La poubelle était en fait en cuivre, laquée de noir mais écaillée par endroits, laissant étinceler çà et là le métal. On aurait dit de l'équipement militaire, de l'époque de la guerre des Boers. Au fond, gisait le contenu de son estomac, un lac d'eau algueuse reflétant de mousseux nuages de salive.

La mort. Il avait essayé de se rappeler, de garder le souvenir bien en tête, mais celui-ci s'évaporait constamment. Même maintenant, des détails sans intérêt détournaient son attention. Le tapis sous ses pieds était de bonne facture, en soie, un motif de pêches pâles assorties de fleurs blanches et jaunes au bout de tiges cousues de vert et de la plus infime nuance de bleu.

— Voilà.

La voix venait de derrière lui, douce, inconnue. Puis il sentit une main au bas de son dos. Plus bas que sa taille. La chaleur d'une paume à plat sur ses hanches. Même s'il continuait à vomir, même si son nez coulait sous l'effet de la puissance de ses haut-le-cœur, et malgré ses yeux qui pleuraient, l'intimité de ce contact le saisit soudain d'horreur. Il se redressa sur les genoux, sa tête et ses yeux grondant un désaccord à la hauteur de sa gueule de bois.

Il ouvrit les paupières, battit des cils pour chasser ses larmes et, mobilisant toute son énergie, se retourna vers la silhouette à sa gauche.

Des poils pubiens très roux sous un petit ventre tombant. Des tétons roses d'une surface inquiétante.

Le hippie se tenait bras ballants maintenant, pas gêné, posant sur Robert un regard impassible.

— Assurez-vous de nettoyer ça, dit-il doucement en désignant des yeux le vomi. Le tapis vaut trente mille livres.

Il fit volte-face et se dirigea à pas feutrés vers la porte. Robert suivit du regard ses fesses flasques jusqu'à ce qu'elles disparaissent dans le couloir mal éclairé, avant de se retourner brusquement pour vomir de nouveau.

Un mug de café était posé sur la table devant lui, à côté d'un grand verre d'eau en verre bleu de Bristol et d'une plaquette d'antalgiques.

Robert fixa son regard dessus, essayant de rester concentré sur la table. Dès que les haut-le-cœur s'étaient calmés, titubant à travers la chambre, il était allé enfiler son pantalon, avant de suivre le son de la radio jusqu'à la cuisine. Le hippie, en revanche, était encore entièrement nu. Il n'était pas le moins du monde embarrassé de déambuler ainsi dans le plus simple appareil sous la froide lueur bleutée d'une froide journée bleutée, pieds nus, le ventre tombant, le cul flasque, indifférent aux regards qui se posaient sur lui.

— Chauffage au sol, dit-il, comme s'il s'agissait d'une réponse à une question.

Il fallut un moment à Robert pour enregistrer l'information. Chauffage au sol. Il remua les orteils. L'ardoise était tiède, c'était agréable.

Il retira deux cachets de la plaquette, les glissa dans sa bouche et essaya de les avaler avec le moins d'eau possible. Elles lui restèrent en travers de la gorge, se dissolvant au contact de l'eau à l'arrière de sa langue. Il tenta d'avaler une autre gorgée mais l'amertume du paracétamol persistait, ouvrant en grand les glandes salivaires dans ses joues.

Le hippie vint s'asseoir à la table, perpendiculairement à lui.

— Vous vous souvenez d'hier soir ? demanda-t-il calmement.

Robert avait tout oublié. Il se souvenait de s'être trouvé dans le salon rose, saoul, le hippie avec lui, qui ne le regardait pas. La pénombre dans la pièce. La lueur des flammes et un autre verre qu'on lui servait. Il était debout quelque part, quelque part où le plafond était bas. Puis il se rappela son réveil, la vague de nausée qui l'avait tiré du lit, comme en lévitation.

Robert n'avait rien mangé la veille. Il se vit en sanglots, en train de tout raconter au hippie. Était-ce vrai ? Le hippie ne pouvait pas savoir, c'était impossible. L'histoire était tellement alambiquée, Robert aurait parlé de l'argent et des photos de Rose et du signalement à la SOCA, il aurait dit que des hommes allaient venir le tuer. Le hippie aurait été écœuré en apprenant tout ça. Et il aurait pris peur. Il aurait déjà suggéré d'aller trouver la police.

— Vous étiez un peu saoul.

— Ah bon ?

Il devait y avoir eu des gâteaux au hachisch ou des cachets ou quelque chose, Robert en était convaincu, pour lui faire tout oublier à ce point. Il avait la gorge irritée, peut-être avait-il fumé quelque chose.

— Je dois m'absenter, dit le hippie.

Robert but son café et les antalgiques commencèrent à faire effet. De nouvelles bribes de souvenirs lui revinrent. Une chute. Une table carrée sur laquelle était posé un verre.

Quand ils le trouveraient, ils le tueraient.

Le hippie réapparut sur le seuil de la cuisine, habillé cette fois. Il portait une cape en tweed et un chapeau assorti décoré d'une étrange plume de faisan qui pointait vers l'arrière.

— Vos amis arrivent à quelle heure ?

153

Robert ne savait pas quoi répondre. Cinq heures ? Neuf heures ? Demain ? Qu'avait-il dit la veille au soir ? Et pourquoi mentir, finalement ? Le type portait-il des vêtements de femme ?

— Personne ne vient. Il n'y a que moi.

Robert ne parvenait pas à lever les yeux sur lui, il fixait nerveusement son café, puis son regard se posa sur le reflet du hippie dans le verre bleu. Le visage était déformé, comme par les séquelles d'une attaque. Embarrassé, il leva la tête et lui demanda, d'un ton accusateur :

— Vous portez des vêtements de femme ?

— Ah bon ?

Le hippie lissa son ventre de la paume de sa main et se regarda.

— Je sais pas.

— Ce sont des vêtements de femme.

— D'accord, dit-il en redressant les épaules. De bonne facture, quoi qu'il en soit.

Quelques instants plus tard, il entendit une porte se refermer, puis sentit peu après l'air froid du dehors lui envelopper les orteils. Le hippie venait de sortir. Cet appartement souterrain avait sa propre entrée.

Un grondement à l'extérieur, à l'arrière de la maison, lui fit lever la tête. Quatre grosses roues passèrent devant la fenêtre. L'ourlet d'une cape en tweed et une paire de bottes de cow-boy sur un quad.

Prudemment, lentement, Robert se leva en essayant de ne pas secouer la tête et regarda autour de lui. Un grand fourneau à l'ancienne de marque Aga : couleur crème, vieux et écaillé, équipé de trois portes de guingois sur leurs gonds, visiblement en bout de course. Sur le dessus, une grande casserole, une cuillère en bois posée sur le manche. À côté, une planche à pain et une miche de pain frais dressée sur la tranche pour lui éviter de sécher.

Instinctivement, il voulut s'approcher pour en humer les odeurs, mais l'idée suffit à lui arracher un nouveau haut-le-cœur. Il ferait mieux de sortir.

De retour dans la chambre, il suivit le chemin tracé par ses vêtements, chemise près de la penderie, veste près du lit. Il trouva une chaussette sur les couvertures et essaya de deviner où était l'autre. Il tâtonna sous les draps et la dénicha à mi-chemin. Nouveau flash : les deux hommes dans le lit, ivres. Se tenaient-ils dans les bras l'un de l'autre ? Robert s'assit. *Dans ses bras ? Nu ?* Se souvenait-il vraiment de ça ?

Non.

Il l'avait imaginé. Aucune sensation physique n'était attachée à l'image. Ça n'était pas un souvenir. Ou en était-ce un ? Cela lui faisait le même effet que l'image de lui en train de sangloter dans le salon de réception, mais il y avait peu de chances, non ? Sa chaussette était pourtant bel et bien dans le lit. Le hippie l'avait tenu par les hanches tandis qu'il vomissait. Et il portait des manteaux de femmes et des chapeaux à plumes. Ça n'était pas normal, mais même habillé de la sorte, il n'avait pas l'air gay. Ça donnait davantage l'impression d'un raté vestimentaire.

Robert eut un mouvement de recul et contempla le lit. Non. Dieu du ciel, non. Ça n'était pas arrivé. À présent, le simple fait d'y avoir pensé l'inquiétait. Puis, comme s'il venait de se souvenir d'une obligation mondaine pénible, il se rappela qu'aujourd'hui était le jour de son assassinat, que sa vie allait s'achever à jamais, de sorte que ça n'avait aucun sens de se tracasser à propos d'un quelconque contact physique, d'une étreinte, inappropriée ou pas.

Il trouva ses chaussures sur le seuil, l'une bien à plat, l'autre sur le flanc. Il avait tout. Puis son regard se posa sur la poubelle à côté de la coiffeuse.

C'était un bel objet. Un rai de lumière du jour qui entrait par le soupirail faisait luire le cuivre orange, de simples flocons disséminés çà et là sur l'émail couleur goudron. Elle avait une bordure roulée en cuivre et gisait sur le côté, comme si quelqu'un l'avait renversée d'un coup de pied. Il s'approcha et jeta un coup d'œil dedans.

Le hippie avait vidé le vomi avant de la laver, de la sécher et de la reposer à sa place.

Les vêtements, les meubles, la maison, tout ce que possédait cet homme était d'occasion, les affaires de quelqu'un d'autre. Il portait un manteau de femme de l'époque edwardienne, des bottes de cow-boy et se déplaçait sur un quad magnifique couvert de boue. Il vivait dans le château de ses ancêtres, habitait sa propre histoire. Robert aurait aimé pouvoir lui parler de son père, parce que le hippie était peut-être le mieux placé pour comprendre le poids étouffant de l'héritage.

Ses vêtements en boule dans les bras, Robert retourna dans le couloir. Une porte ouverte menait à un escalier en pierre qui conduisait à l'intérieur du château. Il quitta le petit appartement souterrain. En fermant la porte, il entendit le loquet s'abaisser dans son dos. Le froid le saisit aussitôt.

Il posa le pied sur la première marche et la trouva là, qui l'attendait : la conscience de sa propre mort.

14

Les fumeurs se massaient sous le portique en arrondi devant le tribunal. Tous pressés d'absorber autant de nicotine que possible avant de pénétrer dans le bâtiment pour les premières audiences de la journée, qui débutaient à 10 heures précises. Les avocats en robe se tenaient par petits groupes, fumant sans bruit à côté des familles des accusés et des familles des victimes qui tiraient sur leurs cigarettes la tête basse, évitant de croiser leurs regards. Quelles que fussent leurs différences, dans la zone fumeur, la honte faisait office de consensus.

Wheatly déposa Morrow sur le parking. En se dirigeant vers le bâtiment, elle chercha Atholl des yeux. Elle s'attendait à le trouver là. Elle ne savait pas s'il fumait, elle avait supposé que c'était le cas. Elle scrutait les visages quand un petit rectangle blanc passa à l'extrême bord de sa vision. Elle s'arrêta, se retourna et vit une camionnette blanche s'engager dans la circulation de Saltmarket. Wheatly n'avait rien dit concernant la plaque d'immatriculation. Il était en train de partir et elle lui fit signe de s'arrêter.

— Au sujet de cette plaque d'immatriculation, dit-elle, vous avez trouvé des infos ?

— Pas d'antécédents. Juste le nom d'un type : Stepper.

Elle tourna la tête vers l'angle, mais la camionnette avait disparu.

— Trouvez tout ce que vous pourrez sur lui d'ici mon retour, dit-elle avant de s'éloigner.

Les camionnettes blanches étaient communes, sombrer dans la paranoïa était facile. Pourtant, elle égrena en pensée une liste griffonnée au crayon qui donnait le tournis : les gars de Brown, des gamins dingues de la gâchette. Les gars de Danny, des requins hypocrites brandissant des photos de maman. Des prêteurs suspects. Des couvreurs en rogne qui ne trouvaient pas de boulot. Une liste de soucis, pas une liste de suspects, en fait.

Longeant le mur vitré, elle jeta un coup d'œil dans le hall. Les deux officiers armés étaient en poste, sans leur arme pour l'instant, mais menaçants tout de même dans leur tenue noire et avec leur regard sans expression. Ils ne se muniraient de leurs armes que lorsque le hall se viderait, quand Brown serait discrètement emmené à la salle d'audience.

McCarthy était déjà là, assis sur un banc, face à la porte, le sac contenant le lecteur portable d'empreintes digitales entre ses pieds. Il devait guetter son arrivée depuis un moment car il la salua d'un petit geste joyeux, l'air ravi. Avant de sourire d'un air gêné et de laisser retomber sa main.

Tandis qu'elle s'engageait dans la porte tambour, Morrow le salua à son tour en souriant, comme elle l'aurait fait à un enfant sur un manège. Leurs sourires s'élargirent.

Elle se rangea dans la queue pour les portiques de sécurité derrière un très vieil homme. Il sentait le savon noir. Elle pouvait voir sur sa nuque les plis profonds qu'avaient creusés mille regards levés vers le ciel. Il portait un sac en plastique. Dexie, l'agent de sécurité, en fouilla le contenu du bout de son stylo, de plus en plus perplexe.

— Pardon monsieur, qu'est-ce que c'est ?

Dexie était un militaire américain dont la femme écossaise était originaire d'Hamilton. Plus grand d'une tête que la majorité des gens du coin, il avait des dents d'Américain, et le torse massif ; il semblait d'une santé éclatante qui jurait parmi les Glaswégiens. Son accent et son assurance donnaient toujours à Morrow l'impression de participer malgré elle à une émission télévisée étrangement soporifique.

Le vieillard essayait de lui expliquer ce qu'étaient les neuvaines.

— Des cartes de prière ? demanda Dexie, guère plus avancé.

— Pas vraiment, répondit le vieil homme à l'odeur de savon, prêt à se lancer dans une exploration théologique plus poussée du concept.

— Vous les vendez ? demanda Dexie.

Morrow le connaissait bien. Il était futé et n'avait pas besoin de cette information, il n'y avait ni arme ni bombe, mais il prenait les choses avec la même sorte de distance qu'un touriste, savait qu'il parviendrait à faire entrer à temps tous ces gens nerveux qui faisaient la queue, et le sujet l'intéressait.

— Les *vendre* ? Ah non, certainement pas...

— Ne les distribuez pas ou ne les laissez pas traîner, monsieur, l'interrompit Dexie.

Il posa le sac de prières de l'autre côté du détecteur de métaux et fit signe au vieillard de passer.

— Comment allez-vous aujourd'hui, madame ?

— Très bien Dexie, et vous ?

— Journée chargée.

D'un mouvement d'épaules, Morrow se débarrassa de son manteau, qu'elle posa dans un bac en plastique, vida ses poches dans un autre bac, avec ses téléphones et sa petite monnaie. Dexie les poussa sur les rouleaux du scanner à rayon-X. Elle ouvrit son sac à mains pour lui en montrer le contenu et il le lui prit, lui faisant signe de passer le portique avant de le lui rendre.

Il lui souhaita passer une bonne journée, et elle lui répondit de même.

— Au fait, Dexie, dit-elle en s'arrêtant, bloquant la prochaine étape de sécurité, Anton Atholl est déjà arrivé ?

— Eh bien, madame...

Elle aurait pu aller se renseigner à l'accueil, mais voyant la queue qui s'y trouvait, Dexie se tourna de nouveau vers elle et lui répondit :

— Ouais, il est là. Mais je ne sais pas où. Je crois qu'il est en salle d'audience n° 4 aujourd'hui.

— Je sais. Il va me soumettre à un contre-interrogatoire. Merci, Dexie, je vais le trouver.

McCarthy, qui s'était levé, l'attendait de l'autre côté.

159

— Je l'ai apporté, dit-il en brandissant un grand sac carré.

— Super.

Levant les yeux, elle aperçut Anton Atholl qui descendait l'escalier en compagnie d'un autre avocat, perruque et robe pour tous les deux, la mine grave, en pleine conversation.

Elle dit à McCarthy de l'attendre et partit à sa rencontre au bas des marches, se souvenant de la légèreté enjôleuse de leur conversation de la veille, consciente de l'attrait qu'il avait sur elle. Elle n'aurait pas dû prendre cette peine. Il avait une sacrée gueule de bois, elle le voyait à la raideur de son cou. Il essayait de ne pas bouger la tête.

Morrow n'avait bu que deux verres de vin la veille au soir et elle ne se sentait déjà pas à son maximum. Elle n'avait même bu que quelques gorgées du deuxième verre, au cas où les garçons n'auraient pas réussi à dormir, ce qui n'avait pas été le cas. Une fois, elle avait eu la gueule de bois. Il y avait très longtemps, avant d'entrer dans la police, juste un mauvais dosage du nombre de bières sur une soirée. Elle s'était sentie nauséeuse et avait eu mal à la tête une journée entière. Mais quand Atholl leva les yeux sur elle, elle sut que cette petite migraine des années plus tôt n'avait rien à voir avec ce qu'il ressentait à cet instant.

— Belles funérailles ?

Il essaya de sourire avant de se raviser.

— M. McMillan les auraient appréciées, je pense.

— Elles ne vous ont pas fait veiller trop tard, j'espère…

— Non, non, non. C'est juste que certains d'entre nous sommes ensuite allés dans un club privé.

Il sourit à l'homme à côté de lui, comme si cela avait été son idée, mais l'autre avocat lui adressa en retour un regard vide.

— Nous ne sommes rentrés qu'au petit matin. Super soirée. Qui restera dans les annales. Il a eu droit à des adieux dignes de celui qu'il était.

Il en rajoutait. Peut-être que la nuit avait été un peu triste, après tout, songea Morrow. Il avait l'air un peu triste.

— Et en quoi puis-je vous être utile aujourd'hui ? dit-il.

Ses manières pompeuses étaient un bouclier, elle le sentait, une façon de tenir les gens à distance.

— J'ai quelque chose à vous demander.

D'un signe de tête, Atholl prit congé de l'autre avocat et emmena Morrow vers un banc sous l'immense mur de verre. Il prit place à côté d'elle, juste un peu trop près, sa cuisse presque contre la sienne. Il sentait un peu le rance. Morrow s'écarta.

— Nous devons passer votre client au lecteur portable d'empreintes digitales. Ses empreintes ont été retrouvées sur la scène d'un crime commis il y a quelques jours.

Atholl fronça les sourcils.

— Il était en prison.

— C'est bien pour ça qu'il nous faut les reprendre.

Atholl redressa le dos, détourna le regard. Il réfléchit un instant, avant de laisser échapper un petit rire étrange.

— Quel genre de crime ?

— Un meurtre.

Il se racla la gorge, réfléchit de nouveau et se retourna vers elle sans bouger le cou.

— Brown risque de ne pas être d'accord. Vous ne pouvez insister que s'il est sous le coup d'une nouvelle inculpation.

La réticence d'Atholl était feinte, elle en était certaine.

— Je pense qu'il sera d'accord. Je crois même qu'il s'y attend.

Elle se leva, laissant la cruelle lumière matinale baigner le visage d'Atholl, qui grimaça.

— Je crois que vous aussi, vous vous y attendiez.

— Non.

Atholl lui répondit avec un tel naturel qu'elle faillit le croire. Elle fut un peu décontenancée.

— D'accord, demandez-lui s'il nous accorde sa permission, dit-elle. Voyez à quel point il sera surpris.

Elle s'éloigna vers la salle d'attente des témoins mais vit qu'Atholl la suivait.

— Inspecteur Morrow, dit-il, en tressaillant car il s'était levé trop vite. Michael Brown est très malade.

Elle prit un air incrédule.

161

— La maladie de Crohn, dit-il doucement. Un stade plutôt avancé. Vous savez ce que c'est ?

— Un truc intestinal ?

— Un « truc intestinal » affreux.

— Eh bien, ne me demandez pas de compatir juste parce qu'il est...

— Je ne demande pas de la compassion.

Le ton d'Atholl avait changé, il chuchotait et avait l'air sincère.

— Tout ce que je dis, c'est que je doute qu'il soit le cerveau d'une quelconque machination. Il ne suivait aucun traitement à l'extérieur. Il a des plaies ouvertes partout sur les tibias, c'est tout juste s'il peut traverser sa cellule pour aller aux toilettes. Vous comprenez ce que je dis ? *Vous n'y êtes pas*, voilà ce que je vous dis... (Atholl haussa les épaules.) Peu importe, je lui demanderai.

Morrow le regarda s'éloigner, la tête la plus droite possible. Elle aurait pu répliquer en mentionnant la villa à Chypre, mais ils auraient alors su qu'Interpol leur communiquait des informations sur les opérations bancaires de l'avocat néerlandais.

Les haut-parleurs annoncèrent que l'audience allait commencer.

— Attendez ici jusqu'à ce qu'on ait des nouvelles, dit-elle à McCarthy. Ça risque de prendre un peu de temps, cela dit.

— Bien sûr, répondit-il d'un ton léger. Je ne suis pas pressé.

Alors qu'elle marchait dans le couloir du fond, Morrow songea soudain qu'ils avaient peut-être en projet de vendre la villa à Chypre pour payer sa défense. Peut-être qu'elle n'avait pas du tout abordé la chose sous le bon angle. Présentant son insigne au garde en faction à la porte, elle pénétra dans la salle d'attente des témoins. Elle s'organisa, régla ses téléphones sur silencieux, sortit ses notes de son sac pour les avoir sous la main au cas où elle aurait besoin de les consulter, plia proprement son manteau sur la chaise. Elle pouvait laisser ça là, ça ne risquait rien, se dit-elle, en entendant la voix de l'huissière et le bruit des chaises quand tous se levèrent à l'entrée du juge.

Elle se tint prête derrière la porte, actrice attendant le signal d'entrée en scène. Elle pensa à Atholl demandant si elle comprenait ce qu'il lui disait ou ce qu'il ne lui disait pas. Elle n'avait pas la moindre idée de ce qu'il sous-entendait.

La porte s'ouvrit et l'huissière l'invita à entrer. Morrow descendit la volée de marches. Elle avait choisi les bonnes chaussures cette fois, plates, semelles souples. Peu prêtèrent attention à elle : le jury la connaissait maintenant, Brown savait à quoi s'attendre la concernant et Atholl avait le nez plongé dans ses documents. Elle en profita pour balayer la pièce du regard.

Michael Brown était si blanc qu'il avait l'air presque argenté. Il avait perdu du poids et fixait le sol devant lui. Atholl rassemblait les feuillets de son dossier.

Elle remarqua que l'huissière regardait Atholl, un petit sourire au coin des lèvres, affectueux et sceptique. Puis celle-ci reporta son attention sur Morrow, lui rappela qu'elle témoignait toujours sous serment et posa une note sur la tablette du box des témoins. C'était un bout de papier de couleur crème, plié, sur lequel il était écrit au stylo noir *à l'attention de l'inspectrice Morrow*. Une magnifique écriture aux lignes épaisses, elle sut aussitôt que c'était celle d'Atholl.

Il rassembla ses dossiers, s'avança à la barre, les posa et pâlit de manière spectaculaire. Il hésita, ouvrit le dossier du dessus, et reprit soudain des couleurs.

— Inspectrice Morrow, dit-il.

Il leva la tête et sourit, magnifique.

— Comment allons-nous aujourd'hui ?

Il cherchait à la désarçonner.

— Bien, sourit-elle en retour. Et vous ?

Les jurés gloussèrent, l'huissière se détendit et le jeu reprit.

En trente minutes, pas plus, elle eut fini d'énoncer les preuves. Elle put se retirer, descendit la volée de marches puis gravit la suivante pour retourner dans la salle d'attente des témoins, sans oublier cette fois d'emporter son sac. Le docteur Peter Heder, l'expert en dactyloscopie, attendait là. Pete était un gros type barbu, un anxieux qui avait sa compétence pour atout, faute d'une contenance calme. Il se leva avec empressement, les joues agitées de tics.

— Inspectrice Morrow, bonjour.

— Salut, Pete.

Il jeta un regard inquiet derrière elle.

— Tout va bien là-dedans ?

— Ça va. Pas de quoi s'inquiéter.

Pete fixait la porte. Morrow récupéra son manteau, sortit dans le couloir et ouvrit le mot que l'huissière lui avait transmis.

Là, d'une belle écriture penchée, Atholl avait écrit :

INSPECTRICE MORROW

M. BROWN REFUSE

AA

Le message n'avait aucun sens.

— Madame ?

Il n'avait aucun sens.

— On va aux cellules, madame ?

McCarthy était debout devant elle, le sac contenant le lecteur d'empreintes à la main.

— Non.

Elle glissa le bout de papier dans sa poche.

— Au bureau.

Elle avait besoin d'un peu de calme pour y réfléchir correctement. Ils gagnèrent ensemble le parking devant le bâtiment. McCarthy ouvrit la voiture et se glissa derrière le volant. Morrow prit place à côté de lui.

Ils roulèrent en silence. Morrow regardait défiler la ville, contemplait les terres en friche qui s'étendaient à l'est, de l'autre côté de la nouvelle route de Dalmarnock.

Elle était obligée de tout reprendre depuis le début : elle était partie du principe que le meurtre était un coup monté pour éviter à Brown la prison lors de ce nouveau procès, mais la correspondance qu'ils avaient pour les flingues était bonne. Elle savait qu'elle était bonne. Mais en était-elle sûre ? Il fallait désormais revenir sur tout le contenu du dossier. Passant de nouveau en revue les preuves et les événements, elle se demanda comment elle avait pu se trouver face à une telle impasse, alors que la route semblait si droite, à aucun moment elle ne semblait avoir pris de mauvaise décision, ni de décision tout court d'ailleurs.

— Il y a une camionnette…, marmonna McCarthy.

Elle n'écoutait pas. Elle dressait mentalement une carte des événements : ils avaient arrêté Brown sur la base de ses empreintes. Ils les avaient relevées, confrontées à son numéro de casier. Haute fiabilité, disait la base de données. Ils l'avaient inculpé. Mis tout de suite en préventive. Alors qu'il était en prison, les mêmes empreintes étaient apparues à proximité d'un mort sur les lieux d'un crime récent. Elle n'était pas chargée de l'affaire. Elle n'avait pas besoin de soulever la question maintenant. Il avait refusé de leur donner un nouveau jeu d'empreintes qui confirmerait la correspondance.

Alors que McCarthy s'engageait dans le parking derrière le poste de police, il lui vint à l'esprit qu'Atholl allait mentionner les empreintes lors de la présentation des preuves. Elle aurait dû rester.

— Je vais le rendre ? demanda McCarthy en se penchant vers la banquette arrière où il avait posé le lecteur portable.

— Ouais, fit-elle, perturbée, en sortant son téléphone. Allez le rendre, peut-être.

Elle sortit et, debout dans le parking, fit défiler son répertoire téléphonique. Elle savait qu'il était là, quelque part. Elle le trouva et appela Pete Heder.

Il était peut-être encore à la barre. Elle jeta un regard à sa montre. Dans dix minutes, ce serait la pause déjeuner au tribunal. Pete aurait son téléphone sur lui et, quand elle l'entendit sonner, elle l'imagina en train de paniquer dans le box des témoins, de tâter ses poches en s'excusant.

Il répondit. Elle entendait qu'il était dehors.

— Pete Heder ?

— Alex Morrow, c'est vous ?

— *Aye*, juste une question rapide. Pete, est-ce qu'il y a eu quelque chose d'étrange aujourd'hui au tribunal ?

— Non. Une identification claire et nette, avec comparaison point par point, côte à côte et empreintes décadactylaires. Une empreinte palmaire. Rien d'inhabituel.

— D'accord. Merci beaucoup. Au revoir.

— Pas de prob…

Mais elle avait raccroché. Elle ne voulait pas interrompre le fil de ses pensées.

Quand elle regarda autour d'elle, McCarthy avait disparu. Il avait dû entrer.

Elle gravit lentement la rampe jusqu'au comptoir d'accueil où Mike, l'agent de permanence, était tranquillement assis derrière une vitre arrondie, entouré d'ordinateurs.

— Agent Harkins.

— Inspecteur Morrow.

Il se leva, prêt pour un petit échange de civilités.

— Comment allez-vous aujourd'hui ?

— Mike, vous voulez bien nous sortir le registre des décadactylaires, s'il vous plaît ?

Il se redressa.

— Celui d'aujourd'hui ?

— Non, celui du jour de l'arrestation de Michael Brown.

Elle le nota et le lui tendit. Mike le lut.

— C'est à la réserve, madame.

Il vit qu'elle ne réagissait pas.

— Je vais vous le chercher.

Il s'en alla avec son jeu de clés. Morrow contempla le scanneur d'empreintes Livescan de l'autre côté du bureau. On aurait dit un jeu d'arcade : encombrant, pas particulièrement élégant, un écran à hauteur d'yeux. Ils avaient dû en changer le verre quelque temps plus tôt quand un junkie l'avait fendu d'un coup de tête. À côté, étaient posés un spray désinfectant, des gants en latex et des lingettes. Elle se souvenait de Brown debout devant l'appareil, elle était passée dans la pièce juste au moment où on lui prenait ses empreintes.

Elle resta là, dans le calme, à contempler les moniteurs, écoutant le bruit presque imperceptible des mouvements dans les cellules.

Elle jeta un coup d'œil sur le tableau : deux personnes en garde à vue. Journée tranquille.

Mike revint avec un registre noir qu'il posa sur le bureau devant elle, sa main sur le dessus.

— Il va falloir le regarder ici

— Je ne peux pas l'emporter dans mon bureau ?

— Non, dit-il. Le registre doit rester ici.

Elle tourna rapidement les pages jusqu'à la bonne date, descendit la colonne jusqu'à l'heure qu'elle cherchait, aux alentours de 10 heures, et trouva la ligne, qui indiquait 10 h 23. Elle releva le numéro de référence inscrit à côté du nom de Michael Brown et le nota dans son carnet. Le faisant glisser sur la table, elle rendit le registre à Harkins.

— Merci, Mike.

Une fois dans son bureau, au service des enquêtes, elle alluma son ordinateur, entra son identifiant et la référence qui correspondait au lot d'empreintes qu'ils avaient relevées ce jour-là.

L'ordinateur la renvoya directement au Fichier national des empreintes.

Morrow se souvenait encore de l'époque où ces documents devaient être remplis à la main. C'était toujours en grande partie le même qu'à l'époque, assorti de quelques nouveaux champs. Au bas du document, figurait la signature de Michael Brown. Elle regarda de plus près. Le numéro de casier avait été noté par l'agent qui avait procédé à l'arrestation : ils avaient le numéro sur le mandat. Les empreintes étaient les mêmes.

Elle alla voir dans son casier qui était venu le consulter et quand. Elle relut la liste quatre fois. Elle sortit et y retourna, pensant qu'elle avait peut-être commis une erreur, mais les résultats étaient identiques : le service de Wainwright n'avait jamais accédé au casier de Michael Brown.

Elle vérifia encore une fois. Personne d'autre que son service à elle, au cours des deux dernières années, n'avait accédé aux empreintes de Michael Brown.

Elle se renversa contre le dossier de sa chaise. Wainwright ne mentirait pas, il était honnête, elle en était certaine. Ceci dit, jamais non plus elle n'aurait cru Harris corrompu. Elle s'interrompit, prit une inspiration, se sentit légèrement nauséeuse. Pas de nouveau. Elle ne pouvait pas de nouveau dénoncer un collègue. Ils l'avaient choisie elle parce qu'ils le savaient. Ils savaient qu'elle était de toute façon à moitié foutue, alors ils l'avaient choisie.

Non. C'était n'importe quoi. Morrow posa les paumes à plat sur le bureau pour reprendre ses esprits. Si Wainwright touchait des pots-de-vin de Brown, si ce n'était qu'une tentative pour remettre en cause la valeur des empreintes trouvées sur les armes dans son jardin, Brown aurait accepté qu'on les lui relève de nouveau. À moins qu'Atholl et lui n'attendent le procès en appel pour soulever la question, mais c'était maladroit et ça avait peu de chances d'aboutir : ils prendraient un risque.

Cherchant autre chose, n'importe quoi, elle tapa « Brown, Michael » dans le moteur de recherche de la police écossaise. Sept dossiers sortirent, chacun avec une histoire distincte. Wainwright avait consulté le cinquième. Elle avait peur de l'ouvrir, de constater qu'elle avait tort, ferma les yeux, dit une vague prière et cliqua. La base de données des empreintes non identifiées relevées sur les lieux du crime reliait Brown, Michael et l'affaire de Wainwright.

C'était un autre Michael Brown.

Soulagée, elle ouvrit le dossier de Wainwright sur ledit Brown. Inculpé pour le meurtre de son frère aîné Pinkie quand il avait quatorze ans et condamné. Il avait pris perpète.

Elle ouvrit sa photo. Michael Brown jeune, de face et de profil. Il portait un T-shirt jaune et fixait l'objectif d'un air mauvais. Le dossier indiquait sa taille, son poids, son âge. Il contenait le jeu d'empreintes réalisé sur le lieu de son arrestation et un numéro de dossier qu'elle reconnut d'après les quatre derniers chiffres, la date du meurtre de son frère.

Elle nota le code du poste ainsi que le nom et le grade de l'agent qui avait signé le formulaire, attestant la véracité des informations recueillies : l'agent Harry McMahon.

Puis, dos contre le dossier de sa chaise, elle réfléchit aux implications. Michael Brown, l'homme qu'elle venait de passer trois mois à interroger, avait deux casiers et visiblement quatre mains.

Deux de ces mains avaient touché des armes et les avaient cachées dans son jardin. Les mains de quelqu'un d'autre avaient tué son frère quand il avait quatorze ans. Il avait été piégé.

Si elle sortait tout ça au grand jour maintenant, ce serait un suicide professionnel pour elle : rouvrir l'enquête coûterait une fortune, Brown devrait être relâché sur-le-champ, faute d'une condamnation pour meurtre solide. Et, pire : Alex Morrow se retrouverait de nouveau avec un autre scandale de corruption dans la police. Celui ou celle qui avait piégé Brown avait quinze ans d'ancienneté de plus qu'elle. Ça pouvait être n'importe qui.

15

Julius McMillan avait choisi ces locaux pour son cabinet d'avocats à cause de la porte de derrière. Le bureau en soi ne payait pas de mine. En devanture : son nom en lettres dorées et tous les autocollants d'usage chez les avocats, de l'aide juridictionnelle au préjudice corporel. La porte avait été récemment repeinte, la vitrine était propre et le seuil balayé, mais toutes les affaires qu'il traitait entraient par la porte de derrière.

Rose était venue pour la première fois dix ans auparavant. Elle avait dix-neuf ans, sortait tout juste de prison et n'avait encore jamais mis les pieds dans un bureau, quel qu'il soit. Elle se souvenait s'être arrêtée sur le seuil, promenant autour d'elle un regard hésitant, tandis que M. McMillan consultait son répondeur et les consignes laissées par Mme Tait. Les bureaux, les agrafeuses, les imprimantes, l'ordinateur, tous ces trucs qu'il possédait, le volume qu'occupaient toutes ces *choses*, ça la médusait. Il ne jouait pas les friqués, pourtant. Il n'avait même pas l'air de remarquer tous ces trucs. Rose avait quitté la prison avec en tout et pour tout un seul sac poubelle, à moitié vide de surcroît.

Ce jour-là, elle était arrivée par la porte de derrière et les habitudes n'avaient guère changé.

La cour carrée derrière l'immeuble était une forteresse, cernée par de petits immeubles en copropriété décrépits. S'il s'était agi de logements sociaux, il y aurait toujours eu le risque que le bailleur décide de rénover la cour. Et si le quartier avait été plus chic, la population plus stable, l'espace aurait fini par céder la place à

171

un jardin partagé, une aire de jeux, ou même un parking. Mais rien n'avait bougé.

Le sol était boueux, défoncé. Le vieux local à ordures en briques, au milieu, menaçait de s'écrouler. En dix ans, d'autres vitres aux fenêtres s'étaient brisées, mais globalement tout était pareil.

Chacun des immeubles possédait deux portes ouvrant sur la cour, ce qui rendait sa surveillance impossible pour la police. Il aurait fallu mobiliser à temps complet autant d'agents qu'il y avait de portes. Ils auraient pu demander à un commerçant obligeant d'installer une caméra pour surveiller les allées et venues, mais dans le coin tout le monde savait qu'il ne valait mieux pas contrarier les gens qui passaient par là.

Pataugeant dans la boue, Rose longea le local à ordures et tourna brusquement dans l'impasse la plus proche. Sortant des clés de sa poche, elle ouvrit une porte aussi peu accueillante que l'entrée d'une cave. Ayant refermé derrière elle, elle tapa le code du système d'alarme. 0883. Sa date de naissance. L'alarme émit deux petits bips.

Elle demeura dans l'obscurité, immobile. Son odeur à lui. Les émanations âcres et puissantes de la nicotine imprégnée dans les murs. Rose n'aimait pas sentir la cigarette, sauf ici. Ici, l'âpreté avait la douceur du péché, pardonné.

Elle serra les paupières et secoua la tête pour chasser ces souvenirs attendrissants. Elle avait des choses à faire ici. Elle ne pouvait pas laisser les enfants avec Francine trop longtemps.

Les stores blancs de la vitrine laissaient filtrer une faible lumière. Un bureau à l'accueil, inutilisé depuis le départ à la retraite de Mme Tait, trois ans plus tôt. Et un classeur en métal gris. Sortant un trousseau de l'armoire à clés, Rose ouvrit un à un tous les tiroirs. Rien. Elle poussa les dossiers suspendus dans un sens, puis dans l'autre, afin de s'assurer qu'aucune feuille ne traînait dans le fond quelque part. Rien. Les ayant tous refermés, elle passa au tiroir du bureau. Rien là non plus. Soit Julius avait tout vidé récemment, soit l'argent était devenu sa seule activité. Apparemment, il ne défendait personne.

Elle prit les clés et les glissa dans la serrure du bureau fermé. En ouvrant la porte, elle libéra une bouffée de l'odeur unique de

Julius. Pendant un instant, comme prise dans un guet-apens, elle ne bougea pas, essayant de retenir son souffle, le temps que l'air soit le même des deux côtés de la porte.

Elle ressentait physiquement son odeur, comme des particules qui se posaient sur elle, des grains de la peau de Julius sur sa peau, dans son nez, prisonniers de ses cils, se nichant dans ses cheveux comme une neige invisible. Elle ne voulait pas que ça s'arrête, jamais. Mais l'intimité s'évapora, ses pensées dévièrent.

Ouvrant les yeux, elle chercha à tâtons l'interrupteur. Appuya. Il vivait sous un soleil cru, des néons sous des grilles au plafond n'adoucissaient en rien la lumière.

M. McMillan se fichait des beaux meubles, il était au-dessus de ça. Un bureau et un fauteuil lui suffisaient, sommaires et fonctionnels, sans plus. Au mur derrière lui : un agenda à l'aspect industriel, rouge et noir, équipé d'un stylo suspendu au bout d'une ficelle élimée. La plupart des jours étaient marqués d'un symbole : triangle, étoile, carré, tiret. Le dernier datait du soir où ses poumons avaient lâché.

Les yeux de Rose s'étaient ajustés à la lumière, à présent. Elle promena son regard sur le sol. Rien sinon un stylo à bille. Le voir là, sous le bureau, lui coupa le souffle. Pile à l'endroit de la main de Julius quand elle avait trouvé le corps, appelé l'ambulance et ouvert aux secours pour qu'ils l'emmènent. Aziz Balfour. Elle savait déjà que c'était lui avant d'avoir remarqué le bleu sur sa main, avant qu'il tente une explication, parce que sa gommette était collée sur l'agenda mural : une étoile rouge. Et elle savait aussi que le rectangle jaune à côté, c'était Dawood, les deux rendez-vous notés pour 18 h 30. Ils s'étaient croisés, sans doute. Aziz d'ailleurs le lui avait crié : il avait *vu* Dawood. Là-haut, à la Route rouge, dans le vent cinglant et l'obscurité, il lui avait crié qu'il avait croisé Dawood sortant du bureau de Julius. Il lui avait demandé s'ils savaient au moins à quel genre de type ils avaient affaire. Il avait vu Dawood et le voir l'avait offensé. C'était ça, son excuse pour avoir poussé Julius.

Elle battit des paupières, se força à décoller les yeux du stylo, à revenir à la réalité, essayant de contrôler la tension dans son menton, la pression dans sa poitrine, le picotement dans ses yeux.

Julius McMillan s'était peut-être juste traîné dans la pièce voisine, en prenant appui sur les murs comme il était contraint de le faire à la fin. Elle entendait le souffle rauque dans sa gorge, dans son nez, chaque nouvelle inspiration un miracle de volonté, sonore et provocateur. Il était si gravement malade depuis si longtemps que tous s'étaient habitués à sa santé fragile, mais personne ne s'attendait à le voir mourir un jour.

Elle reposa les yeux sur le stylo et la tendresse l'envahit. Julius McMillan sur le seuil d'une salle d'interrogatoire : un nuage de fumée, c'était la première chose qu'elle avait remarquée le concernant, ses ongles soignés et jaunis et sa poignée de main ferme.

Bonjour Rose, je suis maître McMillan. Je sais ce qui s'est passé et moi et moi seul ne te tournerai pas le dos. Je serai le seul à savoir, tu resteras une enfant à leurs yeux. Avec moi, tu peux être toi-même.

Quand Rose avait vu McMillan pour la première fois, elle ne l'avait pas pris pour quelqu'un de gentil. Elle ne le voyait pas différemment aujourd'hui, mais il avait été gentil avec elle. Et pourtant, au dernier moment, il lui avait préféré Robert. C'était Robert qu'il avait envoyé au bureau et non pas elle. Atholl avait tort, Julius ne l'aimait pas. Il ne lui avait finalement pas fait confiance. Il la laissait s'occuper des livraisons d'argent aux coursiers, il la laissait consulter ses comptes et se tenir au courant de ses affaires, mais il n'aimait que Robert. C'était Robert, pour finir, qu'il avait envoyé ici avec le code. Il avait eu tort de lui faire confiance. Robert avait fait faux bond à son père, en le dénonçant à la SOCA. Le vase avait débordé, ils l'avaient trop couvé. Ils avaient trop bien fait leur boulot. Julius ne l'aimait pas, il ne l'avait pas choisie, pour finir, mais elle l'aimait quand même.

Elle vouait à Julius McMillan une loyauté sans bornes et elle l'aimait toujours.

Rose ferma la porte du bureau, s'assura qu'elle était verrouillée de l'intérieur. Elle parcourut la pièce du regard, jeta un coup d'œil sous le bureau, comme si quelqu'un pouvait encore s'y trouver caché. Ridicule, mais elle n'avait aucune envie de finir enfermée ici. Ici, on pouvait mourir.

Elle ouvrit la petite porte du fond et, pliée en deux, se faufila dans un couloir qui menait à la vieille remise à charbon.

Sept marches débouchaient sur une pièce au plafond bas où l'on pouvait à peine tenir debout, plus basse encore depuis que M. McMillan l'avait achetée et fait entièrement bétonner. Le froid prenait aux chevilles comme un brouillard humide. Le coffre-fort était enchâssé dans le mur du fond. Assez grand pour y loger un homme, disait-il. Rose saisit la poignée, la baissa et la porte s'ouvrit. Des documents sur une étagère. En dessous, des livres reliés de cuir. Ceux qu'il aurait voulu voir tomber entre les mains du fisc ou du conseil de l'ordre en cas de perquisition. Il y avait généralement aussi de l'argent liquide, huit ou dix mille livres, pour détourner l'attention des flics ou des voleurs. Robert ou Dawood avait dû l'emporter.

Elle sortit les classeurs et les posa précautionneusement par terre, fit glisser vers elle la froide étagère en acier et la posa à côté. Un pied dans le meuble, elle laissa courir sa main le long de la paroi du haut. Un faux plafond. Ses doigts glissèrent vers l'arrière sur le métal froid, longèrent le fond en direction de la gauche à la recherche d'un petit bouton, à peine perceptible. Elle explora la zone du bout des doigts pour le localiser. Appuya. Puis retira précipitamment sa main et attendit, comptant lentement jusqu'à huit, avant d'appuyer de nouveau.

Le panneau du fond glissa lentement vers la droite, dans le mur en ciment. Posant une main sur chaque côté, Rose se courba et s'avança dans le passage qui ouvrait sur un vide sanitaire sous la chaussée. De vives lumières blanches s'allumèrent automatiquement à son entrée. Il faisait bon dans cette pièce-là, l'air était chaud et sec grâce au conduit de ventilation de la laverie voisine.

Un coffre-fort d'hôtel pas bien costaud, avec code reprogrammable, encastré dans le béton sur la partie basse du mur. Rien que de l'ordinaire. Elle se souvint de l'éclat de rire que McMillan et elle avaient eu à la suggestion d'un coffre-fort biométrique, avec reconnaissance des empreintes digitales ou de la rétine. Les gens dont ils cherchaient à se cacher n'auraient pas rechigné à trancher une main ou à arracher un œil en cas de besoin. Non, avait dit

McMillan, non, juste un petit coffre des plus classiques. En cas d'agression, la meilleure défense restait de donner à l'agresseur ce qu'il voulait. Le Danegeld il appelait ça, en hommage à la dime prélevée par les Vikings. Ce n'était pas d'un coffre-fort de haut vol qu'ils avaient besoin, mais d'un coffre-fort secret.

Rose s'installa en tailleur sur le sol de ciment. N'importe qui pouvait changer le code en appuyant simplement sur le bouton dièse. Robert l'avait changé. Elle sut avant même d'avoir essayé qu'aucune de leurs dates de naissance ne marcherait, ni celles des enfants, ni la sienne, ni celle de Robert, ni celle de Julius. Elle essaya la date de son décès. Puis l'heure de son décès. Des nombres au hasard. Mais que Robert aurait choisis au hasard. Il fallait qu'elle adopte son schéma de pensée, au moment où il avait programmé le code.

Il avait envoyé ce signalement à la SOCA. Il voulait que la police vienne ici, entre dans le coffre et trouve tout.

La police. 0999. Non. 9990. Ça ne marchait pas non plus. 9999. Sous ses yeux, la porte s'ouvrit.

Elle rit doucement, surprise, triomphante même. Elle l'ouvrit en grand.

Toutes les liasses de billets sous cellophane avaient disparu. Décevant. Robert avait dénoncé l'existence de l'argent mais l'avait emporté. C'était tellement lui. Il avait laissé son MacBook Air à l'intérieur, qui contenait sans aucun doute son signalement à la SOCA et une lettre mélancolique dans laquelle il expliquait avoir fait ce qu'il fallait. Elle sortit l'ordinateur. En dessous, se trouvait un fin carnet à reliure de cuir, la première moitié couverte de l'écriture de M. McMillan, des lignes au stylo, les pages gondolées par la pression de la mine. Elle le prit dans sa main, sans s'intéresser aux chiffres, juste pour effleurer de ses doigts le relief qu'il y avait imprimé. Fermant les yeux, elle lut comme du braille. Quand elle les rouvrit, elle aperçut au fond du petit coffre quelque chose qu'elle n'attendait pas.

Une enveloppe. Vieille. La bande autocollante jaunie par les années. Le papier était craquant au toucher. Elle laissa traîner sa main sur le bord un instant, pas trop sûre de savoir si elle voulait l'ouvrir. C'était le coffre-fort secret. Rien de ce qui se trouvait là ne pouvait être ni bon ni innocent. Elle perdit du temps à regarder le mur, le papier lui chatouillant le bout des doigts. Elle ferait vraiment mieux de ne pas regarder.

Mais elle regarda. Elle prit la vieille enveloppe et glissa deux doigts à l'intérieur. Pas du papier. Des photos. De vieilles photos, épaisses, pas des tirages d'imprimante. Épaisses avec une bordure et un petit rectangle blanc où inscrire quelque chose. Des Polaroids, crut-elle se rappeler. Il y en avait trois. Elles lui tombèrent sur les genoux, à l'envers. Elle considéra leur dos noir pendant une minute, les mains à plat sur le sol aussi chaud qu'une peau, sa langue faisant des va-et-vient sur ses molaires. Elle prit une grande inspiration, retint son souffle et les retourna.

C'étaient des photos d'elle.

16

Quand Morrow sortit dans le couloir, Wheatly se leva de son bureau.

— Madame ?

— Oui ?

— Madame, je n'étais pas certain sur le moment mais venez voir ça.

Il fit signe à Alex d'approcher. Une capture d'écran provenant du film de la caméra de surveillance du parking était posée sur son bureau. Malgré le grain grossier, on distinguait l'avant d'une petite camionnette blanche garée le long du trottoir d'en face. La plaque était lisible.

Elle le dévisagea, attendant une explication.

— La camionnette est au nom d'une personne privée, Matthew Stepper. Il bosse pour les journaux.

Elle regarda l'écran.

— Et elle est devant le poste en moment ?

— *Aye.*

Morrow et McCarthy, debout sur le trottoir, regardaient la camionnette tanguer sous la pluie qui ricochait sur son toit, retenant un éclat de rire. Son occupant essayait de dissimuler sa présence, mais dès qu'il bougeait, tout le véhicule vacillait. Ils demeurèrent là un moment, pas certains de pouvoir articuler un mot sans se mettre à glousser. Puis Morrow finit par aller frapper sur le côté.

— On vous voit bouger, là-dedans ! Sortez !

Des chuchotis, ils devaient être deux. Puis de nouveau du mouvement, vers l'avant, et une tête apparut derrière le pare-brise. Morrow et McCarthy reculèrent pour être vus.

L'individu battit en retraite vers l'arrière, faisant derechef tanguer la camionnette.

— Vous faites des longueurs là-dedans ? cria Morrow.

McCarthy et elle ne purent plus tenir : ils éclatèrent de rire.

Le mouvement cessa. Ils attendirent. Lentement, comme si les gens à l'intérieur étaient en train de s'asseoir, pour réfléchir, la camionnette pencha à l'oblique vers l'arrière.

Ce fut au tour de McCarthy de frapper.

— Sortez ou on confisque le véhicule.

Un court instant, puis il y eut à l'arrière un claquement sec et la porte s'ouvrit. Un petit gars, dégarni, en jean et pull-over en tricot, descendit lourdement sur le bitume, l'air penaud. Il semblait inquiet. Ils jetèrent un coup d'œil dans le véhicule. Personne d'autre.

— Vous parliez à qui là-dedans ? demanda Morrow.

Il toucha le téléphone dans sa poche.

— À mon rédac chef.

— Vous êtes journaliste ?

— Je suis photographe.

D'abord heureux de leur annoncer ça, il sembla se souvenir ensuite qu'il n'était pas vraiment photographe.

— Enfin, je suis enquêteur. Mais photographe, en réalité.

— Et votre rédac chef, il vous disait quoi ?

L'homme leur adressa un sourire contrit.

— De ne pas sortir de la camionnette.

Morrow regarda à nouveau le véhicule. Un vieux bout de ferraille rouillé mais discret. Elle le désigna d'un doigt.

— Vous voulez bien me fermer ça, histoire qu'on ait une petite conversation au poste ?

Il parut terrifié.

— On ne peut pas faire ça ici ? C'est pas facile de trouver du boulot, j'ai deux autres missions cet après-midi et si je les manque...

Elle eut pitié de lui, et il n'avait enfreint aucune loi.

— On peut faire ça ici, oui, si vous nous répondez sans tergiverser...

— Je vous dirai ce que vous voulez.

Il semblait sincère.

— Vous bossez pour quel journal ?

— Le *Scottish Daily News*.

— Le rédac chef à qui vous parliez, c'était qui ?

Il tourna la tête, hésita à répondre. Le nom figurait sur la une, il n'avait aucune raison de mentir.

— Très bien, mon brave, fit Morrow en lui empoignant le coude. On peut vous garder six heures, on va à l'intérieur.

— Non, dit-il en se dégageant. Non, pas dans le commissariat, s'il vous plaît. Alan Donovan. Il s'appelle Alan Donovan.

— Vous surveillez qui ?

— V... (Il s'interrompit, puis finalement le cracha :) Vous.

Il regardait Morrow.

— C'est quoi l'histoire ?

— Votre frère. Danny McGrath, dit-il en levant des mains suppliantes. Écoutez, j'ai juste décroché le boulot pour les photos, à part ça je ne sais *rien*, je veux dire littéralement *rien* du tout. *Rien*.

— Donovan vous a juste appelé pour vous commander le boulot ?

— Ouais. Il m'a dit que votre frère était un gros gangster. Il m'a demandé de vous suivre, de voir si y avait pas moyen de vous prendre en photo ensemble. Voilà (il lui tendit une clé USB), c'est tout ce que j'ai.

Il la pressa fermement contre la paume de Morrow.

Elle rougit. Elle savait qu'elle rougissait mais sa voix parvint à ne pas flancher.

— D'accord, Stepper. Votre plaque d'immatriculation nous a dit qui vous étiez. On a aussi votre nom et votre adresse.

Elle planta un doigt contre son torse, hésita, pas sûre de savoir exactement de quoi le menacer. La presse était tatillonne concernant les menaces. Ils n'étaient pas comme tout le monde, on ne pouvait pas leur dire d'aller se faire foutre ou ils le publieraient.

— Alors maintenant… dégagez le plancher.

Côte à côte, McCarthy et elle le regardèrent grimper à l'avant avec un sourire embarrassé. Il mit le contact et s'éloigna.

McCarthy se tourna vers elle. C'était bizarre.

— Étrange, dit-il, pour votre frère, ce n'est pas un secret, tout le monde est au courant.

C'était Brown. Il avait appelé les journaux, pour essayer de la discréditer en vue du procès en appel. Ça s'était déjà vu : il sous-entendrait sans doute qu'elle bossait pour son frère, que Brown et Danny étaient rivaux d'une manière ou d'une autre. Mais c'était trop sophistiqué pour venir de lui, quelqu'un d'autre le lui soufflait à l'oreille, elle le sentait. Atholl peut-être.

Morrow ne savait pas quoi dire.

— Sauf que ce n'est pas le fait de savoir, c'est l'image que ça donne. Les patrons veulent juste vous voir disparaître quand ça tourne mal comme ça. Qui les renseigne, elle est là la question.

De retour dans le bureau de Morrow, ils épluchèrent les dossiers de la clé USB, des clichés jpeg de Danny devant chez elle, lui tendant la photo, Morrow devant le poste, entrant dans sa voiture, Danny avec des acolytes, des jeunes qui lui ressemblaient un peu, copiaient son crâne rasé, ses survêtements.

McCarthy s'assit à côté d'elle. Elle voyait bien qu'il ne savait pas quoi dire.

— Vous connaissez ces types avec lui ? demanda-t-elle, en désignant un groupe de quatre : Danny avec un type plus vieux, un Asiatique, tiré à quatre épingles, et à côté, deux jeunes voyous, dont un balafré de la lèvre jusqu'à l'œil.

— Je reconnais la cicatrice. Pokey Mulligan.

Pokey, en argot, ça voulait dire prison.

— Casier chargé ?

McCarthy haussa les épaules.

— Juste son nom. Des tentatives de voies de faits. Il agit sur commande maintenant. Et l'Asiatique. Je crois bien que c'est Dawood McMann.

Morrow avait entendu parler de lui. Dawood était louche, tout le monde le savait, mais il semblait s'être rangé ces dix dernières années. Il avait ouvert une chaîne de magasins d'articles de sport qui marchaient du feu de Dieu. Donnait beaucoup aux associations caritatives. Elle n'aurait pas cru que Danny le connaissait.

Elle se laissa lourdement tomber contre le dossier de sa chaise.

— On va rendre une petite visite à Donovan.

Morrow savait que la presse allait mal parce qu'on l'entendait partout, dans les blagues des *Simpson*, dans les rumeurs sur le scandale des écoutes dans le Sud auxquelles la police de Londres était mêlée.

Même si personne ne remettait en cause que les écoutes avaient eu lieu, l'enquête avait été lancée et abandonnée plusieurs fois, arrivant toujours à la même conclusion : personne n'a rien fait, passez votre chemin. Après quoi, personne n'ayant rien à se reprocher, un haut gradé avait droit à sa tribune libre coquettement rétribuée dans l'un des titres incriminés, ou à une adhésion à un club, ou à un cheval. Même sans examiner les preuves, il était évident pour Morrow qu'une enquête récurrente signifiait qu'il y avait quelque chose. Et si certains journalistes pirataient des boîtes vocales, dans un marché si concurrentiel, où se pratiquait de journal en journal un jeu de chaises musicales, ils le faisaient sans doute tous. Toutes les polices étaient confrontées à la corruption, mais dans le Strathclyde, c'était de gigantesques sacs de grosses coupures qu'il s'agissait, pas de ces colifichets destinés à asseoir son rang. Étrangement, Morrow trouvait ça plus honnête.

Elle savait donc que la presse n'allait pas bien mais elle ne découvrit à quel point que lorsqu'ils pénétrèrent dans les locaux du journal. Un quotidien national, avec un open-space doté de pas plus de huit bureaux, dont seulement quatre étaient occupés.

Alors que la réceptionniste les accompagnait dans le bureau de Donovan, Morrow demanda si tous les autres journalistes étaient sur le terrain.

— Non, répondit la réceptionniste en se dirigeant vers une porte vitrée.

Ils la suivirent dans la pièce et elle disparut sans un mot, les abandonnant sans autre forme de procès à Alan Donovan, rédacteur en chef du *Scottish Daily News*.

Il était petit mais assis à son bureau, il se tenait fier comme un pou. Il posa le regard sur McCarthy.

— Inspecteur Alex Morrow ?

— Morrow, c'est moi, corrigea-t-elle.

— Ah oui.

Il se tourna vers elle comme s'il avait toujours su qu'elle était une femme, et beaucoup plus encore. De toute évidence, il ne savait rien du tout.

— Bonjour.

Il attendit qu'elle dise autre chose.

— Qu'est-ce qui se passe, monsieur Donovan ?

— Que voulez-vous dire ?

Ils se dévisagèrent encore un moment. Elle s'attendait presque qu'il lui propose une tribune.

— Vous avez demandé à un journaliste de me suivre et de me prendre en photo sur mon lieu de travail.

— Ah bon ?

Il haussa lentement les sourcils.

Elle ne put retenir un sourire. Elle se passa la langue sur les lèvres, reprit son sérieux et recommença.

— Vous cherchiez, je crois, des informations à mon sujet. Je peux peut-être vous aider...

Donovan se renversa dans son fauteuil, croisa les jambes. Comme si la pose n'était pas assez étudiée, il attrapa un stylo qu'il examina dans les détails. Elle regrettait un peu d'avoir emmené McCarthy, parce que tous les deux avaient tendance à rire. Elle osait à peine croiser son regard.

— Inspectrice Morrow, que diraient vos chefs s'ils savaient que Danny McGrath est votre frère ?

— Ils le savent.

Il tressaillit, un seul clignement d'yeux, puis retourna à l'examen de son stylo.

— Comment le savent-ils ?

184

— Je le leur ai dit.

— Tout le monde le sait, remarqua McCarthy. Demandez à n'importe qui dans le service. Venez vous mettre à la porte à l'heure du changement d'équipe et posez la question. On le sait tous.

— Vous pouvez l'écrire si ça vous chante...

Ce serait un désastre pour elle s'ils le faisaient. Les hauts gradés lisaient encore les journaux. Ils étaient de cette génération-là.

— C'est peut-être bien exactement ce que nous allons faire.

Il avait l'air mal à l'aise.

— Si ce n'est pas un secret, qu'est-ce que vous faites là ?

Morrow s'approcha de la baie vitrée.

— Les rangs sont bien clairsemés non, pour une entreprise ? Je m'attendais à trouver ici des équipes entières.

— C'était le cas dans le temps. Plus maintenant. La technologie.

— La technologie a avalé les autres journalistes ?

Il sourit tristement.

— En quelque sorte. Elle a augmenté l'efficacité des pratiques de travail, on a externalisé davantage. Les journaux étaient incroyablement inefficaces, dans le temps.

— Externalisé ? répéta Morrow, les yeux sur l'open-space. Ils s'y mettent aussi dans la police.

Se levant, Donovan s'approcha d'elle et suivit son regard. Il avait l'air un peu triste mais haussa les épaules.

— Vous devriez le faire. On a économisé une fortune. Pourquoi payer un salaire plein avec retraite et avantages sociaux quand on peut payer pour de simples prestations ? Les prestataires extérieurs ne se mettent pas en arrêt maladie plusieurs semaines d'affilée. Ils font juste le boulot.

— Quel genre de services sont externalisés ?

— Impression, distribution, services financiers, une grande partie du graphisme. Nous avions une grosse direction artistique fut un temps. C'était un cauchemar. Une équipe de dix mais à peine deux qui montraient le bout de leur nez. Ils prenaient tous des jours de congé pour le montage d'expositions ou pour enseigner. Ridicule.

Elle se tourna vers lui, très proche à présent.

— Vous voyez Donovan, je suis là parce que je travaille sur une affaire complexe impliquant de très sournois personnages. Elle est en ce moment à son paroxysme.

Elle prenait bien soin de ne pas mentionner le tribunal parce qu'il comprendrait qu'il s'agissait de Michael Brown, elle le savait.

— Du coup je m'interroge... je me demande si le timing de ceci n'est pas relié à cela d'une manière ou d'une autre. Je veux dire, à mon arrivée tout à l'heure, vous n'aviez de toute évidence pas la moindre idée de qui j'étais. Je me demande si cet intérêt soudain pour ma personne n'est pas lié à cette affaire...

— Je ne suis au courant d'aucune affaire sur laquelle vous enquêtez.

Elle avait deviné juste. Donovan ne savait rien du procès de Brown.

— Ce que je veux dire, c'est : qui vous a poussé à me filer le train ?

Il haussa de nouveau un sourcil.

— Comment pourrais-je prétendre être journaliste si je révélais mes sources ?

Morrow acquiesça du menton.

— Oui. Le problème avec l'externalisation, en ce qui nous concerne, c'est celui de l'intégrité. Nous sommes puissants, nous avons accès à pas mal d'informations. Si nous externalisons ça, comment allons-nous nous assurer de leur fiabilité ? A-t-on dès lors besoin d'un nouvel organisme pour les surveiller ? N'est-on pas juste en train de créer un autre niveau de bureaucratie ? Vous voyez ? Des endroits où égarer des documents ? Des endroits où commettre d'énormes bourdes ?

Elle lui sourit, mais Donovan avait simplement l'air perplexe.

— On a déjà enquêté chez vous pour du piratage téléphonique ?

Il pâlit et se passa la langue sur les lèvres.

Elle tourna de nouveau le regard vers l'open-space.

— Non pas que les erreurs des prestataires extérieurs soient volontaires. Des erreurs, tout le monde en commet. Mais il arrive, dans l'externalisation, qu'on choisisse consciemment de fermer les yeux, de prendre des raccourcis. Vous, par exemple. Quelqu'un

186

peut juste vous appeler avec une info croustillante, disons que ce quelqu'un est un manipulateur ayant des intérêts dans d'autres affaires. Vous donnez suite, sciemment. Et peut-être que tout ça changera le cours d'un dossier. Que de sales types sortiront de taule. Que des gens seront tués.

Elle regarda Donovan et vit qu'il transpirait.

— Je suis surprise que personne n'ait mentionné votre nom dans l'enquête sur les écoutes téléphoniques, vous publiez pourtant pas mal d'articles sur les célébrités.

Morrow et McCarthy étaient assis dans la voiture, arrêtés à un feu rouge. Elle jeta un regard vers lui. Il avait l'air plutôt affolé.

— Tout va bien McCarthy ?

Il fit signe que oui mais ce n'était clairement pas le cas.

— Qu'est-ce qui vous préoccupe ?

Il regardait fixement le feu.

— Bordel, qu'est-ce qui se passe, patron ? C'est qui ce David Monkton ?

Morrow ne savait pas quoi lui répondre. Elle non plus n'avait jamais entendu parler de lui.

17

Il ne restait plus aucune trace de la veille dans le salon rose : pas de verres abandonnés, ni de bouteilles pleines ou vides. Le hippie avait dû les ranger. La location du château comprenait-elle le ménage ? Robert ne se souvenait plus.

Il avait tiré un fauteuil près de la fenêtre et contemplait la mer, un œil sur l'allée. Il eut un claquement de langue contrarié. Comment pouvait-il se montrer si naïf ? Ils n'arriveraient pas par l'allée. La mort n'arrivait pas de cette façon-là. La mort s'infiltrait à travers les fissures, passait la porte avec fracas, prenait d'assaut des lits ou perçait des murs. La mort ne prenait pas un taxi à la gare. Pourtant, il ne pouvait pas s'empêcher de la guetter.

Les antalgiques agissaient, le mal de tête et la nausée s'étaient calmés, il puisait des forces dans les tréfonds de son corps en attendant que les effets du médicament s'estompent. Il n'avait pas mal mais il tremblait et dégageait une odeur fétide. Il se sentait poisseux. Ses couilles le grattaient. Il était trop triste pour se laver. Parfois même trop triste pour se gratter les couilles. Assis là, il subissait, tout simplement.

Il cligna des paupières et la sensation de sa mort imminente se retira comme la marée sur la plage. Il vit que son esprit se perdait dans des considérations secondaires, s'attachait aux détails du paysage extérieur, à son odeur désagréable, au calcul de l'heure à laquelle il pourrait reprendre des médicaments. Il se laissait gagner par la trivialité du quotidien.

Brusquement, il imagina quelqu'un debout derrière lui qui lui braquait un flingue sur la tempe et se dit soudain qu'il n'avait pas envie que « mes couilles me grattent » deviennent sa dernière pensée.

Ça lui donna un coup de fouet.

Je vais mourir, songea-t-il. Je vais sans doute mourir aujourd'hui. Il prit la résolution de s'y préparer, mais devait reconnaître à quel point la chose était évanescente, à quel point il était difficile de rester concentré.

La tâche était donc de parvenir d'une manière ou d'une autre à ne pas se laisser divertir, de façon à rester conscient de ce qui se passait. Puis lui vint une autre pensée : à quoi cela servait-il de rester concentré sur le fait qu'il allait mourir ? Ça ne l'y préparerait en rien, ça ne rendrait pas l'idée moins douloureuse, ni n'empêcherait les sanglots et les supplications.

La question le déroutait. Il essaya de remonter le cours des événements jusqu'à hier, avant sa gueule de bois, quand il se sentait certain de savoir ce qu'il faisait. Il pensait qu'ils l'auraient suivi jusqu'ici mais il était presque midi et il était toujours là, assis à sa fenêtre.

Il n'aurait jamais cru être encore vivant. Où étaient-ils donc ?

Il les imagina alors, deux hommes dans une voiture, débarquant du ferry. Il les vit qui suivaient le ruban de bitume couleur réglisse dans les collines, contournant des lochs, puis traversant les terres tourbeuses le long de la côte et les forêts. Il les vit ralentir sur la route étroite et sinueuse, s'arrêter dans les aires de croisement, montrant aux gens du coin qu'ils n'étaient pas d'ici en levant une main entière derrière le volant au lieu d'un simple doigt, comme on le faisait dans la région.

Ou peut-être que la personne envoyée pour le tuer était déjà sur cette île et approchait inexorablement par la colline, en ce moment même.

Mais peut-être aussi qu'ils ne venaient pas parce qu'ils ne savaient pas où il se trouvait. Auquel cas il pouvait attendre là, à la fenêtre, une année durant.

Agacé par l'idée, Robert se gratta les couilles et, requinqué par l'exploit, se leva. Il était tout à fait possible qu'ils ne sachent pas où il se trouvait. Ça ne lui avait même pas traversé l'esprit. Il avait tout réglé en liquide, sans carte de crédit, n'avait rien dit à personne. Il avait même trouvé le château dans un catalogue qui traînait chez lui et appelé depuis une cabine.

Personne ne savait où il était. Si le signalement à la SOCA avait déjà été transmis à la police, il y aurait eu des fuites, la police était aussi perméable qu'une passoire, et ceux avec qui son père était en affaires se seraient lancés à ses trousses.

Ils allaient se renseigner sur son ancien cabinet, sur ses collègues, ils chercheraient à savoir de qui il était proche. L'endroit lui manquait, ses disputes avec les autres associés junior, ses chamailleries avec les secrétaires, les promotions qui lui passaient sous le nez. Tout ça ressemblait maintenant à une époque bénie. Il avait quitté le cabinet en grande pompe, pour reprendre celui de son père. Il se souvenait s'être dit en partant que *maintenant*, il allait être heureux.

Les photos de Rose se matérialisèrent dans sa tête, il eut du mal à respirer. Il se rassit. Elle n'avait pas changé. Elle avait la même tête. Portait la même queue-de-cheval plantée en haut du crâne. Sur l'une d'elles, penchée en avant, elle pleurait. Le visage impassible mais le nez plein de larmes. Elle était jeune, ça se voyait. Elle avait à peine quelques poils pubiens.

Quand il les avait sorties du coffre, après les avoir regardées, il les avait jetées à l'autre bout de la pièce. Plaqué contre le mur opposé, il ne pouvait plus bouger. Son père avait-il pris ces photos ? Se masturbait-il en les regardant ? Personne ne se masturberait en les regardant, elles étaient terrifiantes. Mais comment savoir ce que les gens avaient envie de voir ? En les voyant, Robert avait été si hypnotisé par son visage qu'il n'avait tout d'abord rien saisi du contexte. Une petite fille, nue au centre d'un groupe d'hommes qui la dominaient de leur stature, des silhouettes sombres, certaines riant, d'autres aux regards lubriques. Mais Robert étant Robert, il n'avait vu que Rose. Rose qui pleurait. Rose les yeux levés vers un visage, effrayée. Rose souriant sur l'une d'elles, le doigt d'un homme dans son vagin. Dans des chambres anonymes. Où il y avait de l'alcool.

C'étaient ce que faisaient les gens derrière les portes closes, quand personne ne regardait.

Je ne peux rien faire pour réparer ça, s'était-il dit, plaqué contre le mur tiède, dans les entrailles du coffre-fort. Je ne peux pas réparer ça tout seul. Il avait vu les livres de comptes. Pourquoi son père possédait-il ces photos de Rose ?

Rose était presque sa sœur. Elle en prison, lui à l'école. Elle avait par accident tué un homme qui avait tenté d'abuser d'elle, lui avait expliqué son père. Ils allaient lui rendre visite. Julius comme Robert lui étaient restés loyaux, loin des types de ce genre.

Robert allait la voir en prison avec son père. En chemin, la première fois, il espérait vaguement tomber un peu amoureux d'elle mais ça ne s'était pas produit. Plus tard, il s'était dit qu'ils étaient trop semblables, mais ça n'était pas vrai, en réalité. C'était juste qu'ils ne se plaisaient pas. Il l'avait acceptée comme on accepte un membre de la famille : sans trop de jugement, sans la ranger dans une case. Elle était des leurs et quand elle était devenue leur nurse, Robert avait trouvé ça juste et normal. Il était enchanté de voir qu'elle et Francine s'entendaient si bien, alors que Francine avait toujours été un peu sensible même avant sa maladie. Comme sa mère : Margery était toujours un peu malade.

Mais la voir ainsi sur les photos réveillait en lui des sentiments passionnés. Il voulait l'envelopper de son corps, petite Rose, et la protéger de ces types affreux. Il était prêt à ficher sa vie en l'air, sa famille, la réputation de son père, si ça pouvait faire tomber ces types. Il ferait ça pour Rose. Alors il avait appelé la police et fait ce qu'ils lui avaient demandé : il avait rempli le formulaire.

Assis à la fenêtre du château, il se sentait de nouveau un peu mieux. Il se comportait de manière honorable, tellement différemment des hommes sur la photo. Il allait les laisser le tuer pour Rose. Il voulut aller chier, se leva, essaya de se rappeler où se trouvaient les toilettes et le vit : le hippie, en train de traverser le champ en contrebas du château, juché sur son quad. Il s'arrêta, sortit un petit sac de graines de sous sa cape et le vida sur le sol. Avant de s'éloigner de quelques mètres et de regarder les oies qui venaient picorer.

Elles étaient d'un blanc crayeux, plus grosses que ce qu'un citadin tel que Robert aurait imaginé. Bras croisés sur sa cape, le hippie les observait. Même d'ici, Robert distinguait son sourire. Et puis il aperçut deux hommes à l'autre bout du champ, de l'autre côté de la clôture, qui faisaient signe au hippie d'approcher. Le hippie tourna la tête vers eux, les vit et, sans descendre de son quad, partit à leur rencontre. Robert fut saisi de panique en le voyant s'approcher d'eux dans leurs vêtements sombres, leurs visages dissimulés sous des feutres. Sans distinguer son visage, il sentait que le hippie souriait toujours. Et les hommes souriaient aussi : par moments, Robert apercevait leurs dents. Et l'un d'eux avait les mains dans ses poches.

Ils bavardèrent. Le hippie plongea les mains dans sa cape, une cape de bonne femme putain de merde ! Et quand l'un des deux types sortit les siennes de ses poches, Robert retint son souffle. Il le vit offrir un chewing-gum au hippie. Le hippie refusa d'un signe de tête, attrapa le guidon de son quad et retraversa le champ. Les hommes firent demi-tour et s'éloignèrent.

Juste des promeneurs.

Robert bascula contre le dossier du fauteuil. Il ne pouvait pas laisser les types qui le traquaient tuer le hippie. Il ne pouvait tout bonnement pas. Il allait devoir quitter le château.

Se sentant beaucoup mieux, Robert grimpa jusqu'au sommet de la colline et trouva la mer qui s'étendait devant lui telle une nappe de pique-nique argentée. Sur la gauche, une pente raide descendait vers la plage de sable blanc et le château qui la surplombait. À sa droite, au cœur des douces collines verdoyantes, apparaissaient les ruines d'un village abandonné, grille de mots croisés délabrée parmi d'autres laissées dans le paysage par les expropriations du XVIIIᵉ siècle. Le vent vif et mouillé lui fouettait les cheveux. Les goélands planaient au-dessus des flots. Devant lui, la terre plongeait brutalement dans l'eau.

Robert portait son costume de bureau, des chaussures de ville et un poncho en plastique premier prix trouvé dans le coffre de sa voiture. Il avait eu la mauvaise idée de marcher dans une flaque en sortant, si bien que ses pieds étaient trempés, ses orteils engourdis par le froid à présent, et le tissu mouillé de son pantalon contre ses tibias osseux engourdissait sa peau. Il se sentait merveilleusement bien. Le terrain escarpé, le vent, le bruit et les cris des goélands, la pluie intermittente et les explosions brutales de soleil, tout ça l'arrachait à la culpabilité engendrée par son père qu'il portait comme un fardeau, à l'enfance torturée de Rose et à ces cercles d'hommes, ça l'éloignait de ces hommes sans visage bavardant avec le hippie, et du souvenir de ses enfants, ne le laissant plus que dans le moment présent. Il avait grimpé jusqu'ici à quatre pattes, trébuché dans les éboulis, son mocassin s'était enfoncé dans la boue. Et maintenant il était là, la tête haute, dans le paysage immémorial, le regard perdu sur une mer qui ignorait tout et ne se souciait pas de son existence.

Il tourna la tête vers le village. Des restes de murs à hauteur de cheville qui avaient été le foyer de plusieurs générations. Des gens qui avaient été chassés de leurs terres, victimes d'une injustice plus grande que ses souffrances à lui, plus grande qu'une pièce pleine d'hommes autour de la petite Rose entièrement nue. Les bâtiments laissés à l'abandon étaient peu à peu retournés à la terre et à présent, ça ne comptait plus vraiment. Il sourit et se dirigea vers eux. L'eau faisait d'horribles floc dans ses chaussures, il semblait y avoir plus d'eau à l'intérieur qu'à l'extérieur, si bien qu'il envisagea de les ôter pour les vider, ce qu'il se promit de faire en atteignant son but. Il se hâta le long de la colline, espérant s'y trouver un peu à l'abri du vent. Les gens des Highlands savaient où construire.

À l'abri, ça ne l'était pas du tout. Dans le premier carré de fondations, il trouva le vent plus vif qu'au sommet de la colline d'où il venait. Il franchit le muret pour pénétrer dans la maison et essaya de s'imaginer les murs autour de lui. C'était très petit. Une pièce minuscule. Il ne ressentit rien, s'efforça de convoquer un sentiment d'admiration et de respect : tenta d'imaginer toute une famille, six enfants et les grands-parents vivant dans cette pièce minuscule. Mais il n'était pas sûr qu'il s'agissait d'une maison. Ça pouvait tout aussi bien avoir été des chiottes, pour ce qu'il en savait. Ou une réserve. Il ignorait à quoi ressemblait la vie à l'époque. Il fit le tour du carré. Six enfants, deux parents et deux grands-parents ne pouvaient pas y tenir. C'était sans doute une réserve.

Il passa au carré suivant, entra et tenta de nouveau d'imaginer la même scène. Pourquoi deux grands-parents, se dit-il ? Il devrait y en avoir quatre, mais même deux, c'était déjà trop. Peut-être, cependant, que certains grands-parents étaient morts, en mer, d'un rhume ou d'autre chose. C'était à ça qu'il pensait en sortant de la pièce imaginaire.

Son pied, s'attendant à trouver le sol mais ne le trouvant pas, tomba brusquement dans un trou, le projetant vers l'avant de telle sorte que son corps se tordit, et son visage alla heurter une grosse pierre qui gisait là.

Étalé dans l'herbe mouillée, Robert gémissait, sa pommette collée à la pierre criminelle. Il chercha quelqu'un ou quelque chose à qui s'en prendre : l'office de tourisme, les gens des Highlands, la gravité. Et tout en se rendant compte de la futilité qu'il y avait à vouloir trouver un coupable à ce qui n'était pour l'essentiel qu'un accident, il prit conscience de la douleur sourde dans sa cheville et des fourmillements dans ses orteils engourdis. Il s'assit et regarda le pied tombé dans le trou. Il releva la jambe mouillée de son pantalon. La cheville était à vif en pleine lumière, à vif et légèrement bombée. Et sous ses yeux, tandis qu'il remuait les orteils, certain qu'il n'y avait rien de cassé, la cheville enfla encore.

Un goéland se posa près de lui, le dévisageant comme s'il était un agneau mort. Putain, il avait l'air énorme. Il penchait sa grosse tête hideuse vers lui, le mesurait du regard. Robert ramassa une pierre et la lui jeta. Le goéland ne bougea pas.

— Dégage ! hurla Robert, mais l'oiseau n'en fit rien.

Il sentit quelque chose de mouillé sur son visage, y porta la main et vit que c'était du sang. Beaucoup de sang en réalité. Qui dégoulinait de sa joue. Il avait besoin d'un miroir et promena le regard alentour, au cas où il y en aurait eu un quelque part, piqué de merde de mouton.

Le goéland le dévisageait. Peut-être avait-il senti le sang avant de le voir. Non, minute, ça c'étaient les vautours. N'empêche qu'il le regardait, avec de petits hochements de tête comme s'il évaluait par où commencer son festin. Robert se sentait ridicule, désavantagé. Le goéland en savait plus que lui sur la grosse entaille sur son visage.

Puis il lui vint une idée. Assis sur le sol boueux, une seule cheville valide, du sang gouttant sur le poncho en plastique qui lui collait au corps comme du cellophane, il sortit son téléphone portable, l'alluma et prit une photo de son visage. Voilà. Maintenant, il pouvait voir. Ce n'était même pas si terrible. Juste une égratignure sur la joue.

Il adressa au goéland un sourire narquois, mais celui-ci picorait le sol. Il déploya ses ailes et s'envola vers la mer.

Prenant appui sur le muret, Robert sortit précautionneusement sa cheville grotesque du trou et rebaissa la jambe de son pantalon. Repliant sous lui sa jambe valide, il se leva, sans poser la cheville blessée sur le sol avant d'être entièrement debout. S'il n'arrivait pas à redescendre, le hippie périrait peut-être à sa place. Alors il essaya. Ça n'était pas si terrible. Il allait pouvoir se débrouiller tout seul. C'était un peu douloureux quand son poids était dessus. Il lui faudrait prendre son temps mais ce n'était pas si terrible du tout.

Il fit un pas et sentit son téléphone vibrer une fois, deux fois, trois fois. Des messages vocaux. Oncle Dawood. Sans même y jeter un regard, il plongea la main dans sa poche et l'éteignit de nouveau avant de reprendre sa route.

18

Johnstone n'était pas une véritable destination. Morrow et McCarthy quittèrent l'autoroute à Paisley, jetant de temps en temps un regard sur le GPS, craignant de traverser l'endroit sans s'en apercevoir.

Bourgade basse dans la périphérie de Paisley, Johnstone était composée de maisons mitoyennes aussi petites et exigües que dans un quartier défavorisé de centre-ville, deux pièces au rez-de-chaussée et deux à l'étage, aux fenêtres aussi étroites que dans les taudis aux abords des usines. Les habitants étaient cependant inexplicablement fiers de leur ville. En cherchant l'adresse de l'ancien agent Harry McMahon, McCarthy était tombé sur l'acte de vente – il venait tout juste de s'installer ici. Pour Glasgow, le prix était raisonnable, mais à Johnstone, ils s'attendaient à un manoir.

La maison n'avait rien d'un manoir mais elle était construite en bordure d'un golf. Indépendante, elle était pourvue d'une allée et d'un carré de pelouse bien entretenue. Elle ressemblait en tous points à ses voisines, neuve et impeccable. Quoi qu'ait fait Harry McMahon depuis qu'il avait quitté la police sept ans plus tôt, la chance semblait lui avoir souri.

Ils se garèrent dans la rue et remontèrent l'allée, longeant une Honda bleue vieille de quatre ans. McCarthy frappa pendant que Morrow jetait un regard à l'intérieur. Des voilages soignés derrière la fenêtre en saillie à côté de l'entrée. Deux bibelots et un cadre photo tourné vers l'intérieur. Au sol, du plancher stratifié qui donnait à la lumière du salon un éclat orangé.

Un grand type, proche de la cinquantaine, vint leur ouvrir, bien coiffé, chemise blanche et propre rentrée dans un jean repassé. Morrow sourit : en le croisant dans un supermarché, elle aurait flairé l'ancien flic sur-le-champ.

— Bonjour, dit-il. Je peux vous aider ?

— Harry McMahon ?

Elle lui montra son insigne.

— Oh, *aye*, fit-il en le lisant. Inspectrice Alex Morrow, comment allez-vous ?

Ils se voyaient pour la première fois mais un système de valeurs partagé créait immédiatement un sentiment de camaraderie.

— Je suis sur une affaire qui recoupe une ancienne affaire à vous. Je peux entrer et vous parler ?

— Bien sûr, entrez, tous les deux, dit-il, visiblement content.

L'entrée était proprette et exempte de bibelots. Un skateboard était rangé contre le mur, le tag négligé qui ornait la planche jurait avec les murs blancs stériles et le plancher immaculé.

— Vous faites du skateboard ? demanda-t-elle.

Harry acquiesça, saluant le trait d'humour.

— Un de mes fils.

Morrow regarda alentour, cherchant d'autres indices de leur présence.

— Ils n'habitent pas avec vous ?

La question fit rire Harry.

— Si, nous sommes juste une famille un peu maniaque. Entrez donc.

Puis, s'adressant à McCarthy :

— Je n'ai pas retenu votre nom.

McCarthy se présenta. Ils se serrèrent la main et McMahon sembla se souvenir qu'il avait oublié de serrer celle de Morrow. Il se rattrapa et proposa de prendre leurs manteaux. Il les suspendit sous l'escalier, dans le placard le mieux organisé que Morrow ait jamais vu.

Harry leur fit signe d'entrer dans une cuisine ensoleillée qui donnait sur un jardin, un carré d'un vert parfait coupé net par une haute clôture. D'un côté, se dressait un pavillon de jardin en pin, la façade percée d'une porte-fenêtre flanquée de part et d'autre de grandes baies vitrées. La porte était fermée.

— Si c'était ma cabane, remarqua McCarthy en la désignant du doigt, elle déborderait de pièces de moto. Et tous ces petits trucs de jardin (il regardait les dalles couleur miel qui y conduisaient) seraient tachés d'huile.

— Oh, *aye*, fit McMahon en suivant son regard. La patronne est une tornade blanche. Ce n'est pas que je ne sois pas propre moi-même, mais elle, c'est une dingue de la propreté.

Il en avait l'air plutôt satisfait.

— Je vous sers une tasse ?

D'ordinaire, ils n'acceptaient pas de prendre le thé chez quelqu'un qu'ils venaient interroger. Mais Harry était un ancien flic, parfaitement au courant du niveau d'intimité qu'un tel geste impliquait.

McCarthy interrogea Morrow du regard.

— Avec plaisir, dit-elle.

Tandis que McMahon faisait bouillir l'eau et sortait des tasses du placard, ils évoquèrent leurs connaissances communes, les hauts gradés avec qui McMahon avait servi et le projet de police unifiée. Il n'y avait dans sa voix aucune amertume ; c'était agréable à entendre, encourageant pour les flics encore en poste.

— Vous semblez vous être plutôt bien débrouillé vous-même depuis, remarqua Morrow alors qu'il posait les tasses vides sur la table entièrement vide.

— J'ai eu du bol, dit-il. Je vous en prie, asseyez-vous.

Il sortit d'un placard une boîte à biscuits en plastique, rangée à côté d'une autre contenant des céréales.

— Je suis parti pile au bon moment. Droits à la retraite soldés, encore en forme pour travailler, marché du travail en plein boom. On a eu beaucoup de chance.

Il revint à la table avec une assiette de biscuits. Des cookies au chocolat bas de gamme, la version sans marque de biscuits déjà plutôt quelconques. Morrow baissa les yeux sur son thé et vit qu'il était léger, que le lait n'était pas épais, sans doute de l'écrémé.

— Alors, vous êtes dans quoi maintenant, Harry ?

— Intelligence Solutions, vous en avez entendu parler ?

— Non.

— Eh bien, fit-il en penchant légèrement la tête vers elle, vous travaillerez pour eux un jour ou l'autre, il y a des chances. Une société d'enquêteurs privés installée partout en Écosse. C'est en réalité un réseau non intégré d'indépendants, mais on bosse main dans la main. Ce qui veut dire que je peux appeler Ullapool, envoyer quelqu'un d'autre dans les bureaux d'une société en un après-midi et remettre un rapport au client dans la journée. C'est bien. Ça fonctionne.

— Ce n'est pas que des trucs de divorce ?

— Non. On recueille des témoignages, des déclarations écrites, ce genre de chose. Les divorces sont plutôt rares. Pas très sain, mais c'est mieux que les animaux disparus. Ça vous pousse à bosser comme un dingue sur votre propre couple, en tout cas.

— Et ça paie bien ?

Il secoua la tête, il n'avait pas vraiment envie d'en parler.

— Ça va. Mais ils recrutent des anciens flics, vous savez. Quand vous partirez vous-mêmes, ils vous appelleront probablement. Vous recevrez une lettre et ils verront si vous voulez du boulot tout de suite ou juste vous inscrire pour plus tard. Très organisé.

— C'est bon à savoir, dit McCarthy avant de laisser échapper une grimace en se souvenant de la présence de Morrow.

Ça ne se faisait pas de montrer qu'on avait des doutes. Morrow laissa couler.

— Donc, Harry, dit-elle pour éviter de boire le thé insipide, ce dossier...

— Oh *aye*, fit-il en se tournant vers elle, on parle de quelle année ?

— 1997. Un meurtre...

— J'en ai eu ma dose.

— À l'arme blanche, deux jeunes mecs, Michael Brown qui a tué son frère.

— Hum... j'essaie de me souvenir...

Il posa le regard sur le jardin, au-dessus de la tête de Morrow et croqua dans un biscuit. Harry savait tout à fait de quelle affaire elle parlait, Morrow le voyait. Il contemplait la cabane de jardin comme s'il aurait aimé s'y trouver.

— 1997…

— Dans la ruelle, à l'angle de Sauchiehall Street. Le corps a été trouvé le lendemain matin. Michael Brown était à Cleveden à l'époque, c'est là que vous êtes allés le chercher…

— Oh !

Il essaya d'avoir l'air surpris, mais ça ressemblait à de la peur. Un bien piètre acteur.

— La nuit où Diana est morte, dit-il.

— Ah bon ?

— Ouais. Non ?

Il scrutait son visage.

— Bon, dit Morrow, qu'est-ce qui vous revient à ce sujet ?

— Rien, rien, rien…

Il se tenait droit comme un I sur sa chaise.

— Bon, lança-t-il un tantinet trop fort. Voyons voir. Hum. Diana est morte cette nuit-là. On a trouvé le gamin dans la ruelle.

— À côté du ChipsPakoraKebab, confirma Morrow, essayant de l'aider.

— Oui, dans la ruelle, là-bas et, hum, voyons voir…

Il se prit le menton comme s'il essayait de réfléchir.

— Ah, hum…

McCarthy n'en pouvait plus.

— Arrêtez, le supplia-t-il doucement.

McMahon ne disait plus rien. Il buvait son thé à petites gorgées, clignant des paupières au-dessus de la tasse. Puis il la posa et attrapa un autre biscuit.

Ils étaient assis autour de la table ronde, trois rayons d'une roue. Tous savaient qu'il s'était passé quelque chose qui rendait l'absence de souvenirs impossible. Des gamins se poignardaient tout le temps à Glasgow. Morrow en conclut qu'il s'agissait d'un sale truc qui avait laissé des traces indélébiles dans l'esprit de McMahon. Il ne se souviendrait pas d'un dossier vieux de quatorze ans, sans ça. Mais McMahon n'était pas habitué à mentir. Morrow se doutait qu'il détestait ça, d'où sa pauvre prestation.

Il mâchait son biscuit comme s'il essayait de se bâillonner.

— Jamais vu une aussi mauvaise tentative de mensonge de ma vie, dit-elle à McCarthy, qui sourit à McMahon.

Harry, visiblement soulagé, leva des yeux.

— Merde, dit-il, ce n'est simplement pas mon truc.

Ils souriaient tous à présent et Harry se détendit un peu, il savait maintenant qu'ils n'allaient pas essayer de le coincer.

— C'est pour ça que vous avez quitté la police ? sourit Morrow.

— Non, dit-il en prenant un autre biscuit. Mais c'est pour ça que je suis à mon compte. Dans les boîtes privées, on ne peut pas parler aux gens comme on se parle entre nous, vous savez ça ? Sans quoi ils fondent en larmes et tout...

Il regarda la table, perplexe. Ils étaient tous les deux heureux de savoir que son changement de carrière n'avait pas été que du bonheur.

— D'accord, Harry, voilà ce qu'on va faire : je vais partir du principe que vous vous souvenez de l'affaire.

Il acquiesça d'un clignement de paupières.

— Et qu'il s'est passé quelque chose d'*inhabituel*?

Un autre clignement.

— Quelque chose dont vous ne voulez pas parler, peut-être ?

Clignement.

Elle baissa le menton vers la table, pour montrer qu'elle avait compris.

— Quelque chose qui concernait des empreintes ?

Il parut déconcerté et secoua légèrement la tête.

— Pas les empreintes ?

— Non, je ne sais rien à ce sujet-là.

— La fiche indique que c'est vous qui vous êtes chargé de les prendre.

— Non.

— Qui l'a fait ?

Il pâlit.

— D'accord, dit-elle en levant la main. On ne cherche pas à coincer de vieux camarades à vous, ce n'est pas du tout ça qui nous intéresse. Ce sont les empreintes prises dans ce dossier.

— Je ne sais rien de tout ça. Je n'étais pas là quand ça c'est passé.

Ce qui était bien dans le fait d'interroger un mauvais menteur, c'était que Morrow savait quand il disait la vérité.

— Qui pourrait nous renseigner ?

— George Gamerro. C'était l'inspecteur à l'époque.

— Et il est où maintenant ?

— Près de Stirling. Il tient un magasin de journaux là-bas, à Bridge of Allan.

— D'accord, dit-elle en se levant. Harry, vous avez été génial.

Il les raccompagna dans le vestibule et alla chercher leurs manteaux dans le placard. Il tint celui de Morrow ouvert le temps qu'elle l'enfile.

— On n'est plus censé se comporter comme ça avec les femmes, dit-il tandis qu'elle glissait les bras dans les manches.

— Ah bon ? fit Morrow.

— Le politiquement correct et tout ça, dit Harry. Mais la patronne aime bien.

— Je crois que c'est nous mettre la main aux fesses et nous laisser moisir en bas de l'échelle que vous n'êtes plus censés faire, répliqua Morrow.

La remarque était un peu directe, mais elle fit sourire Harry.

— Oh, dit-il. Vous me rappelez ma fille. Elle me prend pour un homme des cavernes.

Morrow lui serra chaleureusement la main.

— Contente de vous avoir rencontré, agent McMahon.

Il leur serra la main à tous les deux, sourit et posa la main sur la poignée. Il n'ouvrit pas la porte cependant, mais se retourna vers eux :

— Vous pouvez me rendre un service ? dit-il. S'il vous plaît, ne dites pas que vous êtes venus. Ni à George. Ni à personne.

19

Penchée sur le côté, son gobelet de café à la main, Rose dissimulait son visage derrière la plante en plastique. Elle ne voulait pas être vue. Elle ne pouvait pas rentrer chez elle. Robert avait vu ces photos d'elle. Robert savait maintenant qui elle était vraiment. Elle ne le supportait pas. Et elle comprenait pourquoi Anton Atholl ne les avait jamais dénoncés pendant toutes ces années.

Il devait t'aimer. Julius l'avait gardée à ses côtés parce qu'elle contraignait Anton Atholl au silence. C'était pour ça et seulement pour ça. Ce n'était pas une question d'amour. Julius n'était pas son père. Elle lui était utile. Plus qu'utile. Leurs affaires n'auraient pas pu continuer sans le silence d'Anton Atholl. Ils avaient toujours su que c'était lui le maillon faible.

Il t'aimait.

Elle avait envie de tuer Atholl. Elle voulait le voir disparaître. Pas le tuer, juste qu'il ne soit plus là, qu'il disparaisse de la surface de la terre. Elle ne pouvait pas tuer de nouveau. Elle savait qu'elle ne le pouvait pas, et elle ne parvenait pas à avoir les idées claires parce qu'elle avait les poulets d'Ailenn Wuornos dans la tête.

Fermant les yeux, elle se remémora la nuit où elle avait entendu parler de ces poulets.

Il était tard, deux ou trois heures du matin, elle était assise dans le salon impeccable de Francine, sur le canapé à rayures dorées avec ses coussins bleu pâle. Elle tenait Hamish dans ses bras, qui gémissait faiblement, épuisé, et elle le berçait. Il avait des coliques. Le salon était la pièce de la maison la plus éloignée de la chambre de Robert et Francine.

Elle avait mis la télé pour ne pas s'endormir, avec les sous-titres, le son au minimum, et elle était tombée sur un documentaire sur Aileen Wuornos, la tueuse en série américaine. Une prostituée. Elle avait tué six ou sept hommes et c'était elle qu'on allait tuer à présent. Une femme répugnante, une menteuse. Ils avaient prouvé qu'elle mentait. Elle faisait des grimaces dans l'objectif, portait une tenue orange, avait l'air sale.

Hamish commençait un peu à se calmer, Rose lui avait administré des gouttes et il s'endormait. Peut-être qu'elle pouvait prendre le risque de le poser. Elle était distraite, faisait les cent pas dans la pièce en le tenant contre son épaule, elle savourait de le sentir contre elle, si léger, blotti contre son cou.

À la télé, ils disaient que le père de Wuornos s'était suicidé en taule. Incarcéré pour le viol et la tentative d'assassinat d'une fillette de sept ans. C'était ça, la mention du père, qui avait retenu l'attention de Rose, et elle tendit alors l'oreille : ils retraçaient l'enfance d'Aileen, montraient d'où elle venait. Rose entendait rarement des histoires comme la sienne. Ça avait piqué son intérêt.

Le père avait quitté la famille deux mois avant la naissance d'Aileen. Sa mère de dix-neuf ans, Aileen et son frère étaient alors partis vivre chez les grands-parents.

Hamish dormait. Dans la pénombre du salon, Rose avait cherché la télécommande pour éteindre la télé.

Le grand-père était alcoolique. Il violait Aileen et la prêtait à ses amis. Elle avait fini enceinte. Rose ne trouvait pas la télécommande. D'habitude, elle la laissait sur le canapé. Aileen avait accouché sous X. À quinze ans, elle avait fugué pour aller s'installer dans un bois voisin. Tout en cherchant la télécommande, Rose s'était dit qu'Aileen avait sans doute grandi sous un climat chaud, pour aller habiter dans les bois, que la vie était sans doute douce et les températures agréables dans le Michigan. Pour manger et se faire un peu d'argent, Aileen se prostituait et quand elle revenait en ville, elle traînait chez un pédophile.

Rose n'avait plus cherché la télécommande. Elle s'était mise à regarder.

Ils interviewaient des gens – des gosses de l'époque qui vivaient dans le coin. Tous traînaient là-bas. Ils savaient qu'il était pédophile, ils savaient qu'il les convoitait, mais ça ne les empêchait pas d'y aller. Il leur ouvrait la porte et leur offrait à manger. Leur offrait des bières et des clopes. Rose se vit à l'entrée de la bicoque qu'ils montraient à la télé, comme si elle y était vraiment allée. Ça la dégoûta et elle se détesta. Elle disait aux autres gosses qu'elle venait pour les bières et les clopes, mais ce n'était pas la vraie raison. Elle venait parce qu'il s'intéressait à elle. Il lui disait qu'elle était spéciale, qu'elle était tout pour lui. Quand il la regardait, il la voyait vraiment. C'était pour ça qu'elle était là, pas pour le fric ou la bière, pas pour échapper aux rues glaciales de Glasgow, mais parce qu'il avait vraiment envie de la voir. Les choses qu'il lui offrait, ça n'était qu'une couverture, parce qu'il y avait plus honteux que de baiser avec toute une pièce pleine de vieux, le plus honteux c'était d'avoir besoin de quelqu'un.

Debout devant la grande télé, dans la pénombre de minuit, Hamish contre son épaule, Rose s'était mise à pleurer en pensant à celle qu'elle avait été. Elle n'y avait plus songé depuis dix ans.

Une femme au visage sévère parlait de la maison du pédophile, de l'endroit où il rangeait ses trucs et de la crasse. Puis elle avait raconté l'histoire de la poule.

Le pédophile avait des poules. Les poules faisaient des œufs. Il demandait aux enfants d'ouvrir les œufs fertilisés avant leur éclosion naturelle. Les poussins n'étaient pas encore prêts, pas encore prêts à sortir. Il les forçait à regarder les petits animaux se débattre, essayer de respirer, tenter de se dresser sur leurs pattes.

Rose ne se souvenait plus s'ils avaient montré un poussin dans cette situation, en train de se débattre, en tout cas elle le voyait. Elle le voyait clairement : un œuf cassé sur une table. Dans le fond, le visage d'un homme qui regardait, souriant de voir un poussin sans plumes essayer de tenir sur des os pas finis, la peau fine et bleue, les énormes yeux protubérants. Ils mouraient, bien sûr. Bien sûr qu'ils mouraient. Et l'homme forçait les enfants à les regarder mourir.

Robert était au courant à son sujet. Quand il rentrerait, elle ne serait plus en sécurité dans la maison. Ce ne serait plus un havre. Ce serait comme partout ailleurs.

Alors Rose s'était assise dans l'endroit le plus anonyme qui lui était venu à l'esprit, un Starbucks du centre-ville. Cachée dans les sables mouvants des allées et venues des clients, parmi les gobelets identiques, le sol collant et les tables saupoudrées de sucre, elle attendit que l'image disparaisse.

Un poussin et un œuf cassé. Pas un poussin de Pâques jaune et duveteux, potelé et plein de promesses. Non. Une créature pelée, la peau bleue, titubant sur une table. La scène lui donnait la nausée. Elle lui donnait envie d'écraser le poussin d'un coup de poing, d'écrabouiller sur la table ses os fragiles, sa maudite peau délicate, son sang saturé d'eau.

Elle s'essuya la main contre sa cuisse, pour se débarrasser d'entrailles imaginaires. Elle ne pouvait pas rentrer maintenant.

Dehors, dans la rue piétonne, les passants se hâtaient, seuls ou par groupes. Rose suivait du regard leurs chevilles, elle les détestait. Ils étaient entourés pour de vrai, de gens à qui ils appartenaient. Ils avaient de vraies familles et de vrais amis qu'ils détestaient, sans doute. Ils ne s'intégraient pas à une famille en se mettant à son service, eux ; on ne les laissait pas à la porte de l'Art Club pour ne les autoriser à entrer que plus tard, eux.

Julius devait t'aimer, c'était ce qu'Atholl avait dit aux obsèques. Il devait t'*aimer*. Mais non. Julius s'était servi d'elle pour faire taire Atholl. Et à la fin, à la toute fin, il avait brisé le lien qui les unissait en révélant à Robert l'existence du coffre-fort secret, en lui donnant le code, comme si rien de ce qu'ils avaient construit tous les deux ne comptait.

Il était sarcastique, Atholl. Une merde pleine de sarcasme. Maintenant, elle voyait tout à fait ce qu'il voulait dire. Julius adorait l'avoir à ses côtés. Elle lui était tellement utile, bien plus que parce qu'elle s'occupait de ses affaires, faisait ses courses, veillait sur Robert et s'assurait qu'il reste honnête. Mieux valait la colère que cette tristesse qui donnait la nausée. Elle put relever enfin la tête et voir autre chose que le poussin ou les photos.

Une femme était assise à une table, à l'autre bout de la boutique, seule. Elle n'avait pas ôté son bonnet et alignait et réalignait d'un air absent les petits sachets de sucre sur la table devant elle. Les mouvements de ses mains étaient saccadés, sa bouche ouverte et son chemisier boutonné de travers, le bouton oublié pendant au-dessus de son cœur. Glissant lentement la main dans son sac, elle en sortit un petit flacon de gel antiseptique en plastique transparent, équipé d'une pompe. Elle appuya deux fois dessus et se frotta les mains, trop longtemps. Puis rangea le flacon.

Rose l'observa, à demi cachée par la plante, avant de fermer les yeux. Elle ne faisait pas ça, elle. Elle n'était pas comme cette dingue qui essayait de se décrasser dans un café. Elle n'était pas tombée si bas.

Elle porta la tasse à sa bouche mais se souvint du poussin juste au moment où le café s'étalait sur ses lèvres. Elle ne pouvait rien avaler. Elle reposa la tasse pleine et s'essuya la bouche du revers de la manche.

Le dégoût la fit frissonner. Qui avait pris ces photos d'elle ? Peu importait. Ce n'était pas McMillan, ça elle le savait. Ce n'était même pas elle le vrai sujet. C'étaient eux, les types sur les photos. Elle, elle n'était qu'un corps. Sur l'un des clichés, on ne distinguait même pas son visage. Mais les leurs étaient nets. Pas de flash. Ils ne savaient peut-être pas que les photos existaient. Atholl, en revanche, devait être au courant. C'était pour ça qu'il avait dit qu'il n'y avait rien dans le coffre. Il devait savoir depuis toujours.

Sans la photo, Rose ne se serait même pas rappelé à quoi ressemblait Atholl à l'époque. Ça n'aurait été qu'une fête pleine de types bourrés, Sammy qui l'amenait là et les types qui, l'un après l'autre, la prenaient dans la pièce voisine – c'était généralement une pièce séparée mais pas toujours. Ça n'aurait été qu'une fête parmi tant d'autres. Elle ne regardait pas les visages.

Atholl savait, cependant. À chacune de leurs conversations, il avait dû voir cette photo comme elle voyait le poussin dans sa tête. Elle retint son souffle un moment, certaine qu'elle allait vomir.

Elle le retint.

Le retint.

Puis expira d'un coup et s'aperçut qu'elle contemplait une table d'adolescents rieurs, une mère avec un bébé, un homme en veste de costume en train de manger un énorme gâteau. Ils n'en avaient rien à foutre. Personne n'en avait rien à foutre. Quelque part en ville en ce moment même, quelqu'un baisait un enfant et ils mangeaient des gâteaux, buvaient du café, grignotaient des biscuits. Ils mâchaient, ils salivaient et ils avalaient, du sucre, de la crème, du chocolat, du café.

Ils n'en avaient rien à foutre mais ils voulaient qu'on leur raconte, une fois la chose passée. Ils se massaient devant la télé et écoutaient des vieilles ratatinées parler d'un autre temps, il y a très longtemps, raconter comment tout était différent. Ils écoutaient ceux qui avaient surmonté l'épreuve, pour devenir stars de ciné ou champions d'échecs. C'était tout ce qu'ils voulaient entendre : les succès, les survivants, parce que ça voulait dire qu'ils pouvaient continuer à manger, à boire et à se plaindre de leur mari, de la crise du logement, de leurs chaussures et du gouvernement.

La femme au gel pour les mains n'était ni star de ciné, ni championne de rien. Rose n'était championne de rien. Personne n'avait envie d'entendre leur histoire. Elle prit une inspiration, vit le poussin, déplumé, tituber sur ses os mous, ses yeux si globuleux que les paupières ne pouvaient pas les couvrir. Elle vit le poussin tituber et tomber, sentit l'air glisser à travers ses plumes contrefaites quand il bascula sur le côté.

Rose parcourut du regard le café sans âme, le café au sol collant avec ses fauteuils en cuir synthétique et ses vitres dégoulinantes de condensation, elle regarda de l'autre côté et vit de nouveau ce poussin, sauf que maintenant ce n'était plus un étranger anonyme dans un coin chaud d'Amérique qu'elle voyait avec lui, en train de poser la tête sur la table, souriant de voir le pauvre poussin résister et mourir. C'était Julius.

C'était Julius. Et il ne l'aimait pas, il n'était pas son ami. Pendant tout ce temps, il s'était servi d'elle. Il ne l'avait jamais touchée mais ne s'était pas moins servi d'elle pour autant, et il ne l'aimait pas. Mais elle, elle l'avait aimé.

Un téléphone sonna ; elle entendit les vibrations avant de réaliser que c'était le sien. Sans doute Francine, à bout de forces, qui se demandait où elle était.

Rose sortit le téléphone de sa poche et jeta un coup d'œil dessus. Ce n'était pas Francine. C'était exactement celui à qui elle ne voulait pas parler. BB : le code pour Anton Atholl.

Le regard toujours sur le téléphone, elle le laissa sonner, ne sachant pas si elle devait répondre, parce qu'elle n'était pas sûre de pouvoir parler. Rien à foutre de sa gueule, songea-t-elle, puis elle décrocha.

— C'est toi ? demanda-t-il.

Elle marmonna une confirmation, espérant avoir des nouvelles de Robert.

— Il faut que je te voie.

— Non.

— C'est imp...

Elle raccrocha et éteignit son téléphone. À l'autre bout de la salle, elle vit la dingue avec son chemisier boutonné de traviole. Elle avait de nouveau le petit flacon à la main. Elle pompait l'antiseptique dans sa paume d'un mouvement nerveux et saccadé. Rose sentait l'odeur du produit.

Et brusquement, Rose était à côté d'elle. L'odeur était affûtée comme la lame d'un couteau, une odeur propre.

— Pardon, je peux en avoir un peu ? demanda-t-elle.

La femme leva les yeux vers elle et cligna lentement des paupières.

— Bien sûr.

Les lèvres humides, elle bavait, mais Rose détourna le regard de son visage, de son chemisier et de sa poitrine où les boutons de guingois se percutaient, faisant béer le tissu sur son cœur.

Rose appuya quatre fois sur la pompe et replia les doigts de sa main gauche sur le contenu sacré de sa paume.

— Merci.

Elle retourna à son manteau et à son café.

Sous la table, où personne ne pouvait voir ce qu'elle faisait ni l'étrange comportement qu'elle avait, Rose frotta l'alcool sur ses mains, sentit la brûlure emporter la crasse et la poussière. Sortant ensuite les mains de sous la table, elle ferma les yeux et l'étala sur son visage.

Elle ne bougea pas, paupières baissées, concentrée sur la crasse qui s'évaporait.

Elle ne pouvait pas recommencer. Elle ne pouvait pas tuer Atholl. Mais elle ne pouvait pas non plus le laisser vivre.

20

À Bridge of Allan, on trouvait des magasins modestes mais pratiques, un supermarché coopératif et une pharmacie, mais il y avait aussi, entre les deux, fleuristes et carteries, boutiques de souvenirs et de vêtements de chasse. Le magasin de journaux de George Gamerro était situé tout au bout de la rue principale.

Les étudiants de l'université voisine se retrouvaient dans un fish & chips, dans un décor de café italien qui aurait fait son beurre dans les quartiers nord de Londres, sauf qu'ici c'était de l'authentique, pas du pseudo-rétro. Une pancarte avec une écriture au feutre était posée contre la vitrine, annonçant « Le meilleur *fish tea*[1] en Écosse ». Ils mangeaient leurs frites fumantes par petits groupes sur le trottoir, emmitouflés dans des pull-overs et des écharpes, la peau éclatante de santé, l'air rayonnant de leurs avenirs radieux. McCarthy gara la voiture devant la boutique.

— Vous savez quoi ? fit Morrow. Vous allez m'attendre ici et me laisser y aller seule, d'accord ?

Ce n'était pas ce qu'ils étaient censés faire, mais ils savaient tous les deux qu'un ancien de la police, au fait des règles du métier, saurait que sans un deuxième agent, il n'y avait pas de corroboration possible. Gamerro parlerait sans doute plus facilement si elle y allait seule.

— Vous êtes sûre ? demanda McCarthy.

---

1. On appelle *fish tea*, en Écosse, un repas de *fish and chips* servi dans l'après-midi. (*Toutes les notes sont de la traductrice.*)

Non, elle n'était pas sûre. Elle considéra le magasin un moment en se demandant si sa stratégie était futée ou juste désespérée. Elle avait l'impression qu'elle essayait de se piéger, de se pousser malgré elle à faire ce qu'il fallait. Si Michael Brown n'avait pas tué son frère, il aurait dû avoir une autre vie, une autre histoire. Il n'aurait pas dû prendre perpète, n'aurait pas dû sortir en conditionnelle pour retourner derrière les barreaux maintenant. Elle avançait à contrecœur vers la réouverture d'un dossier classé et vers un nouveau procès coûteux, qui aboutirait à la libération d'un type paumé et antipathique qui finirait de nouveau au poste dans l'année et serait poursuivi pour autre chose, en pleine période de bouleversements internes, où seuls ceux qui tenaient les budgets et ceux qui restaient dans le rang étaient promis à un bel avenir.

— Chais pas...

Ils restèrent assis un moment, Morrow désassemblant et réassemblant les éléments de son suicide professionnel, McCarthy attendant sa décision.

Des étudiants passèrent à leur hauteur, en route vers le campus de l'université. Morrow contempla la boutique.

Les vitrines étaient couvertes de publicités pour différents journaux. Une immense vue d'ensemble de Glasgow occupait l'intégralité d'une vitre et, sur le trottoir, il y avait une poubelle sponsorisée par une marque de crème glacée ainsi qu'un présentoir à journaux.

— Oh et puis merde, lança-t-elle. Attendez-moi là.

Il faisait sombre à l'intérieur. Morrow dut attendre que ses yeux s'accommodent à l'obscurité. Pesamment accoudée au comptoir, une jeune femme rondelette lisait un magazine people. Elle portait un rouge à lèvres très rose et mâchouillait un chewing-gum. À l'arrivée de Morrow, elle leva les yeux, assez longtemps pour s'assurer que sa visiteuse n'était pas une enfant donc, pas susceptible de chaparder, avant de retourner à sa lecture.

— Excusez-moi, fit Morrow. Je cherche George Gamerro.

La fille la dévisagea.

— À quel sujet ?

— J'ai besoin de lui parler.

214

Elle hocha la tête.

— Vous avez un truc à vendre ?

— Non, je suis une ancienne camarade de la police.

— Oh ! s'anima-t-elle. D'accord, attendez.

Quittant le comptoir, elle fit deux pas vers une porte au fond de la boutique. Un placard étroit, débordant de caisses de sodas et de cartons de chips, des étagères jusqu'au plafond. Un petit escalier en bois aussi raide qu'une échelle courait le long du mur le plus proche jusqu'à un trou dans le plafond.

Sans quitter des yeux le magasin, elle cria :

— Hé, grand-père ! GRAND-PÈRE !

Un bruit sourd à l'étage. Elle sourit à Morrow.

— Voilà, il râle. Tenez, regardez : GRAND-PÈRE !

Un autre bruit sourd suivi d'une série de jurons inaudibles. La fille se mit à rire doucement.

— Il doit être en train de cracher maintenant.

Elle retourna au comptoir, abandonnant Morrow au bas de l'escalier.

Un pied apparut, puis un autre, cherchant prudemment les marches. George Gamerro, dans l'étroitesse du trou, paraissait énorme. Quand il fut enfin face à elle, Morrow constata que ce n'était pas qu'une impression. Encore musclé malgré son âge, il était aussi grand que le chambranle. Anguleux et ridé, criblé d'acrochordons, son visage accusait les années, mais son corps était toujours fringant. Il se tenait comme un flicard de la vieille école : les épaules en arrière, les mains confortablement le long du corps, à l'aise et bien campé sur ses jambes. Un géant dans le placard minuscule.

— Bonjour ? fit-il.

Morrow lui tendit la main.

— George Gamerro ? Je suis l'inspectrice Alex Morrow.

George eut l'air méfiant. Il considéra sa main sans la prendre.

— Du Strathclyde ?

Elle sourit.

— Comment le savez-vous ?

Il ne lui rendit pas son sourire.

— Qu'est-ce que vous fichez ici, toute seule ?

Elle avait voulu que cela reste amical et informel.

— Je, euh, mon coéquipier est dehors, dans la voiture. Est-ce qu'on peut vous parler ?

George mit ses mains dans ses poches.

— Dans la voiture ? Et pourquoi ? marmonna-t-il en jetant un regard vers la porte derrière elle.

Un léger spasme au menton trahissait sa panique.

— Qui est-ce ?

— Qui croyez-vous que ce soit ?

Elle voulait qu'il prononce un nom, qu'il lui dise de qui il avait si peur, mais il le prit pour une menace.

Plantant son regard dans celui de Morrow, il grogna :

— Et si je ne viens pas ?

Elle secoua la tête, tenta de rattraper le coup.

— Pas de problème. Je suis venue seule parce que je pensais que ce serait plus sympa de faire comme ça, comme vous étiez de la maison, mais ça n'est clairement pas l'impression que j'ai donnée.

George continuait à faire la moue mais Morrow lisait dans ses yeux qu'il doutait de lui-même, qu'il avait peur de ce qu'il trouverait dans la rue, homme ou objet, qu'il était trop vieux pour tout ça maintenant.

Sans y avoir été invitée, elle posa la main sur son avant-bras.

— Gamerro, allons manger un morceau, vous, moi et mon sergent. Et ne vous en faites pas : je vous invite.

La patronne du boui-boui, une femme quelconque et rondelette dans la cinquantaine, avait de toute évidence beaucoup d'affection pour Gamerro. Quand elle l'aperçut, elle sortit de derrière son comptoir en se frottant les mains sur son tablier et se fraya un chemin dans la queue pour l'accueillir. Elle le conduisit aussitôt à une table de quatre, expliquant aux clients arrivés avant lui que Gamerro, Morrow et McCarthy avaient une réservation.

Elle prit des nouvelles de sa femme, du magasin : Et les affaires, ça va ? Et Holly ? Quand Gamerro répondit que la petite tenait la boutique, la patronne fit les gros yeux. Ses petits-enfants à elle ne viendraient pas l'aider, trop occupés à l'université. Une petite pique l'air de rien : Morrow eut mal pour George.

Ils commandèrent trois portions de *fish tea* et des boissons : du thé pour Morrow et McCarthy, et un verre de lait pour George. La femme se retira, un petit sourire amusé au coin des lèvres.

Voyant l'agacement de Morrow, George lui sourit. Il était bel homme, bien bâti, et chaleureux par-dessus le marché. Mme Fratini, lui expliqua-t-il, était très fière de voir ses petits-enfants à l'université. Elle le plaçait dans toutes les conversations. Une serveuse débordée apporta leurs boissons et des couverts enroulés dans des serviettes en papier qu'elle posa en bout de table.

— Bon, fit George en baissant les yeux, vous êtes de quel commissariat ?

— London Road, la criminelle, répondit McCarthy.

— Ah…

— George, nous avons un type du nom de Michael Brown devant les juges en ce moment même. Sa première arrestation, celle sur laquelle vous avez bossé…

— Je me souviens pas, la coupa-t-il.

— Vous ne vous souvenez pas ? Un gamin, arrêté pour le meurtre de son frère, à l'arme blanche, dans une ruelle perpendiculaire à Sauchiehall Street ?

— Non.

— La nuit où Diana est morte.

Là, il sut que c'était ridicule de mentir. Nul n'avait oublié ce qu'il faisait la nuit de la mort de Diana. On se le rappelait même s'il n'y avait rien à se rappeler. George hésita un instant.

— Je n'ai pas pris part à l'arrestation elle-même, dit-il, tranchant.

Elle le dévisagea.

— Comment ça ?

— Pas l'arrestation, insista-t-il, les mains levées devant lui. L'arrestation, ce n'était pas moi.

— Vous étiez l'officier supérieur.

George martelait ses propos en frappant la table de la tranche de sa main avec résolution, la tête en avant comme s'il luttait contre une bourrasque.

— J'ai supervisé l'interrogatoire de Michael Brown mais je n'ai *pas* participé à l'enregistrement de son dossier à son arrivée au dépôt. Ce serait de la responsabilité des agents qui l'ont emmené.

Il s'adressait à eux comme à des avocats de la défense. Personne ne voulait voir la merde atterrir sur ses genoux et la merde, elle était quelque part dans l'arrestation.

— Vous étiez-là quand on l'a emmené au dépôt ?

— Non.

— Vous avez jeté un œil sur la paperasse après coup ?

— Non.

— Vous avez assisté à la prise des empreintes...

— Non !

George tressaillit.

Elle comprenait pourquoi McMahon leur avait demandé de ne pas mentionner son nom.

Trois assiettes arrivèrent, apportées sans un mot par la serveuse débordée. Elle sortit de sa poche plusieurs sachets de ketchup qu'elle lâcha au-dessus de la table avec un clin d'œil à George, lequel lui répondit par un sourire.

Lorsqu'elle fut partie, il expliqua :

— Avant, ils les laissaient à disposition mais les étudiants les fauchaient. Alors maintenant, il faut les payer. Elle nous les offre, une petite fleur qu'elle nous fait.

Tous les trois se tournèrent vers la serveuse et la remercièrent d'un sourire, comme si elle avait fait envoyer à leur table une bouteille de champagne. Attrapant leurs couverts, ils attaquèrent leur repas. Acier, marbre et sol de pierre faisaient suffisamment de bruit dans la pièce pour que le silence entre eux ne soit pas trop pesant. La salle avait une forme bizarre, le comptoir des glaces à emporter à l'oblique de la porte, le comptoir des *fish and chips* à l'oblique lui aussi, mais selon un angle différent.

Tout en mangeant, Morrow songea que si la pancarte dans la vitrine ne mentait pas, c'était la fin du *fish tea* en Écosse.

Il y eut soudain moins de bruit, le rush commençait à se calmer et la serveuse entreprit de débarrasser et de nettoyer les tables, jetant dans une poubelle les restes de repas et empilant la vaisselle sur un chariot.

George et McCarthy terminèrent leurs assiettes et s'aperçurent que Morrow n'avait pas fini la sienne.

— Vous n'aimez pas, madame ?

— Nan, répondit Morrow. Je me dis toujours que je vais aimer, mais c'est trop gras pour moi.

Elle considéra son assiette.

— Vous voulez la finir ?

— Oh, *aye*, avec plaisir !

McCarthy intervertit les deux assiettes.

Surprenant le sourire de George, elle sourit elle aussi :

— Il est maigre comme un clou.

— Et pourtant, ce n'est pas que je cherche à l'être, commenta McCarthy, la bouche pleine.

Morrow remplit de nouveau leurs tasses de thé, pendant que George terminait son verre de lait.

— Je ne veux pas vous faire dire quoi que ce soit qui vous mettrait dans une position difficile, George.

Il acquiesça d'un air grave, avant de se mordre la lèvre inférieure :

— Exposez-moi votre problème, alors.

Elle réfléchit à la façon de présenter la chose : l'assassin de Pinkie Brown avait remis ça, les mains de Michael Brown étaient sorties de prison. Ça faisait trop d'informations d'un coup. Pour autant qu'elle sache, Gamerro se montrait fuyant parce qu'il était mêlé à quelque chose. Il savait certainement des trucs, peut-être pas tout, mais ce qu'il savait l'effrayait.

— Où est-ce que je peux savoir ce qui s'est passé quand Michael Brown a été arrêté ?

— Vous avez jeté un œil à la fiche d'arrestation ?

McCarthy mâchait sa dernière bouchée de poisson pané. Morrow jeta un regard autour d'elle et dit à voix basse :

— Je suis partie du principe que toute la paperasse serait en ordre.

— Vous avez sans doute raison.

— Elle ne m'apprendra pas grand-chose.

— C'est vrai.

— Et même si la fiche contenait bel et bien des informations pertinentes, j'aurais du mal à les repérer. Si quelque chose n'était pas en règle, mon expérience me dit que le ou la responsable aura fait ce qu'il fallait pour que son nom n'apparaisse pas.

— Je suppose.

McCarthy regardait vers la caisse.

— J'ai le temps pour une glace ? demanda-t-il.

La reproduction en plâtre d'une boule de glace géante couverte de coulis à la framboise dans un ramequin argenté trônait sur le comptoir, une gaufrette plantée à l'arrière comme le peigne d'une danseuse de flamenco.

— *Aye*, répondit Morrow, allez donc vous en commander une.

Il se leva, et à peine avait-il fait trois pas dans la pièce que Morrow entendit George marmonner un nom qu'elle n'entendait pas pour la première fois.

Elle le fusilla du regard.

— Répétez-moi ça ?

George regarda au loin, inquiet, et le répéta plus clairement :

— Monkton.

— Merci, dit-elle en lui serrant l'avant-bras juste un peu trop fort, avant de se lever et de sortir son porte-monnaie de son sac.

Elle était en train de régler l'addition quand McCarthy l'aperçut.

— Je peux quand même me prendre une glace ?

— Si vous pouvez rouler plein gaz en mangeant un cornet double...

21

Cette fois, Rose ne sonna pas. Il n'était pas tard dans la soirée, tout juste l'heure du thé, et le silence ouaté auquel elle était habituée aux Manoirs de la Solitude avait laissé place aux bruits sourds et aux cris étouffés, aux bourdonnements des lave-linge et des téléviseurs allumés. Elle gravissait l'escalier qui menait chez Atholl, au troisième étage.

Le bâtiment donnait sur la Clyde. Mais les vues sur le fleuve ayant un prix, les promoteurs les avaient réservées aux appartements. Les fenêtres de l'escalier donnaient quant à elles sur la rue.

Rose était presque arrivée quand elle entendit une porte qui s'ouvrait à l'étage du dessous. Plaquée contre le mur, elle ne bougea plus, l'oreille aux aguets. La porte se ferma et le pêne de la serrure glissa dans la gâche. Elle entendit le murmure d'un casque stéréo s'éloigner vers le rez-de-chaussée, puis la porte de l'immeuble qui s'ouvrait. Elle attendit jusqu'à ce qu'elle soit sûre qu'il n'y avait plus personne. Puis gravit en silence les dernières marches qui conduisaient chez Atholl.

Elle avait une clé car c'étaient eux qui louaient son appartement. Ça faisait partie du marché que McMillan avait conclu avec Atholl. Il appelait ça une avance pour conseils juridiques futurs. Rose avait oublié à quand remontait la dernière mission officielle d'Atholl. Elle ne voyait pas bien ce qu'ils gagnaient à un tel arrangement, si réciprocité il y avait.

Elle pénétra dans le vestibule désert et referma la porte derrière elle. Tout était immobile et plongé dans la pénombre. Elle ne bougea plus et tendit l'oreille, entendit le glissement insensible du fleuve au-dehors par une fenêtre ouverte, le cri d'un enfant dans la rue.

Elle ne réfléchissait pas à ce qu'elle faisait. Elle ne réfléchissait pas à ce qu'elle avait fait. Elle se tenait juste là, dans l'entrée, les mains dans les poches, attendant le retour d'Atholl.

Il ne fallut pas plus d'une heure.

Atholl rentra avec fracas. La porte s'ouvrit, un sac tomba au sol, Atholl grognait, hors d'haleine après la montée de l'escalier.

Se débarrassant d'un attaché-case dans l'entrée, il ferma derrière lui et se laissa envelopper par l'obscurité, un sac en plastique serré contre son torse. Puis il se retourna et la vit, tapie dans la pénombre.

Il sursauta, le sac glissa. Il le rattrapa par en-dessous et parvint à retenir la bouteille de vodka mais pas la brique de jus d'orange, qui s'écrasa sur le coin par terre. Elle n'éclata pas. Il détacha son regard de Rose pour le poser sur la brique cabossée et esquissa un sourire.

Rose ne le lui rendit pas.

— Bonsoir, Rose.

Il tendit le bras vers l'interrupteur mais se figea quand elle lui murmura :

— Je suis allée au coffre.

Il préféra soudain la pénombre. Il baissa les yeux, la bouteille glissa le long de son torse et alla heurter la moquette avec un bruit sourd. Elle voyait sa langue remuer dans sa bouche, préparant des excuses. Son menton trembla.

— Je vais te défoncer la gueule et te tuer, Atholl, ici même, dans ton entrée, si tu oses te mettre à chialer, siffla-t-elle.

— Ah oui, je t'ai appelée...

Il pleurait, ses yeux pleuraient, mais il essayait de changer de sujet.

— ... parce que je sais où est Robert. Il a allumé son téléphone.

Tout ce qu'il disait était un piège. Ce n'était pas ça qu'il avait eu l'intention de lui dire. Il savait forcément qu'elle allait voir sur iCloud et l'apprendrait de toute façon. Il l'avait appelée pour une autre raison. Il s'adressait à elle comme s'il l'avait fait venir, lui tendait des perches, la poussait à poser des questions. Elle n'entra pas dans le jeu.

— Tu veux savoir où il est ? dit-il gaiement.

Ses yeux néanmoins, juste les yeux, mouraient de chagrin. Il baissa lourdement la tête et contempla la bouteille de vodka qui gisait par terre. Sur le flanc, tel un poussin mort. La lumière venant du fleuve, derrière Rose, se prenait dans les sequins qui tombaient en cascade de ses yeux, dégringolant sur la moquette qui les avalait.

Lentement, Atholl se pencha et saisit la bouteille par le goulot. Il la lui tendit en marmonnant :

— Un petit rafraîchissement peut-être, avant de dîner ?

Titubant vers elle, il obliqua à gauche vers le salon. Rose s'écarta d'un pas pour le laisser passer.

Alors qu'elle entrait dans la pièce, il se laissa choir pesamment dans le fauteuil. Des larmes plein les joues, il dévissa le bouchon de la bouteille, qui s'ouvrit avec un craquement métallique sec.

— Mais oui, dit-il à la bouteille, avec grand plaisir, merci ! Merci beaucoup !

Il la porta à ses lèvres. Ses yeux se révulsèrent d'extase et ses épaules se détendirent.

De marbre, Rose le regarda faire, concentrée sur son propre souffle tendu. Les yeux tristes d'Atholl se posèrent sur la bouteille qu'il tenait fermement sur ses genoux. Ils se voilèrent de nouveau de larmes tremblantes. Puis il la regarda.

— Je ne te connaissais pas à l'époque, Rose, dit-il d'une voix faible.

— Mais tu me connais, maintenant.

Sa voix était à peine perceptible à présent.

— Tu es venue me tuer ? demanda-t-il.

— Qu'est-ce qui te ferait penser ça ?

— Tu as tué Aziz Balfour, Rose, je le sais.

Elle était stupéfaite, ses pensées s'entrechoquaient : comment pouvait-il être au courant ? Personne d'autre qu'elle ne savait qu'Aziz avait frappé Julius et l'avait fait si violemment tomber que ses poumons n'avaient pas résisté.

Personne ne l'avait vue avec Aziz, personne. Pas de mobile, pas de témoins. C'était impossible qu'il soit au courant.

Soudain hors d'elle, Rose sortit les mains de sa veste à capuche. Elle tenait dans chacune un flacon en plastique de paracétamol. Elle s'avança vers la table d'appoint et les y déposa avant de reculer.

Atholl les considéra. Avant de lever les yeux vers elle, perplexe.

Elle ne savait pas comment le dire : je ne supporte pas l'idée de te savoir vivant. Je ne peux pas respirer le même air que toi. Tu es eux tous à la fois, Sammy et Wuornos et son père et le type aux poulets.

— Pourquoi je ferais ça ? demanda-t-il.

— Si je te bute, ils voudront savoir pourquoi. Ils creuseront. Ils trouveront les photos. Si tu te suicides, ils diront que tu as fait ça parce que ta femme et tes gosses te manquaient. À toi de voir.

Atholl contempla les deux flacons un long moment. Elle le vit se projeter dans l'avenir, voir ses fils se souvenir de lui d'une façon, puis de l'autre. Il essayait de retenir ses larmes mais ce n'était sans doute pas l'idée de sa mort prochaine qui l'attristait. Elle le sentait au contraire à demi soulagé par la perspective. Derrière ses larmes, il se disait qu'il avait voulu bien faire et avait eu une vie plutôt merdique, c'était sur son sort qu'il pleurait. Il prit une grande inspiration.

— J'ai fait des recherches : ces trucs-là mettent quatre jours à te tuer, dit-il. Il ne se passe souvent rien les premières vingt-quatre heures… et puis… insuffisance hépatique.

Il considéra les cachets. Puis la vodka. Et Rose sut qu'il envisageait de les faire descendre avec l'alcool. Ses yeux allaient de l'un à l'autre, contemplant l'éventualité d'une overdose.

Il considéra les cachets et se remit à pleurer.

— Si je les prends, tu brûleras cette photo ?

Elle avait gratté l'image jusqu'à rendre son propre visage méconnaissable. En arrivant, avant qu'il ne rentre, elle l'avait glissée derrière les produits ménagers dans le placard de la cuisine. Elle voulait qu'on la trouve une fois qu'il serait mort.

— Oui.

— Tu me le promets ?

Il avait la voix aigüe, une inflexion enfantine.

— Je promets que je la brûlerai, dit-elle.

Elle ne le ferait pas.

Il considéra de nouveau les flacons.

— Vas-y, dit-elle d'une voix rassurante.

— Rose...

Il était hors d'haleine maintenant, à cause des sanglots.

— Je n'ai jamais, je le jure, jamais recommencé. C'était la seule et unique fois.

Mais, ayant passé sa vie à écouter les excuses des criminels, il savait qu'aucune ne signifiait vraiment grand-chose.

Elle garda les yeux sur les cachets.

— C'est fini, maintenant, Anton. Avale-les.

Il la regarda, demanda si ça ferait mal, lui confia qu'il avait peur.

Elle refusa de le rassurer, ne répondit pas sinon par un bref hochement de tête en direction des flacons à la gauche d'Anton. Suivant son regard, Atholl tendit la main et attrapa le premier, d'une étrange façon, le fond et le bouchon entre le pouce et l'index, pour l'examiner comme s'il s'agissait d'un spécimen exotique. Il jeta à Rose un bref regard.

— Tu promets que tu vas la brûler ?

— Je le promets.

Son visage se contracta en un sourire reconnaissant. Puis il attrapa le bout de la bande de plastique qui scellait le bouchon, petit doigt levé comme s'il s'apprêtait à déguster un minuscule mets délicat. Et fit pivoter la bouteille pour l'arracher. En la tenant toujours bizarrement, comme s'il refusait de toucher les côtés, il appuya et tourna le bouchon de sécurité jusqu'à ce qu'il cède.

Le flacon dans sa main gauche, un doigt sur le fond, un autre sur le goulot, il le tenait comme si Rose lui répugnait tant qu'il ne voulait pas poser les doigts à l'endroit où elle avait posé les siens.

Elle l'encouragea du menton et, soutenant son regard, il vida les cachets dans sa bouche, avant de les mâcher comme des Tic Tac. C'était amer. Il fit la grimace et dévissa le bouchon de la bouteille, de nouveau le grincement sec métallique. Le bruit ramena Rose à la cité de la Route rouge, au vent et à l'âpre sensation d'un couteau tranchant la chair. Elle en avait eu la nausée, avait presque failli perdre connaissance sur le corps d'Aziz. Elle s'était retenue à une poutre métallique pour s'empêcher de tomber.

La nausée la reprenait à présent. Elle avait envie de courir vers lui pour les lui faire recracher d'une grande claque. Elle sentit son souffle devenir court mais ne bougea pas. C'était différent. Plus difficile. Ce n'étaient pas les affaires.

Toujours sans la quitter des yeux, Atholl leva la bouteille de vodka et fit descendre une grosse gorgée de petits cachets broyés. Quand les yeux de l'avocat se révulsèrent, Rose sentit la griffure dans sa propre gorge. Sans ouvrir les paupières, il leva de nouveau le flacon et s'emplit la bouche d'un air moins résolu, mécaniquement. Lâchant le flacon vide, il prit une nouvelle gorgée de vodka.

Il ouvrit les yeux, l'air soudain calme et reposé. Quand il posa le regard sur le second flacon, Rose approuva d'un signe de tête. Il ôta le bouchon en le tenant comme le précédent et, à contre-cœur mais obstinément, en mâcha une autre bouchée qu'il avala avec de la vodka.

Il fit claquer ses lèvres et la regarda.

— Je commence à être bien saoul, tu sais. Je risque d'aller à l'hôpital pour un lavage d'estomac si je suis seul. Tu vas rester me tenir compagnie ce soir ? M'empêcher de changer d'avis ?

Rose secoua la tête. Elle doutait qu'il change d'avis. Quelque part, c'était ce qu'il voulait aussi. Elle regarda le flacon dans la main d'Anton et se rendit compte qu'elle se sentait mieux, lavée. Capable de rentrer chez elle à présent.

Elle s'aperçut soudain qu'il n'était plus triste. Bousculé par l'alcool, il avait changé d'humeur. Lentement, les yeux d'Atholl se plissèrent et, l'espace d'un éclair, Rose vit le sale type capable de sauter une fille terrifiée de quatorze ans devant d'autres hommes. Elle fut contente d'être restée jusque-là.

— L'enfer, tu sais ce que c'est, Rose ?

Il avala une autre gorgée de cachets, haussant les sourcils d'un air interrogateur. Elle attendit qu'il ait fini de mâcher, prête à entendre la chute d'une mauvaise blague.

— L'enfer, ma chère, dit-il avant de marquer une pause pour grimacer, ce sont les questions laissées sans réponse.

Il fit rouler sa langue neigeuse à l'avant de sa bouche, ramassant sur ses dents poudrées de blanc une congère de paracétamol. Puis il porta la bouteille à ses lèvres pour finir de tout avaler.

— Tu crois en la vie après la mort, Atholl ?

Il haussa les épaules, avala de nouveau.

— Et toi ?

— Avant j'y croyais, oui.

Il fit claquer ses lèvres et eut un rictus.

— Quand je t'ai appelée tout à l'heure, ça n'avait rien à voir avec Robert. Je t'appelais pour te prévenir que la police avait trouvé...

Ils se dévisagèrent. Dans la rue en bas, un homme appela son chien. Ils se dévisagèrent une minute entière, Atholl souriait avec douceur. Rose se rendit compte qu'elle retenait son souffle.

Elle fut la première à craquer.

— Trouvé *quoi* ?

Atholl se mit à rire, avant de tressaillir à l'idée de ce qu'il était en train de faire. La panique dans son regard, l'horreur. Et ses yeux saillirent de leurs orbites comme s'il s'apprêtait à vomir, mais il ne se passa rien. Elle s'accrocha au chambranle de la porte pour se retenir de se jeter sur lui et de le frapper. Une seule bourrade violente et il risquait de tout rendre.

Atholl sourit et baissa les paupières, longtemps.

Elle ne le supplierait pas. Elle ne brûlerait pas non plus la photo.

— Si tu n'es pas mort dans trois jours, je te tuerai.

Il ne répondit rien.

Décidant de partir, elle se décolla du mur. Atholl leva les yeux dans sa direction, une écume blanche à la commissure des lèvres.

Elle arrivait à la porte quand elle l'entendit marmonner dans son dos. Elle attrapa la poignée, sortit et referma derrière elle. Elle était déjà dans le couloir quand le puzzle des mots qu'il venait de prononcer s'assembla dans son oreille.

On se reverra sous terre.

22

La rue était sombre à l'extérieur du bâtiment de verre où des gens travaillaient, assis devant leurs ordinateurs dans des box gris. On bossait tard, visiblement, dans cette société d'investissement ; il était près de 20 heures et moins de la moitié des bureaux étaient vides.

Mina Balfour était la responsable de l'étage. La réception avait dû la prévenir que Morrow et l'agent Daniel montaient, car elle vint à leur rencontre à la porte de son box prestigieux aux parois de verre. Elle avait l'air enceinte d'au moins sept mois, mais c'était parce qu'elle était grande et mince. Debout, sa fine silhouette faisait ridiculement saillie vers l'avant, comme une actrice d'Hollywood portant une prothèse de grossesse. Elle était vêtue d'une veste de tailleur chic, pas un modèle maternité, et d'une jupe crayon. De longs cheveux noirs incroyablement soyeux lui tombaient presque sur les cuisses, luisant à la lumière vive des plafonniers.

Elle traversa la pièce pour venir leur ouvrir la porte, gracieusement perchée sur des talons aiguilles de dix centimètres.

De près, Morrow vit que Mina était jolie, pas belle, et portait une quantité de maquillage astronomique. De grands traits de blush, un fond de teint dense, un brillant rouge à lèvres pourpre et les yeux soulignés d'un trait noir peut-être appliqué au crayon. Tout en leur tenant la porte, elle se présenta et leur serra la main, l'air sérieux, enregistrant leurs noms avec attention et acquiesçant d'un signe de tête formel, avant de les inviter à avancer vers son bureau.

— Je n'ai vraiment qu'une vingtaine de minutes à vous consacrer, après quoi j'ai une conférence téléphonique avec New York, dit-elle, presque comme si elle s'adressait à la plèbe autour d'elle, qui ne bénéficiait pas d'un bureau de verre. Alors si nous pouvions faire vite…

Elle laissa la porte se refermer et alla se rasseoir en leur désignant des chaises qui tournaient le dos aux employés. La chaise de Mina, remarqua Morrow, faisait face à l'open-space comme celle d'un gardien de prison.

— Mina, je suis impressionnée de vous voir encore au bureau après ce que vous venez de vivre, commença Morrow.

— Je préfère ne pas m'arrêter, répondit-elle en tournant un bref instant le regard vers le plateau de l'autre côté de la vitre.

— Je suis navrée pour votre mari.

Elle serra les dents, se passa la langue sur la lèvre supérieure avant de poser sur Morrow un regard dur.

— C'est très aimable à vous de venir jusqu'ici pour me dire ça.

Elle était clairement furieuse.

— Si je suis ici, c'est parce que je ne parviens pas du tout à me faire une idée de la personne qu'était Aziz à partir du dossier…

— Pardon, pardon, fit Mina en pointant un doigt agressif sur l'une puis sur l'autre. Qui êtes-vous ? J'ai rencontré un type du nom de Wainwright, qui m'a dit que c'était lui qui était chargé de l'enquête sur la mort d'Aziz.

Daniel tourna le regard vers Morrow.

— C'est bien lui, répondit Morrow prudemment. Mais les empreintes que nous avons relevées sur la scène du meurtre sont les mêmes que celles qui apparaissent dans un dossier dont je m'occupe…

— Vous êtes une subalterne de Wainwright ?

— Non.

— Sa supérieure ?

— Non. Nous sommes du même rang hiérarchique, mais l'inspecteur Wainwright et moi n'appartenons pas au même service.

Cela sembla lui faire plaisir.

— Il y a donc deux inspecteurs sur l'affaire ?

— Oui, et deux services.

Elle acquiesça plusieurs fois du menton, enregistrant l'information, faisant claquer sa langue derrière ses dents.

— Quel est votre activité ici, Mina ?

— Gestion de fonds de pension.

— Services financiers ?

— Nous sommes la branche écossaise d'une grosse société anglaise.

— Vous avez toujours fait ça ?

— Depuis ma sortie de la fac, oui. J'ai étudié la comptabilité, mais une carrière là-dedans ne me tentait pas.

— Votre nom de jeune fille ?

— Ibrahim.

— Les Ibrahim de Queen's Park ?

— Non, répondit Mina d'un ton sec mais avec un léger sourire narquois. Les Ibrahim de Lenzie.

Lenzie : quartier agréable, classe moyenne, sans histoire. Morrow lui répondit par un petit sourire :

— Pas tout à fait la même chose.

Mina sembla un peu surprise que Morrow comprenne la différence. Les Ibrahim de Queen's Park étaient des gredins. Morrow n'avait jamais entendu parler de ceux de Lenzie, fort probablement parce qu'ils n'avaient rien à se reprocher : des avocats, des comptables, qui s'occupaient de leurs pelouses et briquaient leurs voitures, s'impliquaient dans l'association de parents d'élèves des écoles privées de leurs enfants.

— Oui, fit Mina avec un grand sourire, pas *du tout* la même chose, en effet.

Elle s'était fait redresser les dents et poser des facettes en céramique. Morrow vit soudain en elle la princesse de Glasgow qu'elle était. Morrow avait fait sa scolarité dans le sud de la ville, avec des garçons qui rêvaient de filles comme Mina mais se contentaient de filles comme elle.

— Comment avez-vous rencontré Aziz ?

Mina fit rouler son épaule droite. Un haussement d'épaule qui était tout sauf un haussement d'épaule.

— Par la famille.

— Il connaissait votre famille ?

Elle fit les gros yeux, un reproche affectueux.

— Ziz connaissait *tout le monde*.

Mais l'image de lui s'imposa alors à elle, et sa poitrine eut un brusque sursaut vers l'avant comme si on venait de la frapper dans le dos, puis elle se figea, clignant violemment des paupières. Elle avait du mal à respirer.

Morrow comprit pourquoi elle portait tant de maquillage : elle n'avait pas cessé de le retoucher tout au long de la journée. Quand Mina reprit la parole, elle avait la voix cassée :

— C'était un chic type, vous voyez ce que je veux dire ? Vraiment exceptionnel. Drôle...

Puis, accablée par le poids du chagrin, elle se tut, épuisée, les mains mollement posées sur la table. Morrow essaya de lui changer les idées.

— Vous pouvez me parler de son travail ?

— Oui, il faisait du bon boulot, il s'occupait de lever des fonds, d'organiser des événements dans la communauté. De grosses opérations. Il connaissait tout le monde et tout le monde l'adorait. Très sociable...

Elle s'interrompit, abattue de nouveau.

— Son ONG, elle s'intéressait à quoi ?

— Euh, elle récoltait des fonds pour les victimes des tremblements de terre de 2005 et 2008. Ils vivent toujours sous des tentes, pour beaucoup. Sans eau, ce genre de choses, vous savez. Les gens étaient contents de contribuer. Ils avaient déjà donné beaucoup, mais Ziz savait que rien n'arrivait jusque là-bas. À cause de la corruption. Alors il trouvait des moyens de faire entrer l'argent dans le pays sans passer par les réseaux officiels. Le gouvernement en accapare la moitié. Les gens savaient qu'avec lui, l'argent qu'ils donnaient arriverait à bon port, qu'il n'irait pas financer la construction d'appartements de luxe à Dubaï pour les militaires.

Mina avait déjà manifestement raconté tout ça, peut-être à Wainwright, sans imaginer susciter l'intérêt. Elle s'arrêta et attrapa une bouteille d'eau gazeuse sur son bureau.

— De quels moyens parlez-vous ?

Mina déglutit, sans quitter des yeux l'open-space.

— Oh, vous savez bien, les réseaux, la famille, des moyens sûrs. Les gens lui faisaient confiance.

— Il faisait appel à des *hundis* ?

Mina se figea. Promena nerveusement le regard à l'extérieur de son bureau.

— Eh bien, euh, je ne sais pas...

— Vous ne savez pas ce qu'est un *hundi* ou vous ne savez pas qui sont les hommes ?

— Je ne sais ni l'un ni l'autre...

Morrow se racla la gorge et se tortilla légèrement vers l'avant de sa chaise.

— Je comprends, dit-elle sur le ton de la confidence, je comprends pourquoi les gens feraient ça. Je sais que les banques ne sont pas fiables et que le taux de change... bref, mais il faut que vous saisissiez, Mina, qu'on ne plaisante pas avec ces gens-là. Les montants qui transitent par eux, tout ça les rend vulnérables, et comme ils ne peuvent pas se permettre d'être vulnérables, ils s'arment et les associations humanitaires ne sont pas leurs seuls clients...

— *Je sais tout ça.*

— Non, je ne crois pas. Je ne crois pas que vous sachiez comment les *hundis* s'enrichissent ni avec qui ils traitent. Je crois qu'Aziz en revanche le savait, ou l'avait découvert, et c'est peut-être pour ça qu'on l'a tué.

Mina détacha ses yeux du regard de Morrow et s'affala dans son fauteuil, le menton vers le plafond ; elle se cambrait contre le dossier comme si son ventre de femme enceinte allait sortir de son corps. Pensant qu'elle était prise d'un malaise ou faisait une attaque, Morrow et Daniel se levèrent d'un bond et se penchèrent vers elle. Mais elle pleurait, des larmes dégoulinaient le long de ses tempes. Elle posa les yeux sur Morrow, s'essuya le visage du bout des doigts.

— Mascara, murmura-t-elle, en sortant un mouchoir en papier de sa manche pour tapoter la trace noire à la naissance de ses cheveux.

Il lui fallut un moment pour se calmer. Morrow demeura penchée au-dessus d'elle comme une dentiste bienveillante.

— Mina, je suis vraiment navrée.

— Vous voulez bien arrêter de prononcer mon nom, putain ? murmura Mina. Vous me tapez sur le système

— Pardon, articula Morrow avant de se rendre compte que c'était sans doute tout aussi agaçant. Je m'assieds.

Mina parvint à se redresser, les mains sous son ventre.

— Vous avez des enfants ?

Morrow fit signe que oui.

— Des jumeaux.

Mina, impressionnée, se frotta le ventre.

— Mon Dieu, vous avez dû vous sentir comme un monstre.

— J'étais un monstre, dit Morrow. Vers la fin, j'étais aussi large que grande.

Mina renifla un sourire avant d'ajouter, une lueur terrifiée dans le regard :

— Ils vont bien ?

— Ils sont géniaux.

— Je m'inquiète, vous savez, parce que ce n'est pas bon…

Elle pointa le doigt vers son visage taché de larmes, prête à pleurer de nouveau.

Si elle avait eu affaire à quelqu'un d'autre, Morrow lui aurait pris la main et lui aurait servi un gentil mensonge, elle lui aurait dit que tout allait bien se passer et qu'avoir un enfant, ce n'était rien. Au lieu de quoi, elle lui répondit la vérité.

— On voit beaucoup de trucs terrifiants dans ce boulot. Vous êtes une femme bien issue d'une bonne famille. Ce bébé est plus chanceux que beaucoup.

Mina approuva, les yeux sur son écran d'ordinateur.

— Il ne vit pas sous une tente…

— Vous ne pouvez pas prendre plus de congés ?

— Pas dans ce climat économique, murmura Mina. Je n'ose pas. Vous n'avez pas idée de ce qu'est le secteur privé, et je vais élever mon enfant toute seule. J'ai droit à des congés maternité dans cette société et je ne prendrai pas un jour de plus. Donnez-leur la moindre excuse...

Morrow fit signe qu'elle comprenait.

— Parlez-moi des hommes, des *hundis* avec lesquels traitait Aziz. Je ne vais pas vous mettre dans une position vulnérable. Nous recherchons juste ceux qui l'ont tué.

— Vous laisserez mon nom en dehors de tout ça ?

— Votre nom n'apparaîtra pas. Nous enquêtons sur un meurtre.

Mina hésita.

— Tout l'argent passait par un petit avocat du nom de Julius McMillan. Je ne vous le dis que parce qu'il est mort.

— Je sais qu'il est mort.

— Il y a une semaine environ, de causes naturelles.

— Je sais, je sais que Julius McMillan est mort.

— Je savais toujours quand Ziz était passé chez lui parce qu'il puait la cigarette, d'ailleurs je le lui disais : « Tu pues ! »

— Quand a-t-il vu McMillan pour la dernière fois ?

Mina s'effondra dans son fauteuil.

— La nuit avant sa mort. Il est sorti avec trois gros sacs d'argent. Et revenu les mains vides. Il puait.

Son regard se perdit un instant dans le vague.

— Il puait. Il était bouleversé. Il avait vu quelqu'un là-bas... Dehors. Il avait eu une dispute avec McMillan à ce sujet... Il était bouleversé. Il s'était blessé à la main... il m'a dit s'être cogné contre le bureau mais je ne l'ai pas cru. Ziz n'a pas peur de la confrontation. Il s'est passé autre chose.

— Que croyez-vous qu'il est arrivé à sa main ?

— Je crois qu'il a frappé Dawood.

Morrow retint son souffle.

— Dawood McMann ?

— Oui.

— Il l'a rencontré chez McMillan ?

Mina la dévisagea.

— *Aye*. Dawood le douteux. Mister Glasgow. Ziz en a fulminé un jour entier.

235

Elle se redressa, plus calme à présent.

— Les magasins de Dawood sont une couverture, mais je ne vous apprends rien.

Morrow, en fait, le découvrait.

— Il fait venir la drogue du Pakistan. Tout le monde le sait. Le carnage que ça cause là-bas, les gens qu'ils financent pour le maintien des réseaux. Le Pakistan pourrait être un pays riche, vous savez, un pays sûr. Aux quatre coins du monde, ils ont récolté assez d'argent pour bâtir trois maisons pour chaque famille laissée sans abri par les tremblements de terre, et pourtant les victimes vivent toujours sous des tentes, les enfants meurent de froid et de faim. À cause de salauds du genre de Dawood. Mais on ne peut rien prouver car il ne touche jamais à rien lui-même, d'autres manipulent les fonds, d'autres encore s'occupent des drogues, des armes, de tout. Chaque fois que vous attrapez quelqu'un, c'est juste un de ses larbins. Ziz ne voulait pas voir l'argent qu'il avait récolté mêlé à tout ça.

— Alors Dawood et lui en sont venus aux mains et qu'est-ce qui s'est passé ensuite ?

— Rien, en tout cas c'est ce que je croyais, dit-elle en haussant les épaules. Le lendemain, il a reçu un appel du bureau de McMillan, il y avait un souci avec les codes d'accès. Il était tard, on ne savait pas que McMillan était déjà mort. Ziz est parti retrouver quelqu'un à son bureau. Il n'est jamais rentré.

— Le bureau n'est pas loin de la cité de la Route rouge, c'est bien ça ?

— Oui, sourit-elle tristement. Ses fenêtres donnaient sur la cité. Il voyait les casques et les gilets jaunes. Il disait souvent qu'au Pakistan, des familles vivraient dans ce bâtiment.

Elle leva la tête.

— Vous avez vu dans quel état c'est ?

— Oui, je suis montée.

— Oh merde !

— Ouais. Terrifiant. J'ai bien cru que j'allais devoir être évacuée par hélicoptère.

— Ça ne gênait pas Ziz.

236

— Ah bon ?

— Nan, il a fait partie des équipes de sauvetage en 2008. Il montait dans des immeubles effondrés, tout ça.

— Ils disent qu'il s'est réfugié là-haut et que quelqu'un l'a suivi.

— Oui, il aura essayé de s'échapper. Sans penser qu'ils seraient assez courageux pour le suivre.

— Mais ils l'ont suivi.

Mina acquiesça lentement derrière son bureau.

— Ils l'ont suivi.

De retour dans sa voiture, Morrow consulta son téléphone et trouva un message vocal d'Atholl. Il avait l'air ivre.

— J'ai quelque chose d'important à vous dire. Retrouvez-moi pour le petit déjeuner, disait-il. Au Pain Provençal, dans Argyle Street, à 7 heures.

Il avait prononcé le nom du café avec un fort accent guttural français.

23

Rose, debout devant la fenêtre, remuait des raviolis dans une casserole avec une cuillère en bois. Derrière elle, assis l'un en face de l'autre, les enfants disputaient une partie de Qui est-ce ?

Elle savait ce qu'elle faisait avec les toasts et les raviolis : elle leur préparait un bon petit plat réconfortant parce qu'elle avait elle-même besoin de réconfort. D'ordinaire, elle désapprouvait ces grosses nounous qui gavaient leurs enfants de gâteaux, de biscuits et de bonbons et qui, pour qu'ils restent sages, les cajolaient avec la promesse de ce qui leur faisait envie à elles. S'asseoir un peu. Un DVD pour faire une pause. Mais ce n'était pas grave. Ce n'était pas grave de faire ça une fois de temps en temps. Elle avait opté pour une casserole plutôt que pour le micro-ondes ; une casserole qu'elle salissait et dans laquelle elle touillait pour se donner la sensation qu'il y avait un effort à fournir. C'était un joli objet, un petit modèle simple, aux parois arrondies, qui, pour rajouter au mensonge, donnait l'impression d'avoir souvent servi.

Des raviolis sur des tranches de pain de mie grillé. Rien de très nutritif là-dedans. Mais les enfants étaient ravis. Tellement ravis qu'ils en oubliaient de se chamailler.

Levant la tête vers la vitre, elle vit son reflet et son regard tressaillit. Elle remua plus vite. Un bain couleur avocat. Elle, hors d'haleine dans une ruelle pisseuse. Elle ferma fort les yeux et retint son souffle. Les images lui arrivaient à un rythme infernal à présent. De pire en pire. Son visage couvert de poussière à la Route rouge, de la poussière dans son nez, dans ses oreilles, dans ses cheveux. Elle rouvrit les yeux. La sauce accrochait aux parois et séchait, prenant une teinte rouge sang. Elle en eut la nausée mais parvint à se maîtriser. Doucement, elle éteignit le gaz.

Derrière elle, la dispute avait commencé. Jessica et Angus se querellaient avec Hamish au sujet de leur question : des cheveux, il a des cheveux ? Ses cheveux à lui étaient pleins de vomi, du vomi séché, mais il la baisait quand même, alors qu'elle lui avait vomi dans les cheveux, il continuait à la labourer, à la pousser vers le haut du lit, sale, tellement sale, et elle voyait ses mains d'enfant sur le lit, les mains de Jessica, des mains de gamine, et la bague débile que Sammy lui avait offerte, une bague de Kinder Surprise ou un truc comme ça.

Elle fut soudain prise d'un spasme incontrôlable et appuya malgré elle sur la cuillère, déséquilibrant la casserole, qui bascula, répandant les raviolis sur le dessus de la gazinière si difficile à nettoyer.

— Zut !

Elle mit les mains dedans, se brûla les doigts.

— Zut !

Derrière elle, les enfants se turent et braquèrent leur attention sur elle.

Elle pleurait, elle ne pouvait pas se retourner vers eux maintenant.

— Oh, là, là ! s'exclama-t-elle en levant les mains d'un geste exagéré. Oh, mais pauvre de moi. Et voilà, j'ai tout renversé !

Mais sa voix sonnait faux, elle était forcée et hésitante, et ils savaient que quelque chose ne tournait vraiment pas rond.

— Oh zut !

Le visage baigné de larmes, elle entreprit de ramasser les raviolis un par un pour les remettre dans la casserole. La sauce chaude et sucrée s'accrochait à ses doigts, brûlante et sans pitié. Les toasts jaillirent du grille-pain avec un claquement de coup de feu qui la fit sursauter et, debout devant la gazinière, elle se remit à sangloter.

Toutes ces visions, toutes ces pensées en embuscade, même en prison, ça ne lui était pas arrivé. En prison, après les premiers courts moments de panique, elle savait où elle devait aller et à quelle heure, où elle devait dormir et à quelle heure, et vivait la majeure partie du temps dans un état second. Personne ne la touchait. On venait la voir et elle savait que bientôt tout ça serait terminé, que Julius McMillan prendrait soin d'elle. On lui avait proposé une aide psychologique qu'elle avait refusée parce qu'elle avait M. McMillan, alors tout allait bien, c'était réglé. On s'occupait d'elle. À présent, en revanche, il n'y avait plus personne entre elle et ses démons. Elle porta sa main brûlante à son visage, la sauce tomate moins chaude maintenant mais encore assez pour apaiser, elle posa les doigts sur ses paupières délicates et sur la pulpe de ses lèvres. Debout devant la gazinière, elle se brûlait et sanglotait, sans trop savoir où elle était ni quel âge elle avait.

Une main sur son bras, petite et calme. Allez, lui dit une petite voix, allez. C'était peut-être sa voix à elle qui la conduisait jusqu'à l'évier. Voilà ce n'est rien, disait sa petite voix, maintenant tout va bien. Elle pensa que c'était peut-être elle parce qu'il lui arrivait de dire ces choses-là. Puis un robinet s'ouvrit et l'eau coula : pas un flot éperdu, juste un filet. Quand elle ouvrit les paupières, ses yeux se posèrent sur une eau aussi froide et pure que les eaux baptismales. Des mains plus petites tenaient sa main sous le jet et la douleur s'en allait. Voilà ce n'est rien, allez... La sauce bouillante avait disparu et Rose était penchée au-dessus de l'évier, la petite main en coupe portait l'eau à son visage pour chasser le rouge et la sensation de brûlure. Ce n'est rien, maintenant tout va bien.

Un essuie-main pour se tapoter les paupières. Tap tap. Tap tap. Elle ouvrit les yeux, à peine, et vit que ça n'était pas elle mais Jessica ; Jessica qui avait peur pour elle, qui était triste pour elle, inquiète pour elle. Elle ne jouait pas à être gentille, Rose l'avait déjà vue se comporter comme ça, avec une fillette en larmes lors d'une fête, posant avec nonchalance une main sur elle, s'impliquant dans le drame mais sans le ressentir. Ce qui se passait là, Jessica le ressentait vraiment, mais Rose ne voulait pas. Rose voulait mieux pour elle que cette désagrégation. Elle voulait que Jessica reste égoïste, désinvolte, qu'elle ne connaisse rien de ces autres choses.

— C'est parce que grand-mère t'a dit d'attendre dehors ?
— Hein ?

241

— À l'enterrement, c'est parce que grand-mère t'a dit d'attendre et de ne rentrer qu'après nous ? Hamish a dit que c'était mal élevé, pas vrai Hamish ?

Assis à la table, les mains à plat sur ses genoux, Hamish acquiesça gravement.

— Il a dit que ça te fâcherait parce que c'était mal élevé et insultant. Parce que tu es notre nurse mais aussi un membre de la famille, et grand-mère a eu une attitude insultante.

Rose se redressa et prit l'essuie-main à Jessica.

— Oui, dit-elle en le pliant avec soin, même si elle savait qu'il allait finir dans le panier à linge. Oui, répéta-t-elle, en pliant pour ranger, pour remettre de l'ordre. Ça m'a insultée.

— Je veux donner un coup de pied dans les couilles de grand-mère ! siffla Hamish.

— Ce n'est pas gentil de dire ça, répondit Rose.

— Et puis de toute façon, elle n'a pas de pénis, répondit Jessica.

— Non, je sais, dit-il en scrutant de nouveau le visage de Rose. C'est un monstre.

Rose leur ordonna de mettre la table, chargea Hamish des couverts et des serviettes, Jessica des verres et Angus des assiettes. Elle fit ce qu'elle put avec les raviolis restants. Étala une couche plus épaisse de beurre sur les toasts, comme si ça pouvait compenser la petite portion de raviolis dans chaque assiette, et râpa un peu de fromage insipide dans un bol qu'elle plaça au centre de la table.

Tout le monde s'assit et Hamish, avec une grande solennité, prononça le bénédicité que Rose leur avait appris : Merci de nous servir un si bon repas et merci pour les chaises confortables.

L'assiette de Rose était vide. Rose vit qu'ils l'avaient remarqué.

— Je n'ai pas très faim, dit-elle.

— Nous, même quand on n'a pas faim, on est obligés de manger, objecta Angus.

Mais Jessica le fit taire.

Ils mangèrent le plus sagement du monde, en silence et avec leurs couverts, se souvenant au milieu du repas de coincer leur serviette dans leur col. Ils ne réclamèrent même pas de pailles pour leurs boissons.

Assise devant son assiette vide, les épaules basses, Rose repensait à Atholl en train d'avaler les cachets. Il savait pour Aziz, il savait ce qu'elle avait fait. Et la police aussi devait savoir qu'Aziz était mort, à présent.

Elle sentait le monde se refermer autour d'elle, venir la chercher, et elle s'en foutait.

24

Robert était assis à la table de la cuisine, son pied posé sur une chaise. Surélevée, sa cheville n'était pas douloureuse, elle picotait, comme si la peau pétillait, mais c'était parce qu'elle était tendue sur la chair boursouflée. Le regard posé sur le fourneau éteint, il réfléchissait. Il fallait environ une heure depuis le château pour rejoindre le ferry en voiture, le dernier avait dû accoster il y avait un peu plus de temps que ça. Assis à la table, il était complètement visible de l'extérieur, prêt à accueillir à tout moment une aveuglante lumière blanche dans son œil, une secousse dans sa tempe, du côté gauche, le plus proche de la porte-fenêtre. Il était là depuis si longtemps que la tasse qu'il tenait entre ses mains crispées était froide et le bout de ses doigts ankylosé. Il les décolla, les posa à plat sur la table et envisagea pour la première fois depuis des jours la possibilité qu'il n'allait peut-être pas mourir.

Il avait rallumé son téléphone, conscient qu'ici, à l'ombre des montagnes, la réception était mauvaise, et conscient, alors qu'il descendait de la colline, avec lenteur et en boitillant, que l'appareil relevait les e-mails, les textos et les messages vocaux. Il ne les avait pas consultés mais il savait que le téléphone captait. Ils pouvaient retrouver sa trace, ils savaient où il se trouvait et ils n'étaient pas venus.

Il essaya de nouveau de comprendre pourquoi. Repensa au signalement à la SOCA et à la sombre nuit qu'il avait passée au chevet de son père en soins intensifs. Il croyait sincèrement qu'arrivé au seuil de sa vie, Julius s'était confié à lui. Sans doute la morphine ou quelque autre substance chimique palliative sécrétée par le corps en train de s'éteindre. Ces tunnels de lumière que voyaient ceux qui avaient frôlé le trépas étaient, paraît-il, des réactions chimiques. Les confessions sur son lit de mort l'étaient peut-être aussi. Robert regretta de ne pas avoir attendu à l'extérieur de la pièce. Il aurait préféré que les doigts de la main frêle et mouchetée de taches brunes qui cherchaient un contact intime n'aient rien trouvé sous le drap bordé avec soin.

Il était dans la pièce avec son père parce qu'il essayait de ressentir quelque chose pour le vieil homme. Il n'y avait jamais eu de connexion entre eux, pas vraiment. Robert regrettait que le regard de son père ait toujours glissé sur le sien, qu'il n'ait jamais été là aux kermesses sportives ou aux anniversaires, ne l'ait jamais encouragé dans le rôle, bref et secondaire, qu'il avait joué au sein de l'équipe de foot. Toute sa vie, il avait pensé que son père regrettait de voir Margery telle qu'elle était vraiment, qu'il se sentait coupable et impuissant de constater que la femme qu'il avait choisie souffrait de dépression clinique et passait tout son temps au lit ou à siroter du vin devant la télévision. C'était en tout cas ce que lui, Robert, aurait ressenti à la place de Julius. Il voyait à présent que Julius l'avait évité parce qu'il était encore moins fier de lui que de Margery.

Le dos d'une main osseuse, un lac violet au rivage jaune sous la peau autour de la canule plantée dans sa veine. Julius ayant essayé de l'arracher à son arrivée en réanimation, ils l'avaient fixée en enroulant autour de sa main du sparadrap waterproof brillant, si serré qu'il entamait la peau et y creusait des plis. Quand ses doigts s'étaient frayé un chemin sous le drap jusqu'à la main tendue de Robert, leur bout jauni dégageait toujours une légère odeur de nicotine.

Robert essayait de ressentir quelque chose, de l'accablement ou un quelconque chagrin. Il était gêné du peu de sentiments qu'il éprouvait pour l'homme. Quand le personnel venait le consoler avec des propos aimables mais creux, il baissait les yeux et hochait la tête. Un moment très difficile, oui. Continuez à espérer, il sait que vous êtes ici, oui. Assurez-vous de dormir suffisamment, oui.

Alors, avec son cœur de pierre, il restait assis à son chevet, espérant que ses émotions étaient là, quelque part, et que bientôt il ressentirait quelque chose de fort. Puis il y avait eu la main, qui s'était glissée vers lui comme une marée montante, et les lèvres sèches qui avaient essayé de bouger derrière le masque à oxygène.

Robert avait passé les doigts sous ceux de Julius et ils étaient restés ainsi, main dans la main. Autant que le sparadrap autour de celle de Julius le permettait, en tout cas. En réalité, il ne pouvait pas refermer la main, mais le bout de ses doigts se repliait comme s'il essayait de communiquer l'intention d'une étreinte éloquente. La main de Robert paraissait rose et charnue à côté des os secs de son père. La main lui rappela Francine choisissant une ménagère pour leur liste de mariage. Le métal de celle-ci est plus doux, avait dit la personne qui les avait servis au grand magasin. Il se raye oui, de sorte que chaque utilisation des couverts laissera son empreinte, un souvenir. Je n'ai pas envie de ça, avait répondu Francine. Je veux qu'ils aient toujours l'air neuf. Et ceux-là dans ce cas ? Les mains de Julius étaient couvertes de cicatrices, de plis, de rides, les jointures saillaient au milieu des taches brunes, la peau était patinée, hachurée.

Les lèvres bleues bougeaient à l'intérieur du masque, *bub, bub, bub.* Comme sortie de nulle part, la main gauche de Julius était apparue sur le côté du lit avant de tomber lourdement sur le masque, un temps immobile, une alpiniste épuisée arrivée au sommet. Elle avait serré le masque mou et l'avait violemment tiré sur le côté, découvrant la moitié de la bouche. L'élastique autour de la tête empêchait de faire mieux. Alors Robert s'était levé et sans lâcher l'autre main qu'il tenait, il s'était penché vers l'avant.

Le chuintement de l'oxygène dans le masque le faisait larmoyer. Il détourna le visage, collant son oreille aux lèvres de son père.

Je t'aime, fils. C'était à ça qu'il s'attendait, comme si Julius avait un jour regardé jusqu'au bout ces comédies romantiques que Francine adorait et en connaissait le script. Au lieu de quoi :

— Le coffre-fort noir. Écoute-moi bien : dans le coin gauche, au fond. Le bouton. Appuie…

Julius s'était interrompu. Pensant qu'il rendait peut-être son dernier souffle, Robert lui avait replacé le masque sur le nez mais Julius l'avait écarté de nouveau.

— Le coin gauche, tout au fond. Mets la main dedans. Appuie une fois. Compte jusqu'à huit, appuie de nouveau. Le code : *ton anniversaire*.

Robert avait dévisagé son père. Julius n'avait même pas ouvert les yeux. Il ne bougeait plus. Timidement, Robert avait soulevé le masque pour le replacer sur la bouche de son père, et c'est à ce moment-là que Julius les avait prononcées, les trois syllabes : je t'aime.

Robert s'était laissé tomber sur la chaise. Il ne s'y attendait pas, après tout ce temps, et toute la distance qu'il y avait entre eux. Le visage dans les mains, il s'était mis à sangloter, et au même instant toutes les alarmes avaient retenti, faisant accourir le personnel. Robert s'était retrouvé contre le mur puis, sans trop savoir comment, centimètre par centimètre, dans le couloir. Puis dans le café du rez-de-chaussée, avec une tasse de thé, attendant des nouvelles du bloc. Il était 2 heures du matin quand on l'avait appelé. Les nouvelles ne sont pas bonnes, j'en ai peur.

Robert ne se souvenait pas vraiment d'être allé au bureau. Il n'y était pas et soudain, il s'y trouvait. Ils lui avaient dit de rentrer se coucher mais l'idée de rentrer l'effrayait car il savait qu'il dormirait, profondément, du sommeil du juste. Il avait veillé, certain qu'il ne ressentirait rien de plus proche du chagrin que ses vertiges dus à l'épuisement.

Le coffre-fort. Le bouton. Le fond du coffre qui s'était ouvert sur un couloir faiblement éclairé.

En y pénétrant, Robert était certain d'y trouver ce que les avocats avaient l'habitude de conserver dans des coffres : documents litigieux, éléments de preuves liés à de vieux dossiers qu'ils ne tenaient pas à ce que quelqu'un d'autre trouve mais devaient cependant conserver. Quelques bijoux, mis à l'abri à cause de leur valeur ou parce qu'ils étaient volés et ne pouvaient pas être vendus, peut-être de l'argent liquide aussi. Mais dans le coffre de Julius, il devait y avoir quelque chose d'autre, quelque chose de spécial parce qu'il s'agissait d'un deuxième coffre, d'un coffre secret. Et parce que Julius avait bâti cette pièce sous la rue spécialement pour l'y loger.

C'était un petit coffre pourri. Il tapa les quatre premiers chiffres de sa date de naissance. Ça ne s'ouvrit pas. Il essaya les quatre derniers, les quatre du milieu. Rien. Déconcerté, il s'assit. Pourquoi son père l'avait-il envoyé ici ? Et tout d'un coup, il comprit. Et ça le rendit malade de jalousie. Son père, quand il avait dit je t'aime, avait les yeux fermés. Il était presque inconscient. Ces derniers mots ne lui étaient pas destinés. Son père croyait s'adresser à Rose.

Les yeux voilés de larmes, Robert tendit la main et tapa la date de naissance de Rose. La porte s'ouvrit.

Le visage dans les mains, il pleura. Il y avait toujours eu quelque chose entre eux, entre Rose et Julius. Toujours quelque chose. Encore et toujours, il lui avait préféré Rose.

Ses larmes cessèrent enfin, non pas parce qu'il était moins triste, mais parce qu'il n'avait plus d'énergie. Il ouvrit la porte du coffre-fort et coula un regard à l'intérieur.

Des liasses de billets, emballées dans du film cellophane. Un gros cube. Si chaque liasse valait cinq mille livres, même si elles en valaient dix mille, il n'y en avait que huit, se souvenait-il s'être dit. Un tout petit coffre. Il les sortit et trouva, dessous, un livre de comptes rouge vif avec une comptabilité en partie double, le carton usé de la couverture tenu fermé par un élastique épais. La tranche lui faisait face, usée sur les côtés jusqu'au gris du carton. Il le sortit et l'ouvrit à la page des dernières inscriptions.

Six colonnes : un nom, indien ou pakistanais probablement, son père connaissait du monde dans la communauté pakistanaise du coin. Puis un chiffre : 40, 20, 0,9. Le nom d'une ville, il en reconnaissait quelques-unes : Quetta, Karachi, Rawalpindi. Puis un numéro plus long dans une colonne intitulée *Code d'accès*, un mélange de lettres et de chiffres. La colonne suivante ne comportait que deux ou trois lettres, qui se répétaient pour la plupart. Puis, dans la dernière colonne, une croix ou une coche, ajoutée plus tard avec des stylos différents. Sur chaque page, un total était inscrit au bas de la colonne des chiffres, assorti en dessous d'un signe plus ou d'un signe moins. Tous barrés. Tout avait été payé.

Robert feuilleta le livre. Mois par mois, sur plusieurs années, une quinzaine environ. Toutes les pages étaient à moitié remplies et les sommes de plus en plus exorbitantes étaient notées au bas de la page comme ayant été réglées. Au fil des ans, quelqu'un avait versé d'énormes sommes d'argent au propriétaire du livre.

Robert examina l'écriture : c'était celle de Julius, d'abord au crayon, puis parfois au stylo à bille, et au stylo plume quand les montants devenaient plus gros. Les totaux quelquefois notés au stylo rouge. D'autres fois au stylo plume. Sur les dix dernières pages, l'écriture se faisait moins assurée, moins ferme. Du crayon à papier de nouveau, des rayures presque invisibles. Il était tombé malade avant l'automne. Il savait sa santé fragile.

Robert posa le livre sur ses genoux. Quoi que ce fût, ça ne sentait pas bon. Pas bon du tout. Son père envoyait de l'argent au Pakistan, officieusement, illégalement. Qu'avait-il voulu que Rose fasse de tout ça ?

Puis il comprit : Julius voulait que Rose brûle le grand livre. Ces paiements étaient illégaux et Rose savait depuis le début. Elle savait et pas lui. Julius l'avait choisie elle, il avait choisi de le lui dire à elle, de l'impliquer elle, et pas lui.

Pourquoi toujours elle ? Était-elle plus fiable ? Plus maline ? Ou était-ce parce qu'ils étaient impliqués dans des activités plus qu'illégales, vénales, auxquelles jamais Robert n'aurait adhéré ? Il avait toujours été honnête, moral, honorable. Pas eux ? Alors qu'il se posait toutes ces questions, il leva la tête et remarqua une petite enveloppe au fond du coffre-fort.

Négligemment, il la prit et, l'esprit toujours occupé par le livre de comptes, il sortit les photos. Il vit alors qu'ils étaient en effet impliqués dans des choses auxquelles il ne pourrait jamais être mêlé. Du chantage, un odieux business. Robert valait mieux que ça. Il était trop bien pour ça. Il ne pouvait pas croire qu'ils aient pu tomber si bas. C'est du haut de ce piédestal qu'il avait appelé la police, qu'on lui avait passé la SOCA, où une femme lui avait expliqué d'une voix lasse que la seule manière de signaler des mouvements de fonds illégaux, la seule manière, était de leur faire parvenir par e-mail le formulaire dûment rempli.

Repenser à ce moment, aux photos dans sa main, à son souffle coincé dans sa poitrine le ramena à la réalité, dans la cuisine glaciale du manoir de Mull. Repenser à ces photos le poussa soudain à décoller sa cheville de la chaise pour frapper le sol d'un coup de pied. Mollasson mais un coup de pied tout de même, pour raviver la douleur.

Le visage crispé, les yeux bien fermés, il se rendit compte qu'il était là depuis plus d'une heure et espéra que quand il ouvrirait les paupières, l'image du jeune visage de Rose aurait disparu.

Le hippie à la fenêtre le fit sursauter. Il se tenait trop près de la vitre, le visage encadré par la menuiserie bordant le petit carreau comme une photo grotesque.

Voyant qu'il avait fait peur à Robert, il le salua et sa main vint remplir un autre carreau.

— Entrez, dit Robert en s'accompagnant d'un geste au cas où il n'aurait pas entendu.

Le hippie ouvrit la porte-fenêtre et entra, apportant avec lui une bourrasque d'air froid. Il s'assit à la table et considéra la cheville de Robert.

— Aïe, fit-il.

— Vous vous appelez comment ? demanda Robert, l'air irascible à cause de la douleur.

— Oh...

Il regardait de nouveau la cheville.

— Simon.

Robert lui serra la main.

— Bonjour, Simon.

— Ouais.

Simon désigna la cheville gonflée, qui avait retrouvé sa place sur la chaise.

— Ça a l'air douloureux. Et votre visage aussi.

— Je suis allé me promener et je suis tombé.

— Oh.

Il commençait à faire sombre dans la cuisine. Tout d'un coup, il fut temps d'allumer la lumière mais personne ne le fit. Simon se leva et mit son chapeau.

— Un petit tour de quad jusqu'en haut de la colline, ça vous dit ? Pour une cigarette ? La marée monte et les dauphins ne vont pas tarder à sortir. On peut les voir de là-haut.

Robert sourit. Très bonne idée.

— Il y a de la place pour deux sur la moto ?

Simon se dirigea vers le couloir.

— Des pull-overs, dit-il.

La pluie avait cessé et le soleil se couchait, un chatoiement d'orange flamboyant sur un horizon bleu marine. Ils étaient assis par terre sur une bâche. Deux Bibendum Michelin emmitouflés dans des tonnes de pull-overs. La silhouette de l'île de Coll se découpait sur l'horizon, noire, bordée de lueurs blanches sur les côtes, assez rares pour tenir lieu d'étoiles terrestres.

Le vent soufflait fort ici, cependant. Aucun arbre ne poussait à cette hauteur. La colline pelée n'était qu'herbe verte dansant avec défi dans les bourrasques. Simon avait garé le quad quelques mètres plus bas, sur une plaque de roche. Le vent pouvait le renverser même lorsqu'ils étaient dessus, avait-il dit en désignant le sommet. Et les envoyer valdinguer en tonneaux jusqu'en bas de la colline. Ils avaient fini à pied pour l'un et à cloche-pied pour l'autre, grimaçant face au vent.

Un vent si violent, songea Robert, qu'il aurait pu nettoyer une âme du péché originel.

À présent, sa cheville gonflée était étendue devant lui, surélevée sur un rocher. Il prit le joint des mains de Simon, protégeant le bout incandescent pour éviter qu'il s'éteigne, et aspira une bouffée. Elle lui arracha la gorge, la même douleur que la veille au soir. Il se rappelait avoir fumé en bas, maintenant ; sa gorge, en tout cas, s'en souvenait. C'était ce qui était arrivé. Il avait trop bu, perdu conscience de ce qu'il faisait, fumé de l'herbe ou quelque chose d'autre sans le savoir, et c'était pour ça que tout lui semblait si dingue et flou.

Simon était assis jambes croisées devant lui, les mains dans sa cape en tweed. Il scrutait les flots, à l'affût des dauphins. Ses cheveux étaient tirés en arrière en une queue-de-cheval fine comme une queue de rat, qui battait dans le vent à l'horizontale de ses épaules, parfois jusqu'à son visage. Il avait enlevé son chapeau pour ne pas le perdre.

Robert sentit son corps inondé d'une chaleur ardente, il sentit les fourmillements céder le pas et la chaleur envahir sa cheville gonflée, comme une caresse légère. Il imagina la peau qui s'étirait, de plus en plus, comme une montgolfière, qui s'étirait tant et tant que ses pores devenaient gros comme la pointe d'un stylo-bille, au point que c'en était comique. Il s'imagina Amish et Angus devenus adultes, lui tenant la cheville sur son lit de mort et remarquant les traces de cette aventure particulière sur sa peau. Il se sentit bien. Ses enfants lui manquaient. Jessica lui manquait.

Simon se pencha vers l'avant, touchant le sol de son front comme pour adresser une révérence au soleil, ce qui fit sourire Robert. Mais, le front sur la bâche, Simon ne se relevait pas.

— VOUS ÊTES SOUPLE ! cria Robert pour couvrir le souffle du vent.

Et Simon, comme pour prouver à Robert qu'il avait raison, restait là, tout à fait immobile.

— SIMON : J'AI DIT « VOUS ÊTES TRÈS SOUPLE ! »

Du yoga, sans doute, pensa Robert, en remarquant l'ombre noire qui glissait sous le visage de Simon.

— VOUS FAITES DU...

Puis un bref éclair de lumière blanche, aveuglante, vint effacer le monde quand la balle transperça le crâne de Robert. Il bascula sur le côté, sans même avoir le temps de s'étonner, son visage contre le dos de Simon, qu'il macula de sang.

25

Morrow courait vers la porte du café à travers le morne matin bleu, pliée en deux sous le feu nourri de la pluie. Elle s'était levée bien trop tôt pour se sentir complètement dans son assiette et comptait bien montrer à Atholl dans quelle colère il l'avait mise. Il ne serait probablement même pas là, peut-être aurait-il même oublié qu'il l'avait appelée. Et à supposer qu'il vienne, c'était de toute façon présomptueux de sa part de lui avoir fixé rendez-vous à une heure si matinale, comme si elle n'avait rien d'autre à faire que de répondre aux convocations d'un comte.

L'endroit n'était ouvert qu'en théorie. À travers la porte vitrée, elle voyait le personnel en tablier blanc et raide, un des employés qui tendait à un autre des croissants crus décongelés sur un plateau métallique par-dessus le comptoir. Les fours qui se trouvaient derrière exhalaient une odeur de croissants chauds jusque dans la rue, pour attirer le chaland. Le mobilier était rustique, à la française : des tables en pin brossé et un sol de pierre, tellement mal assorti à l'humidité crasseuse de Glasgow que c'en était presque sarcastique.

Elle ouvrit la porte et entra, accueillie par les regards noirs du personnel, leurs mines matinales aussi crues que les viennoiseries.

Atholl était avachi dans un coin loin de l'entrée, guettant son arrivée. Il avait l'air entre deux mondes : un côté dans la douce chaleur d'une cuisine provençale, l'autre coincé contre la vitre voilée de pluie. Ses yeux n'accrochaient rien, plus rouges que d'habitude, et il donnait l'impression de s'être coiffé, peut-être pour elle, ce qui ne présageait rien de bon. Il la vit, leva le menton et tenta de sourire sans y parvenir. Au lieu de quoi il la salua de la main.

Il avait la gueule de bois. Elle se fraya un chemin entre les chaises vides pour le rejoindre, tout en repensant que la veille au soir, quand Brian lui avait proposé un deuxième verre de vin, ils avaient tous les deux décidé de concert qu'ils préféraient en fait une tasse de thé. Elle était prête à dire à Atholl ses quatre vérités, s'il avait oublié pourquoi il l'avait fait venir.

Il tenta de se lever pour l'accueillir mais ses genoux se dérobèrent sous lui et il retomba lourdement sur sa chaise.

— Vous avez déjà fait votre jogging matinal ? dit-elle.

Cette fois, il parvint à sourire.

— Qu'il pleuve, qu'il vente ou qu'il neige. Une vieille habitude de l'armée.

Elle prit une chaise en face de lui, ôta son manteau mouillé tout en se demandant si elle l'appréciait.

Atholl avait posé une petite pile d'enveloppes couleur crème, cachetées, face contre la table, carrées comme des invitations, pas de la correspondance commerciale. La couleur des enveloppes était assortie au blanc de ses yeux, jaunes et si secs qu'elle distinguait la texture granuleuse de ses globes oculaires.

— Mon Dieu, vous avez une sale mine.

Elle remarqua qu'elle avait un ton plus brusque que d'habitude.

— Vous avez dormi ?

Atholl lui adressa un sourire gêné.

— J'ai l'impression que j'ai attrapé une gastro. Je suis malade…

Ils n'étaient pas au tribunal. Ils n'étaient même pas dans le bâtiment, alors peut-être qu'elle pouvait simplement le dire :

— Il faut que vous arrêtiez de boire. C'est en train de vous tuer. En fait, j'ai l'impression d'assister à votre mort en direct.

Le visage d'Atholl se barra d'un rictus.

— Qu'est-ce qui est si drôle ?

Il laissa échapper un rire asthmatique.

— On vous l'a déjà dit ? fit-elle en se penchant vers lui. Des centaines de fois, je sais, mais pour l'amour du ciel, je vois vos yeux qui se dessèchent.

Atholl gloussa dans sa barbe, essuyant machinalement le bois brut de la table d'une main, dans un sens puis dans l'autre.

— Ah, Alex Morrow, fit-il en levant les yeux vers elle. Alex, Alexandra.

Il n'avait plus les yeux secs, ils étaient humides à présent, mais il n'avait pas l'air triste. Morrow croisa son regard et, l'espace d'un instant fugace, y vit la relation qu'ils auraient pu avoir si les choses avaient été différentes : des rires et des disputes, et un océan de tendresse. Se souvenant soudain de Brian, elle baissa les yeux vers la table.

La main d'Atholl apparut dans son champ de vision et resta là, sur la table. Morrow ne bougea pas. La main retourna le long de son flanc.

— Un café ?

— *Aye*, dit-elle d'une voix redevenue normale, allez-y.

Atholl leva le bras pour attirer l'attention d'un serveur derrière le comptoir, qui posa son plateau.

— Non, lui cria-t-il, pas besoin de vous déplacer. Café pour deux, s'il vous plaît.

— Une cafetière ?

— S'il vous plaît, oui.

— Vous voulez petit-déjeuner ? demanda le serveur. Pâtisseries bio ? Muesli ? Orange pressée ?

Morrow vit le regard d'Atholl aller se perdre sur un plateau de pâte crue. Il se mordit les lèvres et secoua la tête.

— Non, juste du café.

Quand le serveur partit le chercher, Atholl reporta son attention sur elle. Il avait retrouvé sa tête d'avocat.

— Bref, bonjour et merci d'être venue.

Elle était soulagée.

— Qu'est-ce que je peux faire pour vous ?

— Eh bien, hésita-t-il, hum, deux ou trois choses…

Il sembla perdre le fil de ses pensées. Le regard tourné vers la vitre, il attrapa les lettres sur la table devant lui.

Morrow pensa à Brian. C'était à elle de s'occuper des enfants et elle avait dû négocier pour pouvoir venir.

— Atholl, qu'est-ce que vous voulez me dire ?

— Oui, dit-il avant de perdre le fil de nouveau, clignant des yeux vers la table.

Il avait la peau bleuâtre.

— Vous prenez des médicaments ? demanda-t-elle, consciente que c'était une question qu'elle avait souvent posée, généralement pendant des interrogatoires.

Atholl laissa glisser sa tête contre la vitre, ses cheveux collés à la condensation.

— Je ne dirai rien à personne, lui assura-t-elle.

Le serveur approcha avec deux tasses et un pot de lait chaud. Tandis qu'il les posait et repartait chercher le café, Morrow songea qu'Atholl n'avait pas l'air insensé, plutôt préoccupé par des considérations qu'il gardait pour lui.

Le café arriva et le serveur remplit leurs deux tasses, avant de retourner au comptoir. Morrow se versa du lait.

— Je suis content de vous voir ailleurs qu'au tribunal.

Il l'avait dit avec une telle solennité que c'était peut-être pour ça qu'il l'avait convoquée.

Les yeux sur sa tasse, il sourit et ajouta à son tour du lait à son café, puis deux carrés de sucre roux.

— Vous avez grandi où, inspectrice Morrow ?

— Dans le sud.

Elle n'avait pas envie d'en parler.

— Et vous ?

— Le Wiltshire.

Lui non plus, visiblement.

Il eut un sourire désabusé.

— On ne vient pas du même monde, pas vrai ?

— De deux mondes aux antipodes.

Morrow porta la tasse à sa bouche et but. Le café était épais, avec un goût de chocolat.

Elle leva les yeux et vit qu'Atholl pleurait. Pas des sanglots, sa respiration n'avait pas changé du tout, mais de fines larmes ruisselaient de ses yeux. Sortant un beau mouchoir en tissu de sa poche, il s'en tapota les yeux pour les sécher.

— Je souffre d'épiphora, dit-il, mes médecins font de leur mieux.

Il mentait. C'était peut-être bien comme ça qu'on appelait des yeux larmoyants, mais Atholl avait prononcé le mot comme si sa bouche ne s'y était jamais frottée jusque-là. Elle eut soudain envie de le fuir, de partir très loin.

— Pourquoi vous m'avez fait venir ?

Il prit une inspiration profonde et saccadée.

— Michael Brown a accepté de vous voir ce matin pour vous redonner ses empreintes.

— Il a changé d'avis ?

Atholl baissa lourdement le menton vers la table.

— Brown vous l'a annoncé quand ?

Les prisonniers n'avaient pas le droit de voir leurs avocats à la sortie du tribunal et Brown n'avait pas pu l'appeler hier soir. Et ce n'était certainement pas ce matin qu'il l'avait vu.

Atholl secoua la tête. Il ne lui donnait rien.

— Pourquoi m'avoir fait venir ici trois heures avant le début de votre journée de boulot ?

Il avala de grandes gorgées de café, le temps de trouver une excuse.

— Je me disais que ce serait sympa de petit-déjeuner ensemble…

Son problème aux yeux le reprit de nouveau mais il ne sortit pas son mouchoir. Il sourit à sa tasse d'un air misérable, alors qu'un camion poubelle passait lentement dans la rue, répandant sur la vitre des jets de gyrophare orange.

— Là où j'ai grandi…

Il haussa les sourcils.

— … très boisé. Marié. Suivi ma femme ici… passé le barreau…

On aurait dit qu'il essayait de lui raconter sa vie, tout en détestant ça, comme s'il était là pour un premier rendez-vous où tout ce serait mal goupillé : trop matinal, lumière trop crue, des larmes qui lui dégoulinaient sur le menton.

Elle se leva.

— Alors merci pour le café, c'était très sympa.

Il leva les yeux vers elle, désespéré, hagard.

— Je crois que vous ferez ce qu'il faudra.

Morrow se pencha vers lui. Atholl était saoul, de toute évidence. Un de ces poivrots sans limite, si habitués à couvrir leur ébriété qu'on n'y voyait que du feu jusqu'au jour où ils fonçaient en voiture dans un tas d'enfants à un arrêt de bus.

— Je ne vous crois pas capable de faire les erreurs que j'ai faites, Alex.

— Il faut que je parte.

Elle attrapa son sac et son manteau.

— J'aimerais que vous veniez chez moi, dit-il.

— Je ferais mieux de partir. Je vous retrouve au dépôt du palais de justice dans deux heures.

— Bien sûr.

Il attrapa une des enveloppes.

— Une invitation. Pour vous.

Il la lui tendit d'un air implorant. Son nom et l'adresse du commissariat y étaient inscrits de la même belle écriture que le petit mot pour les empreintes de Brown. Morrow ne voulait pas la prendre. Elle l'accepta simplement parce que refuser les embarquerait dans une nouvelle conversation. Elle la glissa dans son sac.

— Quoi que vous entendiez à mon sujet…, dit-il, au summum de son apitoiement sur son sort.

Morrow le toisa, furieuse. Elle voulait le traiter de connard arrogant. Elle voulait lui dire que son titre de comte ne l'impressionnait pas, qu'elle avait un mec adorable et deux magnifiques enfants qui la faisaient fondre, lui dire d'aller se faire foutre. Mais elle avait déjà tenté l'honnêteté avec des relations de travail par le passé et ça n'avait jamais rien donné de bon.

— Au revoir, lui dit-elle simplement.

Elle s'éloigna et fut dehors sous la pluie avant d'avoir pris la peine d'enfiler son manteau. Elle recula sur le seuil, le temps de passer tant bien que mal le bras dans la deuxième manche, face au rideau de pluie qui s'abattait sur la rue piétonne.

Elle détestait Atholl pour avoir essayé de la charmer, pour son manque d'égards implicite vis-à-vis de Brian, pour l'avoir appelée ivre mort afin de la faire venir à une heure si matinale. Et maintenant elle était fatiguée, de mauvais poil et devait le revoir dans deux heures avec ce putain de Michael Brown qui avait essayé de lui montrer sa bite.

Partant vers sa voiture, elle sortit son téléphone pour appeler Riddell, lui laissa un message disant qu'ils prendraient les empreintes de Brown dans la matinée. Le dossier contre lui dans l'affaire de 1997 n'était pas solide. Est-ce qu'il pouvait prévenir le bureau du procureur que la condamnation de Brown serait peut-être annulée afin qu'ils décident quoi faire ? Il enregistrerait l'heure de l'appel. Ça ne pourrait de toute façon que lui rapporter des points.

En remettant son téléphone dans son sac, elle aperçut le coin de l'enveloppe d'Atholl. Elle avait envie de jeter l'invitation à la poubelle.

26

Atholl ne se montra pas. Debout dans la salle d'attente sans chaises, Morrow et McCarthy attendaient qu'on leur donne accès au dépôt avec le lecteur d'empreintes portable, quand un garde vint à eux et leur demanda où ils pensaient aller.

— On a rendez-vous pour une prise d'empreintes : Michael Brown.

— Vous avez son numéro de casier ?

Morrow n'avait pas les documents sur elle, ni le numéro.

— Non, on attend Anton Atholl qui doit nous conduire à lui. Atholl est son avocat.

Acquiesçant d'un signe de tête, il disparut dans le bureau de derrière, par où il était venu. Morrow et McCarthy échangèrent un regard. Étrange. Atholl aurait déjà dû être là, et il aurait dû prévenir le dépôt de leur venue.

Le garde revint. Il demanda à voir leur insigne. Il releva le numéro de leur poste de police et disparut de nouveau, verrouillant la porte qui les séparait et gardant un œil sur eux par une petite fenêtre le temps d'appeler le poste pour vérifier. Satisfait, il se baissa et fut soudain baigné par la lumière d'un écran d'ordinateur.

— Il y a quelque chose qui cloche, dit-il en lisant l'écran.

— Ouais, dit Morrow. Atholl était censé être là avec Brown. Ils sont attendus en salle d'audience n° 4 dans vingt-cinq minutes.

— On a Brown à l'étage, leur annonça le garde sans lever la tête de l'écran, mais on n'a pas Atholl.

— Vous a-t-il prévenu de notre passage ?

— Non, répondit le garde en tapant quelque chose sur son clavier. Ce n'est pas indiqué…

Au regard qu'ils échangèrent au-dessus du bureau, Morrow comprit qu'elle n'entrerait pas.

— McCarthy, attendez ici, dit-elle en retournant sous la pluie, relevant son col alors qu'elle franchissait les deux portes verrouillées à côté de l'aire de chargement.

Elle dut montrer son visage à la caméra les deux fois et attendre qu'on lui ouvre.

Une fois dans la rue, trempée jusqu'aux os, elle franchit le coin du bâtiment, se fraya un passage dans la mêlée de fumeurs et poussa la porte tambour.

Dexie la laissa doubler la file. Il n'avait pas vu Atholl ce matin, le réceptionniste non plus. Voyant qu'elle n'y tenait plus, ce dernier, un type rondouillard d'une patience infinie, appela le cabinet des avocats et patienta jusqu'à ce que quelqu'un décroche. Atholl n'y était pas. Il n'avait plus que dix minutes pour arriver avant le début de l'audience.

Morrow ne savait pas quoi faire d'autre. Elle était là, debout, en train de se demander comment diable elle allait annoncer à Riddell qu'elle avait commis une erreur, quand elle aperçut, à la sortie des toilettes dans le couloir sombre sous l'escalier, la collaboratrice d'Atholl.

— Excusez-moi ! dit-elle en se précipitant vers elle. Excusez-moi, vous vous souvenez de moi ?

La femme la dévisagea, méfiante, avant de se détendre quand elle comprit qu'elle était flic.

— Oui.

— Atholl m'a demandé de le retrouver à l'entrée du dépôt ce matin.

— Atholl ne viendra pas, on a demandé un report d'audience.

Elle avait prononcé ces mots avec une telle apathie que Morrow se retint de lui envoyer un coup de pied dans le tibia.

— Et pourquoi ne vient-il pas ?

— Il est souffrant.

Morrow l'imagina endormi à son bureau.

— On doit prendre les empreintes de Michael Brown ce matin, dit-elle. Atholl l'a accepté. Vous voulez bien nous accompagner ?

Ils n'étaient pas autorisés à le faire sans la présence d'un avocat et la femme aurait facilement pu refuser. Elle ne semblait cependant pas le savoir.

— Est-ce qu'Atholl a dit...

— Atholl nous a demandé de le retrouver à l'entrée du dépôt, l'interrompit Morrow. Michael Brown *veut* qu'on procède à une nouvelle prise d'empreintes.

— D'accord. Eh bien, je vous retrouve là-bas.

Elle s'éloigna mollement vers une porte à l'arrière du bâtiment.

Morrow franchit en hâte la porte principale, sous la pluie de nouveau, tourna au coin du bâtiment et remontra sa tête et son insigne aux caméras à l'entrée du dépôt. Les cheveux plaqués sur son crâne par la pluie, elle rejoignit McCarthy.

Elle ne se rendit compte qu'elle était hors d'haleine que lorsque l'avocate apparut dans le bureau de derrière en compagnie du garde.

Soulevant l'abattant du comptoir, celui-ci vint à leur rencontre.

— D'accord, dit-il, je vais devoir vous demander de retourner dans le hall principal pour un contrôle de sécurité. Attendez à l'accueil, Mme Toner viendra vous chercher.

— Retourner là-bas ? s'indigna Morrow.

— Nous n'avons pas de scanner à rayons X et vous n'êtes pas autorisés à faire entrer de l'équipement, au cas où ce serait une bombe.

Il leur désigna la sortie. Elle savait qu'il s'adressait aux prisonniers de la même voix : un brin trop forte, neutre, inflexible.

Morrow et McCarthy franchirent les deux portes, sortirent sous la pluie, passèrent le coin du bâtiment et pénétrèrent dans le hall désormais désert du tribunal. Dexie leur fit signe d'avancer, passa aux rayons X le sac du lecteur d'empreintes, un œil sur l'écran de contrôle. Il l'ouvrit et en examina le contenu, tapotant le côté du bout de son crayon avant de refermer le rabat et de le tendre à McCarthy.

— La dernière fois que j'en ai vu un si vieux, c'était dans les mains d'une vieille nonne, sourit-il.

McCarthy lui répondit par un sourire mais la blague laissa Morrow de marbre.

En attendant qu'on vienne les chercher à l'accueil, elle en profita pour se sécher un peu les cheveux à l'aide un mouchoir en papier. Un écran suspendu au plafond, comme ceux qui annoncent les départs des vols dans un aéroport, listait les affaires entendues : Hancock contre ministère public : voie de fait avec intention de blesser, en séance ; Mullolo contre ministère public : vol simple, en séance ; Brown contre ministère public : ajourné.

Ils attendirent. Le regard de Morrow glissa jusqu'à la frise qui faisait le tour de la pièce. Certaines des lettres étaient gravées plus profondément que d'autres, certaines étaient plus grosses. Brusquement, elle se rendit compte que la frise ne disait pas

CACHÉ DES PAROLES

ÉNIGMES ;

Elle n'y avait jamais vraiment prêté attention, s'était contentée d'accoler les mots, de les tordre pour leur donner un sens artificiel. Proprement lue, la frise disait en fait :

ELLE SAIT LE SENS CACHÉ DES PAROLES

ET LA SOLUTION DES ÉNIGMES ;

— Qu'est-ce que c'est ? demanda-t-elle au réceptionniste.

Le réceptionniste leva la tête.

— C'est tiré du livre de la Sagesse, vous savez, dans la Bible.

Morrow ne connaissait pas, mais elle le lisait maintenant :

ELLE CONNAÎT LE PASSÉ

ET CONÇOIT L'AVENIR

Baissant les yeux, elle vit Finchley sortir de la salle d'audience, son attaché-case à la main. En la voyant, il se figea, légèrement bouche bée. Baissant la tête, il s'approcha et leur serra la main.

— Ajournement ? commenta Morrow.

— Atholl est à l'hôpital.

Elle fut d'abord secrètement heureuse de l'apprendre mais se reprit et mentit.

— Oh non, mais c'est affreux !

— Insuffisance hépatique. Plutôt grave. Ils l'ont admis il y a une heure.

266

— J'ai petit-déjeuné avec lui ce matin, dit Morrow. Dans ce café français, à l'heure de l'ouverture.

— Et pourquoi ça ? s'enquit Finchley, méfiant.

— Au sujet d'une autre affaire.

Elle voyait bien qu'il ne la croyait pas, mais elle ne pouvait pas laisser entendre au bureau du procureur que le dossier Brown risquait de partir en vrille avant que ce soit confirmé.

— Il est dans quel hôpital ?

— Royal.

— Oh mon Dieu.

Finchley se passa la langue sur les lèvres.

— Au sujet d'une autre affaire ?

Dans une heure ou deux, elle allait devoir l'appeler et lui avouer qu'elle avait menti. Mieux valait ne pas trop en faire. Elle marmonna une confirmation.

Finchley hocha la tête, les lèvres pincées, et s'éloigna l'air pensif. Croisant dans le couloir, sous l'escalier, la collaboratrice d'Atholl qui venait vers eux.

— Prêts ? fit-elle.

Morrow et McCarthy lui emboîtèrent le pas vers le cœur du bâtiment. On ne plaisantait pas avec la sécurité. Ils durent franchir trois portes verrouillées et descendre deux escaliers pour atteindre le dépôt, situé dans le sous-sol.

Deux gardiens étaient en faction à l'entrée, debout devant un mur d'écrans de surveillance qui diffusaient des vues au *fish-eye* de chacune des cellules. L'image était terne, les contrastes faibles. Des ombres grises assises sur des bancs, debout contre des murs. Un prisonnier, debout sur son lit, essayait de regarder dehors par le soupirail au ras du plafond.

L'avocate se présenta à l'un des gardiens, montra sa carte d'identité, posa son sac sur le bureau et se tourna vers Morrow en leur assurant qu'elle n'en aurait que pour une minute.

— Il faut que je lui dise pour Atholl, de toute façon.

Ils suivirent sa progression sur les écrans, la virent longer un couloir, venir vers eux sur un autre écran, pour ne plus apercevoir que le haut de sa tête tandis qu'elle attendait qu'on lui ouvre la porte de la cellule.

Une ombre, Michael Brown, se leva de son lit, au garde-à-vous pendant que le gardien parlait à travers le guichet. L'ombre tendit les bras devant elle et le garde pénétra dans la pièce, le fouilla, ne trouva rien et lui ordonna de s'asseoir, ce qu'il fit. L'avocate entra. Elle parla quelques minutes, les mains croisées devant elle. Brown leva le regard vers la caméra. Malgré la mauvaise définition de l'image, Morrow vit qu'il était désorienté. L'avocate quitta la cellule et la porte se referma. Brown, les mains sur la tête, se recroquevilla sur lui-même.

L'avocate apparut au bout du couloir.

— Il dit qu'Atholl ne lui a jamais rien demandé concernant les empreintes. Pour lui, c'est une première. Il veut des explications.

Atholl ne lui avait jamais demandé son avis. Ce qui voulait dire qu'il n'avait pas donné son accord, mais qu'il n'avait jamais refusé non plus. Morrow ne savait que penser.

— On a relevé ses empreintes sur une scène de crime...

Amusée et incrédule, l'avocate pensa d'abord qu'ils voulaient voir Brown porter le chapeau pour un autre meurtre. Mais Morrow précisa :

— Ce meurtre-là date de *la semaine dernière.*

L'avocate hocha la tête, elle commençait à comprendre.

— Oh, fit-elle.

— Il nous faut éclaircir cette histoire au plus vite.

— Oh.

Elle prit le temps de la réflexion, puis fit signe au gardien de la reconduire à la cellule.

Quand Morrow et McCarthy pénétrèrent dans la cellule, Michael Brown était debout. Les poings et la mâchoire serrés, il leva le menton vers Morrow d'un air de défi. Mais sous l'attitude bravache, elle voyait qu'il dépérissait.

— Bonjour, Michael.

Il les salua sèchement de la tête.

— Comment allez-vous ? On m'a dit que vous étiez malade.

— La maladie de Crohn, dit-il avec un rictus.

— Atholl est souffrant, vous avez appris ?

— À l'hosto.

— C'est ce qu'on m'a dit. Voilà l'agent McCarthy, que vous avez déjà rencontré.

Brown ne réagit pas.

— Son foie à ce qu'il paraît, dit-il.

— Ouais, ça doit être douloureux.

Elle fit signe à McCarthy de sortir le lecteur d'empreintes.

— Vous vous connaissez depuis longtemps, hein ?

— Ouais, depuis que j'étais gosse. Il m'a défendu la première fois.

— Oui, j'ai lu ça dans votre dossier.

McCarthy alluma l'appareil. Le capteur se mit à rougeoyer

— Pour mon frère, marmonna Brown avant de s'intéresser à la machine. Vous voulez que je m'asseye ?

— Comme vous voulez, Michael, ça nous est égal.

— Je crois que je vais m'asseoir.

Il s'avança jusqu'au lit d'un pas traînant, les genoux pliés comme un vieillard. Elle eut pitié de lui, de la vie merdique qu'il avait eue et de sa santé fragile. Il recula les mains vers le lit, tâtonna et s'assit en prenant appui sur ses bras.

— Alors, ce meurtre ?

— Les empreintes sont enregistrées comme étant les vôtres, Michael, ou quelque chose de très approchant. Nous ne savons pas trop mais nous avons besoin de vous éliminer même s'il est absolument impossible que vous soyez le coupable.

— Alors ils deviennent dingues les appareils à empreintes ?

Levant la tête vers elle, il lui adressa un grand sourire, qu'il voulait impertinent, mais il avait des gencives horribles, pâles et sillonnées de veines, et ses dents se déchaussaient. Il n'avait plus rien de menaçant, non pas parce qu'il était malade et avait perdu dix kilos, juste parce qu'il s'était résigné à son triste sort.

— *Aye*, eh bien, c'est ce qu'on va voir, répondit-elle, l'autorisant à conclure qu'ils s'étaient mis dans de sales draps.

McCarthy présenta l'appareil à Michael et lui demanda d'y poser d'abord le pouce de sa main droite, puis son index. Merci.

Le majeur maintenant, l'annulaire et l'auriculaire, merci. Même chose avec la main gauche à présent.

Ils faisaient vite, malgré le raté de l'appareil sur l'annulaire de la main gauche de Michael. L'opération était lente car la connexion au wifi était faiblarde.

— Alors, dit Morrow, vous avez dû rencontrer Atholl au sommet de sa gloire.

— Comment ça ?

— Dans les années 1990, c'était un ténor du barreau, non ?

— Pour ce que ça m'a servi !

Un voyant sur la machine clignota et elle s'avança pour lire l'écran. Échec de connexion.

— Essayez encore, dit-elle à McCarthy.

— Qui était l'autre avocat à l'époque ?

— Julius McMillan. Il est mort...

— Oui, j'ai entendu dire. Tout récemment. C'est triste.

— *Aye*.

Brown regardait le sol, visiblement fatigué. Ils auraient dû partir. La connexion serait meilleure depuis le rez-de-chaussée. McCarthy jetait sans arrêt des regards vers Morrow, se demandant pourquoi elle ne leur ordonnait pas de sortir.

— C'était la première fois qu'on prenait vos empreintes, à l'époque ?

— *Aye*, confirma Brown d'une voix faible.

— C'était différent ?

— C'était sur du papier. Voilà comment c'était différent.

— Ils avaient pris vos empreintes sur une carte ?

— *Aye*, y avait pas d'ordinateur à l'accueil chez les flics à ce moment-là. Ils les faisaient sur des cartes et ils les passaient dans la machine.

La falsification ne serait pas apparue dans la base de données. Les empreintes avaient été échangées avant leur enregistrement.

— Qui a pris ces empreintes ? Sur les cartes ?

Brown leva la tête et croisa son regard, épuisé mais conscient qu'elle lui posait une question cruciale.

— David Monkton, ça vous dit quelque chose ? dit-il.

— Je ne crois pas.

— Un connard, dit-il dans un murmure aussi faible qu'un soupir.

Elle se souvenait du cliché du garçon en T-shirt sale et regarda Michael maintenant. Il sortirait. Quand l'éventualité d'une erreur judiciaire serait révélée, ils le jetteraient hors de prison en attendant un nouveau procès, feraient le maximum pour ne pas aggraver leur cas. Elle se rendait compte à quel point il était malade, maintenant. Atholl disait qu'il recevait des soins. Dehors, c'était la mort assurée.

La machine annonça un nouvel échec de connexion.

— On ferait mieux de monter, dit Morrow.

Michael se leva quand ils partirent.

— Vous me direz, hein ? dit-il d'abord à Morrow avant de se tourner aussitôt vers l'avocate, craignant de demander un service à un flic.

— Nous vous informerons du résultat, assura l'avocate.

Ils quittèrent la cellule, le gardien fermant la marche et ver-rouillant derrière lui.

Comme le voulait la tradition en prison, Brown attendit que la porte soit refermée avant de hurler à Morrow qu'elle était une putain de salope et qu'il savait où elle habitait et que ses gosses étaient des petits cons et qu'il aurait sa peau.

Morrow s'arrêta et se retourna vers la porte. À l'époque, ils n'avaient fait qu'une bouchée de Michael Brown et maintenant, à cause d'elle, ils allaient devoir recracher leur proie.

— D'accord, Michael, dit-elle, une main coupable posée contre la porte en métal. Ça va comme ça, chef.

Désarçonné, il se tut puis cria :

— De toute façon, à bientôt !

— *Aye*, dit-elle en frappant doucement contre la porte du dos de la main. À bientôt.

27

Le Royal était un gros hôpital universitaire situé dans ce qui était jadis le centre-ville. Bâti à côté de la massive cathédrale médiévale, il surplombait une nécropole victorienne labyrinthique, où les monuments funéraires des grands hommes rivalisaient dans la mort comme leurs occupants avaient rivalisé dans la vie. Leur pompe était à présent écrasée par les extensions modernes de l'hôpital. C'était un bras-de-fer architectural que le milieu médical remportait haut-la-main, avec sa nouvelle maternité de béton et d'acier qui plongeait dans l'ombre la colline déjà sombre.

Morrow et Daniel repérèrent le nom d'Atholl sur un tableau dans le service des soins intensifs. Les infirmières refusèrent de les laisser entrer. Atholl était inconscient. Il sortait du bloc opératoire. Une overdose de médicaments. Les dommages à ses reins étaient irréversibles. Le visage grave, l'infirmière leur annonça qu'ils n'avaient qu'à attendre. D'un geste de la tête, elle leur désigna une femme assise non loin.

Morrow comprit aussitôt qu'il s'agissait de la femme d'Atholl. Une fausse blonde aux cheveux en bataille, mince, les yeux verts. Question âge, elle correspondait à Anton, sûre d'elle, d'une arrogante décontraction, elle portait un pantalon large en toile anthracite et un court pull col V gris. Le diamant de la bague à son annulaire gauche était si gros qu'il avait l'air faux.

Tendue, les yeux rougis, Mme Atholl se tenait bras et jambes croisées, les mains sous les coudes, recroquevillée à tel point que Morrow se demanda si elle parviendrait à se dénouer.

Elle regardait vers la chambre d'Atholl dans le couloir, une pièce vitrée au rideau à demi fermé, où s'affairait dans la vive lumière blanche la silhouette floue d'une infirmière.

Morrow dit à Daniel de l'attendre et s'avança vers elle.

— Madame Atholl ?

La femme leva les yeux vers Morrow, apprécia d'un seul regard son allure, se demanda si elle entretenait une liaison avec son mari, décida que non et puis dit :

— Oui, pourquoi, qui êtes-vous ?

Morrow sourit.

— Inspectrice Alex Morrow. J'ai travaillé sur le dossier qu'il défendait en ce moment même.

Mme Atholl hocha la tête en signe d'assentiment, avant de se pousser pour laisser Morrow s'asseoir à côté d'elle.

— Vous avez petit-déjeuné avec lui ? demanda-t-elle, méfiante.

— Au Pain Provençal, à 7 heures. Les croissants n'étaient même pas encore cuits.

La femme hocha la tête de nouveau.

— Il aimait...

L'emploi du passé les choqua toutes les deux.

— Anton a pris les cachets hier, continua-t-elle. Est-ce qu'il vous a dit quelque chose ?

Morrow se repassa mentalement les détails de l'affreux tête-à-tête.

— Nous avons bu un café. Il m'a dit qu'un de ses clients acceptait que je le rencontre. Il m'a dit qu'il avait commis des erreurs...

Mme Atholl interrompit Morrow par un « hum » et détourna le regard.

— Vous étiez amis, fit-elle.

Ce n'était clairement pas « amis » qu'elle voulait dire, mais il n'y avait aucune rancœur dans sa voix.

— Pas vraiment.

Elle se retourna, sembla apprécier la réponse.

— Pas amis ?

— Non, on se connaissait par le tribunal, il m'a fait subir un contre-interrogatoire, puis je lui ai demandé un service, à propos de ce client, et il m'a proposé de le rencontrer ce matin.

— Il vous a proposé ça quand ?

— Hier soir. Très tard. Il m'a laissé un message.

— Après les avoir avalés.

Elle eut un hochement de tête, sembla essayer de recoller les bribes des derniers instants de son mari.

— Ils pensent…

Elle s'exprimait d'une voix traînante avec un accent anglais, souple et délié, sans toute l'âpreté gutturale de l'accent de Morrow.

Ils allaient bien ensemble, la femme et le mari. Même intelligence, même vivacité, même charisme. Anton Atholl avait déstabilisé Morrow. Il l'avait poussée à se demander si elle risquait d'avoir une liaison, avec lui ou avec quelqu'un d'autre. Ça l'avait fait douter d'elle-même, comme si, sans en avoir l'intention, elle allait peut-être perdre pied, finir au lit avec un autre et faire voler en éclats tout ce qu'elle avait avec Brian et les garçons. Mais assise là avec Mme Atholl, la version féminine d'Anton, elle prit conscience qu'elle l'avait juste apprécié, rien d'autre.

— Des erreurs…, marmonna sa femme.

— Des erreurs, répéta Morrow.

Un silence confortable s'installa entre elles, dans le bourdonnement des néons et le ronron ponctué de bips des machines, jusqu'à ce que Morrow demande :

— Il va comment ?

— Il est, euh…

Elle cligna violemment des paupières.

— Ses organes le lâchent les uns après les autres. Il ne remonte pas la pente. Heureusement, il est inconscient.

Elle leva de nouveau un regard suppliant vers sa chambre dans le couloir, tendant le cou vers lui, dans l'espoir de quelque chose, mort rapide ou guérison miraculeuse, Morrow ne savait pas trop.

— Vous avez des enfants ? demanda-t-elle.

Morrow fit signe que oui.

— Anton et moi avons trois fils. Nous sommes séparés. Les garçons lui en veulent énormément. J'ai dit « papa a fait une overdose » et l'aîné m'a répondu « tant mieux ». Dur de vivre avec ça…

Elle porta la main à sa bouche, la pressa fort contre ses lèvres. Morrow voulut dire quelque chose de réconfortant mais il n'y avait rien à dire.

— Je vois des gosses survivre à des choses incroyables.

C'était idiot et banal mais elle s'y accrocha aussitôt.

— C'est vrai ?

— Oh, tous les jours, dit Morrow en cherchant désespérément un exemple. Tous les jours.

La femme la considéra, attendant avec elle que quelque chose de constructif lui vienne.

— C'est le quotidien qui fait le plus de dégâts, dit Morrow, incapable de refuser à la pauvre femme le réconfort des lieux communs. Pas les gros événements. Pas vraiment.

Mme Atholl acquiesça dans la pénombre. Morrow s'attendait à la voir plus cynique, plus comme Atholl.

— Je suppose.

Elle se tourna de nouveau vers la chambre.

— La boisson. C'est pour ça que je lui ai demandé de partir. Les sautes d'humeur. Tous les soirs nous avions droit à un homme différent. La mort de Julius n'a pas arrangé les choses. Il était dans le pavillon d'à côté.

— Julius McMillan.

— Oui.

— Qu'est-il arrivé à Julius ?

— Oh, fit-elle en secouant doucement la tête. Julius… il fumait comme un pompier, il était toujours au seuil de la mort, depuis dix ans. Si vous l'aviez entendu tousser, on aurait dit qu'on forait du pétrole.

Elle imita quelqu'un en train de tousser, mais un brin comiquement, en silence.

— Plutôt dégoûtant en fait. Il est tombé et ses poumons l'ont littéralement lâché. Pas surprenant, je crois. Je n'en reviens pas qu'il ait tenu jusque-là, à vrai dire.

Elle se tourna de nouveau vers la chambre d'Atholl.

— Il est *tombé* et ses poumons l'ont lâché ?

Elle marmonna un oui. Posa le regard sur Morrow et clarifia son propos en appliquant une main à plat sur son sternum.

— Il est tombé vers l'avant et ses poumons l'ont lâché. Ils devaient être pleins de goudron de toute façon.

— C'est vrai ?

Morrow essaya d'envisager la possibilité qu'un homme tombe sur son sternum sans lever les mains pour protéger son visage.

— Julius buvait aussi ?

— Non.

La femme d'Atholl tendait toujours le cou vers la chambre, guettant des changements, tandis que Morrow regardait d'un œil vide la lingerie, pièce à la blancheur crue de l'autre côté du couloir. Quand elle eut laissé passer un temps qui lui parut suffisant, elle demanda :

— Il ne s'est pas réveillé, si ? Vous a-t-il dit quelque chose ?

La femme cilla plusieurs fois et secoua la tête. Ses lèvres tremblèrent puis, avec réticence, elle dit :

— Ils ne pensent pas qu'il va...

Morrow se leva.

— Je suis désolée. Je l'aimais bien.

— Moi aussi, répondit-elle, d'un air triste et rêveur.

Morrow ne savait pas comment clore la conversation. Elle sortit sa carte.

— S'il y a quelque chose que je peux faire pour vous.

La femme la prit sans y accorder un regard.

— Merci.

Puisqu'elles étaient là, Daniel et Morrow en profitèrent pour aller sonner au pavillon d'à côté. L'infirmière de service les accueillit au comptoir mais refusa de répondre à quelque question que ce soit concernant Julius McMillan, à moins d'obtenir l'autorisation écrite de la direction de l'hôpital. L'accord de la famille était nécessaire. Morrow n'était pas sûre que l'infirmière sache vraiment de qui elles parlaient. Elle semblait plutôt avoir suivi un stage sur le secret médical et traiter la chose comme s'il s'agissait d'un test surprise.

— Nous sommes de la police, précisa-t-elle.

Peu importe, insista l'infirmière, peu importe de quelle agence elles disaient venir. Les dossiers des patients étaient centralisés et, pour l'heure, elle n'était pas en mesure de divulguer quelque détail que ce soit concernant leurs soins ou leur état de santé.

Levant la tête, elle croisa les bras devant elle avec un mouvement de hanche de défi. Un jeune toubib qui rangeait un dossier derrière elle leva les yeux en regardant le mur. Pas joyeuse, l'ambiance, dans ce pavillon.

— Merci beaucoup pour votre aide, lança Morrow avant de tourner les talons, Daniel dans son sillage.

Elles attendaient l'ascenseur quand le jeune toubib les rattrapa.

— Je vais me chercher un sandwich au bacon, dit-il avec un sourire chaleureux.

Grand et sec, il portait la tenue bleue des internes : mi-uniforme, mi-pyjama, nettoyage industriel. Il resta en retrait, la tête basse pour ne pas croiser leur regard, jusqu'à ce que les portes de l'ascenseur se referment.

— Vous vouliez savoir quoi à propos de M. McMillan ?

Morrow alla droit au but.

— Il est tombé et ses poumons ont lâché ?

Le toubib posa le bout de ses doigts sur son sternum, au même endroit que la femme d'Atholl.

— Il est tombé contre quelque chose, le bord d'un bureau ou un truc de ce genre. Il avait un gros hématome à cet endroit-là.

Ses doigts s'écartèrent vers l'extérieur.

— C'est possible ? s'enquit Morrow.

— Si le choc est assez violent, oui.

Souriant, il baissa les yeux vers elles et répondit à la question qu'elles n'avaient pas posée.

— Mon oncle est agent de police à Caithness.

Les portes de l'ascenseur s'ouvrirent et un couple de vieillards entra qui marchaient appuyés l'un à l'autre. Le médecin ne décrocha plus un mot et descendit à la cantine sans un regard vers elles.

Morrow était au lit quand le téléphone la réveilla. Encore dans les vapes, elle le porta à son oreille. C'était l'équipe de nuit au poste de London Road, qui lui annonçait qu'Anton Atholl était mort.

Se laissant retomber contre son oreiller, elle posa les yeux sur Brian. Il ronflait, la bouche ouverte, les dents en avant et un double menton sous sa mâchoire pendante. Dans la pénombre tiède de la chambre, elle tendit le bras au-dessus de la couette et posa sa paume contre la paume ouverte de son mari, goûtant la chaleur qui en émanait.

28

Morrow avait briefé l'équipe et évité une longue conversation avec Riddell concernant la condamnation bancale de Michael Brown. Dès qu'elle expliquerait l'erreur d'identification des empreintes, Brown serait dehors, mais elle avait la conviction que ça signerait son arrêt de mort. Elle esquiva son chef jusqu'à ce qu'il parte en réunion.

Tout le monde bossait dur maintenant. Les empreintes. Tout reposait sur les empreintes : Michael Brown n'avait pas tué son frère, mais quelqu'un d'autre l'avait fait. Quelqu'un qui courait toujours. Elle se demanda si l'assassin avait suivi l'affaire, avait vu Michael Brown envoyé en taule, avait appris pour sa sortie, et si ça lui faisait quelque chose.

Elle n'avait discuté de la mort d'Atholl avec personne, ne l'avait abordé dans son briefing à l'équipe qu'en mentionnant que l'affaire Brown était ajournée jusqu'à ce qu'on lui trouve un nouvel avocat. Elle ne savait pas comment parler de sa mort. Ça avait beau être lié au boulot, ça lui semblait personnel, sans lien avec une enquête en cours.

Assise à son bureau, elle y repensait de temps en temps – Atholl est mort, se disait-elle. Mais cela ne changeait rien à son enquête.

Elle se prépara un café, fit un tour rapide des bureaux de l'équipe, jetant un coup d'œil sur leur boulot, pour voir ce qu'ils faisaient, qui avançait dans l'enquête sur le concessionnaire auto et comment. Elle avait l'impression d'une journée informe, sur laquelle elle n'avait pas vraiment de prise.

Elle retourna dans son bureau et laissa la porte ouverte pour s'empêcher de penser à lui. Puis elle se souvint de l'invitation dans son sac à main.

Avant de la sortir, elle ferma la porte, s'assit à son bureau et poussa sur le côté le clavier de son ordinateur.

Une enveloppe carrée en vélin jaune, tachée de gouttes de pluie séchées. Une main sur la bouche, Morrow la contempla un moment. Elle écarta sa main et la contempla encore.

L'attrapant par le bas, elle glissa un stylo sous le rabat pour l'ouvrir, avant de la retourner et de la secouer pour en faire tomber la carte.

Un gaufrage vert foncé indiquait le nom d'Atholl. Sans mention d'aucune qualification, ni d'aucun de ses titres. Dans une police de caractère sans chichi.

Elle laissa traîner son regard à cet endroit-là un moment puis, prenant une profonde inspiration, entreprit de lire le court texte manuscrit :

Chère Inspectrice Alexandra Morrow,

J'espère vivement que vous passerez chez moi. Accordez une attention toute particulière, s'il vous plaît, aux deux flacons vides de paracétamol. J'ai fait de mon mieux pour ne pas toucher les côtés ou souiller les empreintes.

Je suis sincèrement navré de vous mêler à cette déplaisante affaire, mais à proprement parler, j'imagine, le meurtre est votre affaire.

Je vous trouve adorable. J'aurais aimé être quelqu'un de meilleur.

Sincèrement,

Anton Atholl

Je vous trouve adorable. C'était étrange, pendant cinq bonnes minutes, ce fut la seule phrase qu'elle vit vraiment.

Les mots dansaient, lui réchauffaient le cœur. Au café, il savait qu'il était en train de mourir. Elle regretta qu'il ne soit plus là, elle aurait aimé qu'ils vieillissent ensemble, dans la même ville, et se croisent de temps en temps au fil des ans. Elle aurait aimé qu'il soit encore en vie pour lui causer du souci.

Elle s'éloigna de la carte en basculant contre le dossier de sa chaise. Puis se leva et ouvrit la porte au moment où McCarthy passait.

— McCarthy.

Il se tourna vers elle.

— Trouvez-moi la dernière adresse connue d'Anton Atholl.

Il acquiesça de la tête et disparut.

Debout contre le mur, elle contempla de nouveau l'enveloppe. Il avait posé trois lettres sur la table, au café. C'en était une.

McCarthy passa la tête dans l'encadrement de la porte.

— Madame : Wallace Street. Tradeston. Au sud.

— On connaît qui au sud ?

— Tamsin Leonard est là-bas maintenant.

— Appelez-la pour moi.

Leonard n'avait pas le bras aussi long dans le sud que Wainwright dans le nord. Morrow dut attendre de recevoir la permission du chef de son chef avant de pouvoir aller jeter un coup d'œil sur place.

C'était l'endroit parfait pour un homme entre deux âges qui voudrait mettre fin à ses jours. L'appartement était situé sur les anciens docks, une zone sinistre de logements de luxe en bordure du fleuve. Danny avait habité juste en face, sur l'autre rive. Morrow n'aimait pas le quartier. L'appartement lui-même n'était pas meublé. Comme si Anton l'avait squatté. L'unique fauteuil tournait résolument le dos à la fenêtre donnant sur le fleuve. Un bouquet de cadavres de bouteilles gisait au sol. Les flacons de paracétamol se trouvaient sur la moquette : un à côté du fauteuil, un autre contre la plinthe.

Morrow avait expliqué qu'Atholl, un comte, avocat de profession, s'était suicidé dans d'étranges circonstances. La journée devait être calme au sud parce que l'inspecteur dont dépendait Leonard avait ordonné une fouille de l'appartement et un relevé d'empreintes.

Il n'y avait pas grand-chose à trouver : quelques vêtements, un ticket de pressing, un nécessaire de toilette ordinaire. Pas de provisions. Pas de dossiers. Pas de carnet d'adresses. En fouillant ses placards, ils avaient trouvé un Polaroid d'Anton Atholl dans une partouze. Morrow ne voulait pas regarder. Elle se détournait de l'image par réflexe, plissait les yeux pour s'empêcher de voir. Il aurait aimé être quelqu'un de meilleur.

Elle prit une profonde inspiration, regarda dehors puis se força à reposer les yeux sur la photo.

Atholl, ainsi que trois autres hommes qui formaient un mur à l'arrière-plan. Anton sautait une femme à quatre pattes, face à l'objectif. Morrow crut d'abord qu'il s'agissait d'un garçon : elle était si mince qu'elle n'avait presque pas de poitrine. Puis, l'image devenant plus nette, elle vit que ce n'était pas la minceur qui faisait sa petite carrure. La femme était une fille, une très jeune fille. Atholl grimaçait, le visage rougi. Les hommes derrière lui étaient flous, la tête hors du cadre à partir du menton, du nez.

Morrow leva la main.

— Ça suffit, dit-elle à l'agent qui lui tendait la photo. C'est bon.

On releva sous leurs yeux les empreintes sur les flacons de paracétamol avant de les envoyer dans le service de Morrow : toutes n'étaient pas celles d'Anton. On avait relevé un autre jeu, très net. McCarthy n'avait pas encore appelé mais Morrow savait déjà qu'il s'agirait des mêmes empreintes que celles qu'on avait trouvées sur la scène du meurtre d'Aziz Balfour.

En sortant, le technicien lui annonça que les empreintes sur le Polaroid et sur le flacon appartenaient à la même personne.

Elle descendit lentement l'escalier sans âme qui menait à la rue. On pouvait traiter les preuves en un instant, songea-t-elle, mais il lui faudrait peut-être une vie entière pour les passer au crible. Elle était incapable de trouver un sens ne serait-ce qu'à la moitié de ce qu'elle savait.

Ils retournaient au poste quand son téléphone sonna : un numéro inconnu.

— Bonjour. Inspectrice Morrow ?

— Oui, qui est à l'appareil ?

— Greta, répondit une femme à la voix rauque et faible que Morrow ne reconnut pas. On s'est vues hier soir.

Elle s'interrompit pour renifler bruyamment.

— Désolée, répondit Morrow, je ne connais pas de...

— Greta Atholl. Lady Greta Atholl. La femme d'Anton. J'ai reçu une lettre de lui. Je me suis dit qu'il fallait que j'appelle... quelqu'un.

Anton avait écrit une lettre à sa femme et une autre à ses fils.

Les deux enveloppes étaient posées sur le plan de travail à l'autre bout de la cuisine, à l'envers. Les cartes étaient sorties et avaient été lues. Elles gisaient sur le granite noir étincelant tels des insectes albinos morts.

Assises à la table, Greta et Morrow les contemplaient. Daniel, pour sa part, était restée dans le salon. On ne leur proposa ni thé ni café, on ne leur mit pas d'assiettes de biscuits entre les mains. Toute la maison était sonnée. Greta se déplaçait comme si elle craignait de se briser : lentement, précautionneusement, soulagée de s'asseoir.

Elles avaient pris place autour d'une petite table devant une porte-fenêtre qui ouvrait sur un jardin bien entretenu, la grande pelouse ponctuée de ballons de rugby usés par les intempéries et de jouets déchiquetés par les chiens. De vieux arbres abritaient le fond du jardin, lui apportant couleur et texture, alors que les haies dépérissaient pour l'hiver.

La maison était magnifique. Une grande bâtisse carrée de style géorgien en pleine campagne pas loin d'Hamilton, assez proche de l'autoroute pour permettre une échappée rapide vers Edimbourg ou Glasgow. Tout autour s'étendaient de doux pâturages pour les chevaux et des champs de fleurs sauvages.

Alors qu'ils approchaient, Morrow s'était imaginé Anton et Greta en train de s'installer, un beau couple, ses trois beaux enfants et un gros chien. Greta avait ouvert la porte, les invitant à pénétrer dans le silence qui régnait à l'intérieur. Dans le vestibule moquetté, elle avait pris leurs manteaux pour les suspendre à un porte-manteau prêt à s'effondrer sous le poids des écharpes, des vestes et des parkas d'adolescents.

Et pourtant, la maison était silencieuse. Greta Atholl les guida jusqu'aux lettres. Alors qu'ils traversaient une enfilade de pièces, salon de télé, salon de réception, une belle salle à manger meublée d'une table antique et de ses dix chaises, Morrow les avait imaginés au fil des ans, achetant des meubles, des rideaux, des tapis.

Mais maintenant qu'ils étaient assis dans la cuisine, le regard rivé sur les lettres posées sur le plan de travail, elle sentait leur lente descente vers l'enfer des récriminations. Les disputes, les ruptures, le paracétamol. Il ne restait presque aucune trace d'Anton dans la maison. Ni manteau, ni chaussures, ni chien trop bien nourri. Comme si ici, il n'avait jamais été qu'une idée.

Les lettres ne présentaient pas un grand intérêt pour l'enquête. Il disait à sa femme qu'il l'avait toujours aimée, qu'elle était trop bien pour lui, qu'il voulait qu'elle l'oublie et refasse sa vie. Les larmes avaient moucheté le papier. La lettre à ses fils était tout aussi insipide, mais Morrow en était contente. Les lieux communs n'apporteraient peut-être guère de réconfort, mais ils ne hanteraient pas non plus.

— Vos fils vont bien ?

Greta haussa les épaules.

— Ils n'ont pas encore vraiment réalisé, dit-elle d'un air désolé et son regard s'égara de nouveau vers les lettres sur le plan de travail.

— Vous voulez que je les emporte ?

Greta fit signe que oui.

— Je vous les rendrai.

— Je ne veux pas qu'on me les rende, répondit Greta.

29

Pour économiser les quarante minutes de trajet aller-retour jusqu'à Busby, ils demandèrent à Yvonne McGunn, seul témoin indépendant de l'interrogatoire de Michael Brown en 1997, de venir au poste. Quand Morrow la vit assise dans le hall de London Road, elle regretta de n'avoir pas choisi d'aller jusqu'à elle. Sa date de naissance, sur le formulaire d'identification des adultes accompagnants, lui donnait quarante-cinq ans, mais la maladie l'avait rendue sans âge.

Elle attendait les yeux fermés, le visage bouffi et marbré de violet sous de fins cheveux blonds qui avaient besoin d'être lavés. L'ourlet de sa robe bleue à fleurs laissait apparaître des chevilles violacées, boursouflées, grosses comme la cuisse d'un homme et des pantoufles en velours noir fermées par du Velcro. Elle ouvrit les yeux à l'approche de Morrow.

Morrow se présenta, présenta Wheatly et tous deux serrèrent sa main gonflée.

— Yvonne, je suis vraiment désolée de vous avoir fait venir, je ne savais pas que vous étiez souffrante.

Yvonne leva la main.

— Ne vous en faites pas, ça va aller.

— Je suis vraiment désolée. Si vous voulez bien me suivre, nous vous raccompagnerons chez vous après...

Morrow s'interrompit pour laisser à Yvonne le temps de protester, mais elle ne le fit pas. Elle était trop occupée à essayer de se lever. Penchée de tout son poids sur sa canne à quatre pieds, elle tenta de se hisser sur ses jambes. C'était douloureux à regarder. Morrow tendit deux fois une main pour l'aider, puis glissa finalement un bras sous celui d'Yvonne en faisant signe à Wheatly de faire de même de l'autre côté. Ils comptèrent jusqu'à trois, soulevèrent et parvinrent à la mettre debout. Morrow se retrouva avec une main trempée de sueur dont elle ne savait que faire. Mais c'était sa main gauche. Wheatly s'était servi de sa droite.

Morrow avait prévu de l'emmener à la salle d'interrogatoire de l'étage, mais l'ascenseur se trouvait à plus de cinquante mètres, il fallait franchir deux portes verrouillées pour y accéder. La chose paraissait infaisable. Elle se rabattit sur la petite salle d'interrogatoire du rez-de-chaussée, à côté du comptoir d'accueil, rarement utilisée. Ici, pas de magnétophone ni de caméra, une simple table et quatre chaises. Ils installèrent Yvonne sur la chaise la plus proche de la porte et s'assirent en face.

— Bon Yvonne, savez-vous pourquoi vous êtes là ?

Yvonne fit signe que oui.

— Nous voulions vous parler du lendemain de la mort de Diana. Vous travailliez au foyer de Cleveden House et on vous a appelée au sujet d'un jeune garçon...

— Michael Brown.

— Tout à fait, Michael Brown. Vous vous êtes rendue au poste de police de Stewart Street en tant qu'adulte accompagnant. Vous pourriez nous raconter ?

— Oui.

Les deux femmes se dévisagèrent.

— Vous voulez savoir quoi ?

— Vous pourriez peut-être commencer par m'expliquer en quoi consistait votre travail.

— Je faisais partie de l'équipe du foyer. J'ai trouvé ce poste en sortant de l'université. J'ai suivi une formation d'éducatrice spécialisée.

— Qui a appelé le foyer ?

— La police. Ils ont demandé que quelqu'un qui connaissait Michael vienne assister à l'interrogatoire, un visage familier.

— Et vous connaissiez Michael ?

— Plutôt très bien. C'était l'un des premiers gamins à avoir été admis à Cleveden House après mon arrivée. Ces gosses-là, ceux que vous rencontrez au début, vous ne les oubliez pas. Je sais que les choses ont mal tourné pour lui maintenant, mais c'était un petit gars adorable à l'époque, très proche de son grand frère John. Son surnom c'était Pinkie.

À l'évocation des deux garçons, son visage s'illumina d'un sourire.

— Pourquoi l'appelait-on Pinkie ?

— Parce qu'il avait le petit doigt cassé[1].

Elle leva la main et dressa l'auriculaire.

— Pourquoi vivaient-ils en foyer ?

— Je ne suis pas autorisée à en parler.

Morrow apprécia. Les faits étaient anciens et il y avait peu de chances que Michael Brown la poursuive pour diffamation, mais elle avait encore du respect pour lui et pour son histoire.

— Il était gentil à l'époque ?

— Adorable, répondit-elle sans aucune hésitation. Un petit gars adorable. Il adorait qu'on lui lise des histoires et les émissions pour enfants à la télé. Il était gentil et pleurait beaucoup, il n'en avait que pour Pinkie, pour John. Après la mort de Pinkie, je n'ai pas vu Michael pendant longtemps et quand j'ai eu de ses nouvelles par les journaux, apparemment il était devenu complètement quelqu'un d'autre. C'est bizarre de voir à quel point les gens peuvent changer. Ça n'avait tellement rien à voir avec le petit gars que je connaissais que je me suis même demandé s'il avait eu un traumatisme crânien. Quelle tristesse.

— Donc, le lendemain de la mort de Diana…

— Oui, donc cette nuit-là, quand la police a appelé, on savait qu'ils avaient Michael, qu'ils l'interrogeaient sur la mort de Pinkie mais on ne s'attendait pas à ce que ça donne quelque chose. Michael adorait John, je veux dire, et il n'avait pas de couteau sur lui ni rien de tout ça. Quand il avait appris, pour John retrouvé mort, il s'était effondré.

— Vous étiez là quand ils le lui ont annoncé ?

---

1. *Pinkie*, en anglais, signifie « petit doigt ».

— Oui. La police est arrivée, elle nous a annoncé la nouvelle et nous a demandé d'aller chercher Michael et de le ramener au bureau. C'est pour ça que c'est moi qui ai ensuite assisté à l'interrogatoire. Parce que j'étais présente quand ils lui ont annoncé la mort de Pinkie.

— Comment a-t-il réagi, exactement ?

— Il était vraiment bouleversé.

— D'accord, mais vous pouvez me dire où ils le lui ont dit ? Comment ils le lui ont dit ?

— Eh bien...

Les yeux vers le plafond, elle remontait le temps.

— Michael est entré dans le bureau, c'était une petite pièce plutôt bordélique, pleine de tableaux de service et de trucs de ce genre. Avec de grandes ouvertures à l'intérieur pour que les enfants puissent vous parler depuis le couloir même quand vous bossiez. Il est entré et il y avait ces deux flics, en uniforme, qui lui ont demandé de s'asseoir. Il avait l'air un peu inquiet, mais il pensait sans doute que c'était lié à ses parents ou quelque chose ; il ne les avait pas vus depuis longtemps. Il s'est assis et je me souviens qu'il a regardé vers le couloir. Un gosse est passé et j'ai vu son visage s'illuminer un bref instant, c'était comme de l'espoir, ou de la joie, ou quelque chose comme ça, parce que je pense qu'il avait cru reconnaître Pinkie.

— Selon vous, à ce moment-là, il ne savait pas que Pinkie était mort...

— Non, il ne savait pas.

— Qu'est-ce qu'il savait à votre avis ? Vous croyez qu'il savait que Pinkie avait été poignardé mais pas qu'il était mort ?

— Il ne savait même pas ça d'après moi. Je n'ai jamais cru qu'il avait tué son frère. Quand ils ont retrouvé ses empreintes partout sur les lieux du crime, je n'en revenais pas. Si c'était lui le coupable, il ne se souvenait plus de rien, parce que quand il lui ont annoncé que Pinkie était mort, il s'est effondré. Il est tombé de sa chaise. Il ne réalisait pas, je veux dire. Il est resté sonné toute la journée. Il n'a rien mangé. On avait fait des macaronis au fromage – il adorait ça, son plat préféré –, mais il n'y a pas touché. J'ai dû m'asseoir avec lui et le forcer à boire de l'eau. Il était en miettes. S'il l'a fait, il ne se souvenait de rien.

— Donc vous, vous n'y croyez pas.

— Non. J'étais assez naïve à l'époque. Avec l'âge, je suis devenue plus cynique mais je n'y crois toujours pas. Il adorait Pinkie. Pinkie, c'était sa seule famille, vous savez ? Michael pouvait être tendre parce que Pinkie n'était pas commode. Pinkie le protégeait, le laissait pleurnicher. Il l'autorisait à être un enfant. Plus qu'il n'avait jamais pu l'être lui-même.

— Donc, le soir de l'interrogatoire de Michael, que s'est-il passé ?

— Ah, oui... la police est venue et a demandé à parler à Michael. Ils l'ont emmené au poste...

— Un éducateur n'aurait pas dû l'accompagner ?

— Eh bien, on était en sous-effectif et on ne pouvait pas laisser les autres enfants sous la surveillance de deux personnes seulement, ça aurait été illégal. On voulait l'accompagner, vous pouvez me croire, mais on pouvait difficilement dire à vos collègues qu'ils allaient devoir attendre demain parce qu'untel et untel étaient malades ce soir-là. Ils nous ont présenté ça comme une simple conversation informelle, on ne pensait pas que c'était grave, je veux dire. C'était impossible que Michael soit impliqué. Et puis tout d'un coup, Michael devient suspect et ils nous appellent pour savoir si l'un de nous peut venir au poste assister à l'interrogatoire.

Morrow fit signe qu'elle comprenait. Elle regretta de n'avoir rien pour enregistrer – elle avait besoin de tout clarifier avant de continuer, pour être sûre que ça allait s'imprimer correctement dans sa tête.

— Donc, on annonce la mort de Pinkie à Michael le matin après les faits. Puis plus tard dans la journée, la police vient le chercher pour une conversation, ils ne l'ont pas arrêté, ne lui ont pas lu ses droits ni rien ?

— Non, absolument pas. J'étais avec lui, au poste de police, quand ils lui ont lu ses droits.

— Si je comprends bien, quelque chose a changé entre leur départ du foyer et leur arrivée au poste ?

— On m'a dit qu'il avait avoué à l'un des flics dans la voiture.

Elle avait l'air sceptique.

— Qui vous a dit ça ?

— Quand ils ont appelé, c'est ce qu'ils nous ont dit. Qu'il avait avoué dans la voiture pendant le trajet.

— Vous savez qui vous a appelée ?

— Non. Je ne me souviens pas des noms. On était tous sacrément secoués.

— Donc vous êtes arrivée, au poste, et là, que s'est-il passé ?

Yvonne raconta pas à pas l'interrogatoire mais rien de ce qu'elle mentionnait n'éclaircissait quoi que ce soit.

— Il avait aussi des coupures aux mains, comme s'il avait frappé quelqu'un ou quelque chose. Ça ne s'est pas fait dans la douceur, c'est ce que je veux dire.

Morrow acquiesça machinalement.

— Je vois. Vous étiez là quand ils ont pris ses empreintes ?

— Non.

— Il vous en a parlé ?

— Non.

— Vous vous souvenez de l'agent McMahon.

— Un policier ?

— L'un des agents qui ont procédé à l'arrestation. Grosse moustache.

— Non.

Morrow ne savait pas quoi demander d'autre. Elle se leva et ouvrit la porte qui donnait sur le hall.

— Eh bien, Yvonne, merci infiniment d'être venue nous voir. Nous pouvons trouver quelqu'un pour vous raccompagner chez...

— J'ai une voiture dehors, la coupa Yvonne en se retournant vers sa canne. Ça va aller.

— Je n'en reviens pas que vous vous souveniez si bien de tout ça.

— La mort de Diana, ces deux meurtres, ce n'est pas le genre de nuit qu'on oublie.

Morrow grimaça.

— Vous pensez vraiment qu'elle a été assassinée ?

Le quiproquo fit rire Yvonne.

— Non, quand je dis les deux meurtres, je parle des meurtres qu'il y a eu à Glasgow cette nuit-là : Pinkie et l'autre, devant le foyer de Turnberry. Je ne voulais pas dire Diana ! Diana, je m'en fiche bien !

— Qui d'autre a été tué ?

— Oh… une gamine de Turnberry a tué le type qui la maltraitait devant le foyer. À coups de couteau, là aussi. Très triste. Ça n'est même pas passé dans les journaux. À cause de Diana sans doute.

Une heure et demie plus tard, Morrow se leva de son bureau.

La fille inculpée du meurtre devant le foyer pour enfants de Turnberry la nuit où Pinkie Brown avait été tué s'appelait Rose Wilson. Morrow avait demandé à McCarthy de télécharger puis d'imprimer le compte-rendu d'audience. Rose Wilson avait Julius McMillan comme avocat et aucune preuve, empreintes ou autre, n'avait été versée au dossier, car Rose Wilson avait plaidé coupable.

Elle habitait aujourd'hui Milngavie, un hameau de prestige au nord de la ville, à la même adresse que Robert McMillan, avocat à la cour.

30

C'était une étrange maison. La seule chose cohérente sur la façade était la peinture blanche. Devant le portillon du jardin, Morrow et McCarthy contemplaient l'arrière de deux grosses berlines identiques. Personne n'avait pris la peine de les garer cinq ou six mètres plus loin, dans le double garage dont le toit était semblable à celui de la bâtisse principale attenante. Elles étaient parquées dehors, comme deux taureaux médaillés abandonnés dans un enclos.

La maison elle-même était basse, à l'architecture si surchargée – colonnes ici, fenêtre d'escalier là, avant-toits, cheminées d'ornement – que l'œil ne pouvait pas distinguer où se trouvaient les étages. La porte d'entrée n'était pas particulièrement grande mais elle était flanquée de deux rangées de colonnes jumelles, et l'allée qui y menait serpentait furieusement à travers le jardin.

— Je déteste ces nouveaux bâtiments, commenta McCarthy, comme s'ils étaient tous comme ça.

— Beau quartier, cela dit, répondit Morrow, en balayant du regard la rue bordée de maisons d'égale laideur.

Trois sur les cinq étaient à vendre.

— C'est chic.

— Fauché, oui, remarqua McCarthy, le regard sur un panneau *À Vendre* criard chez le voisin.

Une voix de femme répondit à l'interphone. Puis un voyant rouge clignota sur l'objectif de la caméra. Le portail se déverrouilla en silence et s'ouvrit.

Ils le poussèrent comme s'il s'agissait d'une barrière à l'entrée d'un champ et s'engagèrent dans l'allée en briques de l'autre côté du muret. De toute évidence, les paysagistes avaient imaginé son parcours sinueux pour donner une fausse impression de distance. Mais dans les virages, la pelouse était pelée et Morrow remarqua une petite empreinte dans la boue. Des enfants, plus d'un à en juger par les traces de pas, prenaient des raccourcis.

Une jeune femme les attendait sur le perron. Les cheveux tirés en une haute queue-de-cheval, une belle peau, une silhouette élégante noyée dans un pullover moutarde distendu et des Uggs aux pieds. Elle portait de petits anneaux dorés aux oreilles et une fine chaine en or tombait sur ses clavicules. L'ensemble était de très bon goût, très classe moyenne supérieure, mais Morrow reconnut Rose Wilson d'après sa photo d'identité judiciaire. Elle avait toujours les mêmes pommettes rondes et les mêmes lèvres fines que lorsqu'elle était enfant, un front étroit sous son épaisse chevelure noire.

— Je peux vous aider ?

— Oui, fit Morrow en tendant la main. Peut-être bien. Nous cherchons Rose Wilson.

Une courte hésitation puis elle dit :

— C'est moi. Vous voulez bien entrer ?

Pas une question, mais une formule de politesse, une réponse automatique. Rose recula et disparut dans le vestibule. Ils n'avaient pas d'autre choix que de la suivre.

C'était un grand vestibule, comme on aurait pu en trouver dans un petit hôtel. Rose Wilson prit leurs écharpes et leurs manteaux, qu'elle suspendit à des crochets dans un placard. Morrow percevait le son d'une voix provenant de l'une des pièces, une voix Disney, un adulte imitant un bambin qui posait une question, suivie d'un grondement d'effets spéciaux.

— Vous avez des enfants ? demanda-t-elle, d'un ton qu'elle voulut détaché.

— Non, je suis… je suis la nurse. Nous en avons trois : sept, huit et demi et dix.

— Sympas ces âges-là, dit Morrow.

Elle jeta un regard vers le haut de l'escalier, se demandant où était la mère.

— Et vous, vous avez des enfants ? demanda Rose.

— Des jumeaux. Un an.

— Waouh, fit Rose d'une voix indolente, ça doit être du boulot.

— On s'en sort.

Rose leur fit signe d'avancer dans le couloir jusqu'à une cuisine que jouxtait une salle à manger. Au fond, la grande baie vitrée donnait sur un jardin tristounet. Une pelouse. Un mur d'enceinte. Rien d'autre. Pas de mobilier, pas de jouets, pas de vélos gisant abandonnés sous la pluie. La cuisine était immaculée.

— Un thé ? Un café ? demanda Rose.

— Non merci, répondit McCarthy.

Le regard de Morrow fut attiré par la cuisinière. C'était étrange : tout dans la maison était impeccable, tout sauf la cuisinière, maculée de sauce tomate essuyée à la va-vite. Les volutes rouges lui évoquèrent la jeune fille couverte de sang sur la photo d'identité judiciaire, au point qu'elle se demanda si l'image avait aussi traversé l'esprit de Rose pour qu'elle abandonne ainsi le torchon à carreaux dans l'évier. Elle n'était pas en train de nettoyer quand ils avaient sonné. Le bord des taches était déjà sec. Elle avait juste renoncé et abandonné le torchon là. Peut-être qu'ils avaient une femme de ménage et que c'était à elle de s'en charger.

— Alors, en quoi puis-je vous être utile ?

— Alors…, fit Morrow en se retournant vers elle. Est-ce qu'on peut s'asseoir, Rose, s'il vous plaît ?

— Bien sûr.

Ils prirent place à une extrémité de la table. Rose suivit leurs mains du regard, s'attendant peut-être à les voir sortir un formulaire ou autre chose de cet ordre. Morrow attrapa un carnet et un stylo.

— Vous savez pourquoi nous sommes là ?

— Robert ?

Elle se mordit violemment la lèvre.

— *Robert* ? répéta Morrow.

— Vous l'avez trouvé ?

Les yeux de Rose se voilèrent de larmes, elle se mit à sangloter, tâta ses poches à la recherche de mouchoirs, en trouva un et sécha ses yeux.

— Pardon, dit-elle.

— Robert McMillan ?

— Vous l'avez retrouvé ?

Elle comprit soudain en les regardant qu'ils n'avaient pas la moindre idée de ce dont elle parlait.

— Ce n'est pas la raison de notre venue, dit Morrow. Robert a disparu ? Depuis quand ?

— Oh…

Rose avait un peu perdu contenance.

— Robert ? Il a disparu oui, je croyais que c'était pour ça que…

— Non, non.

— C'est juste que quand des agents de police se présentent ici…

— Je sais, dit Morrow. On ne vient généralement pas vous annoncer que vous avez gagné au loto, n'est-ce pas ?

Rose se mit à rire, les yeux toujours noyés de larmes.

— Pardon, dit-elle.

— Quand a-t-il disparu ?

— Après la mort de son père.

Elle prit conscience qu'ils n'étaient peut-être pas au courant.

— Excusez-moi : son père est mort, il était bouleversé et il a disparu.

— Rose, c'est de Julius que je voulais vous parler. Il était votre avocat il y a longtemps, n'est-ce pas ?

Morrow n'avait jamais vu un visage se fermer si vite. Rose redressa le dos, se raidit et ne montra plus aucune expression. Mais c'était à elle de parler et c'est ce qu'elle fit.

— Julius ?

— Oui. Quand vous avez tué Samuel McCaig ?

— Oui, Julius m'a défendue, à l'époque, oui.

— Et vous êtes restés en contact.

— Oui. Il venait me voir en prison. Nous sommes devenus très proches. Robert était à peine plus vieux que moi et son père l'emmenait. J'ai commencé à travailler pour eux peu après ma sortie.

298

— Vous deviez vous apprécier ?

— Beaucoup.

— Il était comme un père.

— Comme un grand-père.

Mais quelque chose lui traversa l'esprit qui la mit mal à l'aise et elle se corrigea :

— Un bienfaiteur. Comme dans un vieux film ou un truc comme ça.

Morrow acquiesça machinalement.

— Vous vous souvenez de la nuit où Diana est morte ?

Rose cilla.

— Bien sûr.

— C'était la nuit où vous avez tué Samuel McCaig.

Elle cilla de nouveau, les yeux rivés sur le plateau de la table.

— Bien sûr.

— Vous avez plaidé coupable. Il vous a agressée. Il avait déjà agressé des jeunes filles.

— C'est ce que j'ai appris. Après coup.

— Il s'est passé autre chose cette nuit-là ?

Il n'y avait pas de réponse évidente à cette question. Rose leva les yeux.

— Diana est morte ?

— Pinkie Brown est mort.

Soudain, comme si elle était tombée du ciel, Rose fut de retour dans cette ruelle, les mains mouillées et les lèvres serrées pour que rien ne puisse y entrer, son jeune corps endolori. Elle avait mal entre les fesses et elle était paralysée de terreur. Mais sans desserrer les lèvres, elle parvint à marmonner :

— Qui ça ?

— Pinkie Brown. Un garçon de quatorze ans qui vivait en foyer. Pas dans le même que vous, juste au bout de la route, à Cleveden. Je me souviens de ces foyers. Ils aimaient bien traîner ensemble, ceux de Cleveden et Turnberry, non ? Quand ils ne se battaient pas.

— Oui.

— Ils traînaient en petites bandes, non ?

— Oui.

— Parce qu'ils étaient voisins.

— Oui, oui, c'est vrai. Mais je ne connaissais pas Pinkie Brown.

Elle se souvenait de lui, Morrow le comprit à l'éclair qui passa sur son visage. Puis elle s'affaissa, comme si elle rétrécissait et se repliait sur ses hanches jusqu'à disparaître.

— Non, je ne me souviens pas... je ne me souviens pas d'un petit frère.

Morrow bascula contre le dossier de sa chaise et prit une grande inspiration comme si elle racontait une histoire. McCarthy pencha la tête de côté, pour écouter. Rose fixait la table d'un regard noir.

— La nuit où Diana est morte était une nuit étrange, pour tout le monde. Mais ça, c'est tout de même vraiment bizarre : deux meurtres commis à moins d'un kilomètre l'un de l'autre et deux enfants inculpés. Tous les protagonistes – les inculpés comme les tués – ont un lien avec Turnberry et Cleveden. Les deux victimes ont été tuées à coups de couteau. Toutes les deux avec plus ou moins le même *genre* de couteau. On en a retrouvé un...

Elle toucha le bras de Rose.

— ... celui dont vous vous êtes servie, vous, l'autre en revanche jamais. Mais – et c'est là que tout ça, pour moi, devient vraiment bizarre – personne n'a jamais fait de lien entre les deux meurtres.

Rose la regarda et ne dit rien un instant.

— C'est Julius ? demanda-t-elle.

— Que voulez-vous dire ?

— Il a laissé des lettres ou quelque chose ?

— Je ne sais pas ce que vous voulez dire.

— Pourquoi êtes-vous là ? demanda-t-elle d'un ton suppliant qui laissa Morrow perplexe.

— Michael Brown a pris perpète. Il vient de tomber pour autre chose. Il va passer le restant de ses jours en prison. J'ai besoin de savoir si c'est juste.

Rose se gratta le menton.

— Il ressemble à quoi ?

— Michael a grandi en prison. Il est sorti il y a trois ans et il est de nouveau sous les verrous. À quoi vous croyez qu'il ressemble ?

300

Rose se retourna brusquement et jeta un coup d'œil dans le couloir. Elle s'inquiétait pour les enfants.

— Rose, ils ont pris vos empreintes quand vous avez été arrêtée ?

— Bien sûr.

— Elles ne figurent pas dans nos archives.

Elle fronça les sourcils.

— Elles devraient y être. Ils les ont prises.

— Qui les a prises ?

— Je ne sais pas, mais ils les ont prises. J'ai eu de l'encre sur les doigts pendant des jours, ça ne voulait pas partir...

Elle se frotta la pulpe des doigts.

— Elles ne sont pas dans nos archives. J'ai regardé votre dossier au fichier décadactylaire. Ce sont les empreintes de Michael Brown. Elles correspondent à ses empreintes d'*aujourd'hui*. Les vieilles, celles sur la base desquelles il a été inculpé du meurtre de son frère, ce ne sont pas les siennes.

Rose replia ses doigts dans sa paume et tenta un sourire.

— Comment pouvez-vous affirmer que ce ne sont pas les miennes ?

— Parce que je les ai confrontées à la base de données.

Rose planta son regard dans celui de Morrow.

— Pourquoi vous faites ça ?

— Je suis officier de police.

— C'est de l'histoire ancienne, murmura Rose. Ça change quoi ?

Un léger bourdonnement dans le vestibule la fit sursauter. Elle se leva, s'excusa et s'avança comme une somnambule vers la porte.

S'arrêtant sur le seuil, elle se retourna, ouvrit la bouche comme si elle s'apprêtait à dire quelque chose mais se tut. Elle gagna le vestibule. Morrow se leva d'un bond et fit signe à McCarthy de ne pas quitter Rose des yeux.

Ils la rejoignirent et la regardèrent répondre à l'interphone, scruter l'image de l'écran vidéo et ouvrir.

Deux hommes de grande taille se tenaient dans l'encadrement de la porte. Morrow vit pour la première fois à quoi la mort pouvait ressembler depuis l'intérieur d'une maison. Les visages soucieux mais stoïques, la demande de parler à la famille. Rose fit volte-face et courut à l'étage, la tête rentrée dans la poitrine. Les flics à la porte reconnurent Morrow et McCarthy.

— Qu'est-ce que vous faites là ? demanda l'un d'eux, avec un froncement de sourcils qui présageait une mauvaise nouvelle.

Morrow expliquait qu'ils venaient vérifier deux ou trois petites choses sur une vieille affaire quand Francine McMillan se présenta en haut de l'escalier.

C'était une belle femme. Mince et élancée, des cheveux blonds virant au gris argent, la peau pâle, les bras et les jambes minces. Elle portait un pyjama de soie grise. Rose la tenait par le bras pour l'aider à descendre, tandis que de l'autre main elle prenait appui sur la rampe.

Le simple fait de se mouvoir représentait pour elle une épreuve, mais elle adressa tout de même un petit sourire au groupe de policiers et les salua d'un bonjour.

Une fois en bas des marches, elle parut un peu perplexe.

— Qui est... ?

— Oh, dirent les visiteurs, c'est nous. Voulez-vous vous asseoir ?

Francine se dirigea à pas lents vers la cuisine.

— Oui, je ferais bien, je crois.

Sur le seuil, elle chancela, essaya d'avancer encore mais elle en était incapable. Quand Rose lui prit le coude, Francine leva les yeux vers elle et les deux femmes se sourirent.

Rose se retourna vers le vestibule.

— Francine a...

— Parkinson, l'interrompit Francine.

Rose lui sourit.

— Sur les seuils...

— Je cale, dit Francine qui parvint à lever haut son genou pour le poser dans la cuisine.

Morrow et McCarthy les regardèrent disparaître à l'arrière de la maison. Ils virent Rose asseoir Francine avec douceur, sans jamais quitter des yeux son visage, et s'asseoir à côté d'elle. Les agents de police prirent place de l'autre côté de la table, leur silhouette de dos se détachant dans l'encadrement de la porte

Ils ne percevaient que le roulement sourd d'une voix annonçant la nouvelle, un acte de destruction irréversible. Francine chavira lentement vers la table, ses vertèbres dessinant une chaîne de montagne parfaite à travers la soie de son pyjama. Rose avança lentement une main compatissante qu'elle posa délicatement contre son dos. Tournant vers elle son corps mince, Francine s'effondra dans ses bras.

— On devrait peut-être partir, suggéra McCarthy.

Morrow ne voulait pas mais ils étaient impuissants. Avec davantage de preuves, ils auraient pu justifier une arrestation et la prise d'empreintes de Rose Wilson mais pour l'instant, ils n'avaient rien. La famille venait de perdre un père. Rester ressemblerait à du harcèlement.

— Allez chercher les manteaux, dit Morrow.

Ils étaient en train de les enfiler et de récupérer leurs écharpes quand Morrow se rendit compte qu'elle avait laissé son sac dans la cuisine. S'armant de courage, elle retourna le chercher.

Francine sanglotait toujours dans les bras de Rose quand elle le récupéra, le plus discrètement possible, comme si cela pouvait d'une manière ou d'une autre atténuer leur douleur. Elle s'apprêtait à quitter la pièce quand Rose repoussa soudain Francine et se leva d'un bond.

— Dawood a tué Robert.

Rose s'adressait à Morrow, pas aux flics assis à la table.

— C'est Dawood.

— Dawood McMann ? demanda Morrow.

— Oui, répondit Rose. Il a fait assassiner Robert à cause du signalement à la SOCA.

— La SOCA ? répéta Morrow en se demandant d'où elle connaissait l'acronyme. Un signalement à la SOCA ? Comment savez-vous ça ?

Rose baissa les yeux vers le visage paniqué de Francine.

— Il est sur l'ordinateur portable de Robert. Je l'ai en haut. Tout ira bien, Francine.

Elle recula d'un pas.

— Il n'y a que comme ça qu'on les aura. Ils ont tué Robert. Notre Robert.

Francine, qui tenait toujours la main de son amie, la lâcha.

Rose se rua vers l'escalier et Morrow lui emboîta le pas, au même rythme, en essayant de ne pas avoir l'air de la poursuivre.

Un signalement à la SOCA confirmerait d'où venait l'argent, où il allait, qui était l'intermédiaire. Un signalement à la SOCA leur permettrait d'apprendre de qui Michael Brown recevait ses ordres et de remonter la piste des armes. Elle suivit Rose à l'étage et dans un couloir sur la droite, franchit la porte à double battant de la chambre de Francine, plongée dans la pénombre. Rose fit coulisser les portes d'un placard, alla chercher une ottomane au pied du lit et la tira jusqu'à elle, avant de grimper dessus et de se hisser sur la pointe des pieds pour atteindre une étagère.

Elle en sortit un ordinateur portable pas plus épais qu'une feuille de papier. Elle le contempla. Puis, se retournant, elle le tendit à Morrow.

— Là-dedans, dit-elle. C'est à lui.

Morrow le prit et le serra contre elle.

Rose descendit et, comme épuisée, se laissa choir sur le pouf. Elle avait perdu toute envie de se battre. Elle restait là, immobile, les bras ballants, les yeux rivés sur la moquette.

Morrow s'assit sur le lit. Elles demeurèrent ainsi longtemps. Puis Morrow rompit le silence.

— Rose, j'ai besoin de prendre vos empreintes.

— Je sais. Pour Aziz. Je sais.

— Et Atholl.

Rose acquiesça.

— Et Atholl.

— Il s'est passé quoi avec Aziz ?

— Il a frappé Julius d'un coup de poing en pleine poitrine. Julius m'a appelée, c'est pour ça que l'ambulance est venue. Ses poumons ont lâché.

Elle fut envahie de sanglots.

— Il était par terre, ses yeux…

Le visage dans ses mains, elle tenta de reprendre sa respiration.

— Ils sont essayé. Mais ça n'a pas… Le lendemain, j'ai appelé Aziz. Je lui ai demandé de me retrouver à son bureau. En me voyant, il s'est mis à courir. Je ne peux pas vous dire ce que j'avais en tête.

— Vous aviez un couteau. Ce que vous aviez en tête est plutôt évident.

Elle changea la position de ses jambes.

— Je suppose. Il s'est engouffré dans les escaliers, il pensait que j'aurais trop peur pour le suivre. Il ne me connaissait pas...

— Et après, vous avez vomi ?

— Oui !

Elle se mit à rire, surprise et toujours en larmes.

— Oui ! Oui, j'ai été malade ! Ridicule ! Comme si, vous savez, comme si je n'avais jamais encore... Débile.

Morrow la regarda pleurer et rire d'elle-même.

— Vous êtes très exigeante avec vous-même.

— Je suis débile, vomir, bon sang ! J'ai pourtant connu pire...

Morrow hocha la tête en signe d'assentiment.

— Nous avons trouvé la photo chez Atholl. Le visage était rayé, méconnaissable.

Rose lui lança un regard d'avertissement.

— Vous connaissiez Sammy McCaig, non ? Ce n'était pas la première fois que vous le rencontriez cette nuit-là.

Rose refusa de la regarder.

— Je dis ça parce que si vous en parlez aux juges, ce sera pris en considération.

— Non, je ne leur dirai rien, répondit Rose d'une voix faible.

— Vous n'avez pas confiance ?

Rose sourit et lui jeta un regard à travers ses cils.

— Je les *connais*. Je les connais *tous*. Et ils me connaissent.

— Vous ne vous résumez pas à ça, répondit Morrow.

— Ce qu'ils ont pris...

Elle se figea soudain, comme Francine sur le seuil de la cuisine. Leva les yeux.

— Pourquoi vous vous souciez de Michael Brown ? demanda-t-elle. Vous le connaissez ?

— Non.

— Alors pourquoi ?

— Ce n'était pas juste, répondit Morrow.

C'était ridicule de dire ça. Ce n'était pas juste non plus de briser cette famille, d'enlever Rose à Francine, de voir Michael Brown libéré dans un monde qu'il ne supporterait pas. Ce n'était pas juste de condamner une fille de quatorze ans pour le meurtre d'un homme qui était devenu son maquereau. Rien de tout ça n'était juste. Morrow l'avait simplement fait pour dormir sur ses deux oreilles, pour avoir l'impression de valoir mieux que Riddell et Danny. Elle rêvait de plus grandes hauteurs d'âme, mais il n'y en avait pas.

Rose tendit une jambe devant elle.

— J'imagine que c'est un cinglé maintenant, non ?

— Michael n'a pas été gâté par l'existence, mais il ne s'en sort pas trop mal, mentit Morrow. Vous aussi, vous vous en sortez bien. Francine vous aime, elle vous fait confiance.

Rose s'effondra, la tête contre ses genoux, des larmes gouttant sur la moquette. Elle avait l'air terriblement vieille, brisée.

— Mais c'était Julius que je préférais. Je l'aimais. Et lui ne m'aimait pas.

Quand Morrow redescendit avec Rose et l'ordinateur, les flics attendaient debout dans le vestibule. Francine, dans la salle de jeux, avait éteint la télévision pour parler aux enfants. Tout le monde n'avait envie que d'une chose : partir. Tout de suite.

— Madame, dit McCarthy, juste deux mots. Ils ont deux suspects en vidéo sur le ferry pour Mull, aller et retour.

— On les connaît ?

— Un non. L'autre c'est Pokey Mulligan.

31

On n'autorisa pas Morrow à prendre part à l'arrestation. Trop de risques d'aboutir à un non-lieu devant le tribunal si la défense l'appelait à la barre et lui demandait s'il était bien son frère. Elle ne fut même pas autorisée à y assister. L'honneur en revint à Wainwright, même si c'était elle qui avait mené l'enquête, réuni les preuves, bâti tout le dossier. Mais l'affaire McMillan avait des ramifications dans d'autres affaires, si bien qu'on avait décidé en haut lieu que le service de Wainwright était le meilleur choix.

— Vous êtes en rogne ? demanda Wainwright en sortant du briefing au poste de Peel Street.

— Bien sûr que je suis en rogne. C'est moi qui ai fait tout le boulot.

Mais elle ne l'était en réalité qu'à moitié. Le reste de ce qu'elle ressentait, une sorte de pétillement dans les genoux, des papillons dans l'estomac, était un enthousiasme immodéré.

— Comme une diabétique qui m'offre un gâteau, sourit Wainwright. Vous ne pouvez même pas y goûter.

Cambrant le dos, il éclata d'un rire sonore, adressé au plafond, au-dessus de la tête de Morrow. Elle se mit à rire avec lui. Elle pensait à la démolition des Gorbals et à toutes ses récriminations infondées à l'encontre de Danny. Il ne lui avait jamais rien fait de mal, il fallait bien qu'elle l'admette, et voilà qu'elle était là, à se délecter de l'explosion.

La salle d'observation de Stewart Street était aussi bondée qu'un pub un jour de match du Old Firm[1]. Inspecteurs et agents s'entassaient là plutôt que de partir en pause ou de rentrer chez eux après leur service pour profiter d'un petit bout de l'interrogatoire de Danny. Morrow restait en retrait afin de ne pas être observée. De temps à autre, quelqu'un se retournait vers elle et, croisant son regard, tressaillait avant de se retourner aussitôt.

Danny était un homme fier. Il ne se rebellait pas, ne criait pas comme Michael Brown l'avait fait. Il ne ricanait pas non plus. Il ne fit rien de plus que de confirmer son nom, sa date de naissance et son adresse. Il tomba en piqué jusqu'au sol, sans laisser ni fumée ni débris. Pas de pluie de tessons, pas de sang sur la table.

Frustrés, les spectateurs commencèrent à se disperser.

La plupart du temps, son avocat faisait les réponses à sa place. Il connaissait Mulligan, en effet, mais Mulligan ne bossait pas pour Danny. Danny n'avait pas commandité les meurtres de Robert McMillan et de Simon Hume-Laing. Il n'était au courant de rien.

Wainwright lui présenta des éléments de preuve : les photos de Stepper, qui prouvaient qu'il avait rencontré Pokey mais rien d'autre ; le reçu d'un plein d'essence payé en liquide au terminal des ferrys de Mull, trouvé dans la voiture de Danny – il les avait conduits là-bas, ce qui encore une fois ne prouvait rien. Morrow savait que, question vidéosurveillance, les terminaux de ferry étaient bien équipés et elle doutait que Danny sût où les caméras se trouvaient.

Puis Wainwright leur annonça que Mulligan était prêt à témoigner contre Danny, à affirmer que ce dernier l'avait payé pour abattre Robert. Mulligan avait l'argent et cet argent provenait de l'entreprise de taxis de Danny. Les empreintes du comptable figuraient sur les billets.

Danny renifla bruyamment et changea de position sur sa chaise. L'avocat lui jeta un regard de côté, inquiet, conscient que désormais la suite n'était plus écrite.

---

1. Nom donné au derby local qui oppose chaque année les deux clubs de football de Glasgow, le Celtic et les Rangers.

— Pourquoi je le paierai pour aller descendre des types sur l'île de Mull ?

Danny souriait d'un air narquois, mais elle voyait bien qu'il était nerveux.

— Pour de l'argent, répondit Wainwright.

Cette fois, son éclat de rire fut sincère, quoique amer.

— De l'argent, j'en ai.

— Vous avez 3,2 millions, précisa Wainwright.

Danny ne broncha pas mais son avocat se pencha vers la table.

— D'où tenez-vous ce chiffre ?

Wainwright ne quitta pas Danny du regard.

— Le chiffre d'affaires de l'entreprise de taxis l'an passé. Les documents comptables déposés au greffe. La licence est à votre nom.

— Non, corrigea Danny. Erreur.

L'avocat se pencha encore, essayant de s'interposer.

— Et ça ne répond pas à la question : s'il possédait une telle somme, pourquoi en dépenserait-il pour commanditer le meurtre de quelqu'un ?

— Pour rendre service à un ami haut placé... Arrive un jour où un seul homme a acheté toutes les grosses voitures qu'il pouvait acheter. Passé un certain point, tout le monde est forcé de se faire un réseau à l'étranger, n'est-ce pas Danny ? Mais vous, vous n'en avez pas.

Morrow ferma les yeux et retint son souffle. Si quelque chose devait mal tourner ce serait maintenant. Wainwright n'avait qu'une chose à faire : le cracher. Mais il ne le fit pas. Il ne mentionna pas le nom de Dawood.

Il ferma son dossier.

— Je crois que nous allons en rester là pour l'instant.

La salle d'observation s'était vidée. Morrow était assise seule devant le petit écran de visionnage. Dawood McMann, en sage Salomon, assis à la table de la salle d'interrogatoire, conférait avec son avocat par des chuchotements brefs, décidant qui irait en taule et pour combien de temps. On lui avait promis une peine limitée à du sursis s'il acceptait de les aider à coincer un certain nombre d'individus pour une certaine quantité de chefs d'inculpation.

Morrow regarda Dawood leur livrer Mulligan, une bande de voleurs de voitures, la famille du jeune homme qui avait volé la Lotus de son concessionnaire, les deux autres réseaux de prêteurs de l'est, et Danny. Une inculpation pour meurtre commis en bande organisée allait envoyer Danny à l'ombre pour longtemps. C'était écœurant à regarder. Dawood était si calculateur qu'elle l'imagina demander à Danny d'organiser le meurtre de Robert McMillan, non pas pour couvrir ses propres activités mais comme un piège, histoire de le mettre hors circuit, de façon à ce que Dawood puisse empocher les 3,2 millions de livres. Trois zones entières de la ville ne seraient plus dominées par personne à présent. Danny était hors-jeu, les Mitchell affaiblis, le trafic de voitures volées interrompu, des écosystèmes entiers décimés. La ruée qui allait s'ensuivre pour le contrôle de la ville serait un carnage.

Les bras croisés, elle interrogea sa conscience, songea à la cité de la Route rouge s'effondrant dans un nuage de poussière grise et de gravats. Une même masse, une forme différente, une seule grande pagaille.

Dawood sourit à son avocat. Leurs têtes s'inclinèrent l'une vers l'autre le temps de décider d'un autre sort. Morrow se leva. Elle avait envie de cracher sur l'écran.

Seule dans la pièce, elle s'empara de son manteau posé sur une chaise d'un geste si rapide que la chaise tomba et alla heurter le sol avec fracas. Elle aima ça.

32

Debout dans la rue, Morrow et McCarthy contemplaient la façade de l'immeuble qui hébergeait les locaux d'Intelligence Solutions. C'était un vieux bâtiment de belle allure dans le centre-ville, voisin d'un agent immobilier de luxe à la vitrine truffée de photos aériennes d'immenses propriétés dans les Highlands. Toute une chaîne de montagnes était à vendre. Par contraste, le bureau du détective privé était sobre et discret. Le nom, INTELLIGENCE SOLUTIONS, était gravé sur une plaque en laiton, sans aucune précision quant aux types d'enquêtes prises en charge. Morrow avait jeté un coup d'œil sur leur site web en venant. Ils mettaient en avant les recherches de parents biologiques, les vérifications préalables à l'embauche, la recherche de preuves et les enquêtes sur les disparitions. En appelant le numéro de contact, elle était tombée sur un répondeur, même en pleine journée. Et à présent, l'endroit était fermé. Étrange et peu avenant pour une société censée offrir un service à ses clients.

Ils retournèrent au bureau. Quand ils arrivèrent, Harris racontait à quel point il aimait la crème glacée et Morrow se souvenait à quel point Harris lui manquait. Ce n'était pas la première fois qu'elle se demandait si elle avait fait ce qu'il fallait, si elle avait bien fait de révéler la vérité alors que ça allait contre ses intérêts, puis elle se souvint qu'Harris avait de toute façon été démasqué. McMahon et Gamerro n'avaient pas dit la vérité à l'époque et Michael Brown était peut-être allé en taule pour un crime brutal qu'il n'avait pas commis. Ils avaient dû le voir comme elle l'avait vu, comme un criminel en puissance, comme un crétin indigne de confiance, mais ça ne leur donnait pas pour autant le droit d'étouffer l'affaire. Ils avaient peur.

McCarthy partit au vestiaire consulter la messagerie de son téléphone personnel et Morrow, toute à ses pensées, retourna à la criminelle. Elle salua tout le monde avant d'entrer dans son bureau, de poser son sac et d'écouter ses messages. Jetant un œil dehors, elle vit que la porte du bureau de Riddell était fermée. Il était peut-être en réunion.

Elle hésitait encore à frapper quand la porte s'ouvrit sur un Riddell souriant, qui s'apprêtait à serrer la main de quelqu'un. Un civil sortit de son bureau, grand et gros, lunettes à monture dorée, cheveux bruns, visage allongé. Ce furent ses vêtements qui retinrent l'attention de Morrow. Un jean et une veste en tweed marron de très belle qualité, cintrée et taillée dans une laine douce. Le cuir marron de ses chaussures avait l'air si costaud et si épais qu'elles semblaient avoir fait plusieurs générations. Pas le genre de type qu'on voyait souvent à London Road et, visiblement, il s'était fait l'émissaire d'excellentes nouvelles.

— Ah, inspectrice Morrow ! lança Riddell.

Riddell leva un bras vers elle pour la présenter.

— Je vous présente David Monkton.

À peine Monkton eut-il croisé son regard que Morrow sut qu'il était là pour elle. Il lui tendit la main.

— Alex Morrow, j'ai beaucoup entendu parler de vous.

L'espace d'un instant, elle lut du dégoût dans son regard, puis les paupières mi-closes, il roula des yeux pour les laver, presque un clin d'œil. Ceci fait, il lui adressa un grand sourire.

— Toujours en bien, naturellement.

Comme un jeu de dominos en cascade, elle vit soudain à quel point elle pourrait lui être utile : perspicace et bosseuse, un réseau de flics à ses ordres, sans parler des contacts pris *via* Danny et Harris, et de sa réputation sans faille. Elle prit la main qu'il lui tendait.

— Enchantée, dit-elle. J'étais justement chez vous.

— Comme c'est étrange, répondit-il, mais elle sentit qu'il savait déjà. Et moi qui suis chez vous.

Il se mit alors à rire et Riddell rit aussi.

— Monsieur…, dit Morrow d'une voix inquiète.

— Oui, dit Riddell, cette autre affaire est complètement réglée. On les interroge tous au nord.

Danny, Dawood et Pokey Mulligan installés dans des salles séparées, à qui l'on montrait les signalements à la SOCA, les photos de Stepper et la vidéosurveillance du ferry. Il fallait qu'elle aille chercher Rose Wilson pour un interrogatoire et elle était soulagée de ne pas encore avoir pu en parler à Riddell. Elle posa les yeux sur Monkton : la hauteur d'âme qu'elle visait, c'était grâce à lui qu'elle l'atteindrait.

— Ils ont trouvé… hum…, fit Riddell en adressant à Monkton un regard discret. Je vous dirai plus tard.

Monkton eut un sourire plein de condescendance, comme si Riddell venait de réussir un test crucial pour la suite de sa carrière.

— Ne me laissez pas interférer dans les affaires de la police, sourit-il, narquois, ma visite n'est qu'informelle, juste pour un…

— Non, non, l'interrompit Riddell, c'est juste que, euh…

Il regarda Morrow.

— C'est tout, euh, enfin bref, tout est réglé. C'est clarifié. Avec l'autre histoire.

Riddell lui sourit, Monkton sourit à Riddell. Et Morrow songea à la photo d'identité judiciaire du jeune Michael Brown, âgé de quatorze ans. Tout le monde s'en fichait. Pour eux, tout allait bien.

— Inspectrice Morrow, je peux vous parler un instant ?

Monkton regardait vers le bureau de Morrow, déjà prêt à y entrer, et Riddell suivait le mouvement, le cou tendu vers la porte, souriant, heureux d'avoir passé le test et pressé d'obéir. Toute cette obséquiosité dictée par l'ambition sociale… Morrow crut que ses tympans allaient éclater.

— En haut ? dit-elle.

Les deux hommes la dévisagèrent.

À cet instant, Daniel sortit maladroitement de la salle des opérations et aperçut le petit groupe devant la porte de son inspectrice, Morrow flanquée des deux hommes d'imposante carrure qui la serraient de près et lui jetaient des regards noir. Elle avait l'air toute petite.

— Oups, fit Daniel en disparaissant aussi sec dans le bureau avant de repousser la porte à demi.

— Daniel ! l'appela Morrow. Je monte avec M. Monkton. Venez donc avez nous.

Souriant d'un air confus à l'inspecteur principal Riddell, Daniel sortit, marqua une pause, et se dirigea vers le bout du couloir. Seul le frottement de ses cuisses spectaculaires venait rompre le silence tendu.

Monkton se tourna vers Riddell.

— Ce ne sera pas long, Kevin, dit-il calmement.

Riddell regarda Morrow, l'implorant de ne pas mettre en rogne son nouveau meilleur atout pour l'avenir. Elle ne savait pas jusque-là qu'il envisageait de quitter la police. Monkton la regardait, lui aussi.

Elle se souvint de la photo de Michael Brown enfant, son T-shirt jaune sale, son regard bas, sa solitude, personne pour prendre sa défense. Alors elle dit :

— À l'étage, s'il vous plaît, monsieur.

Mais Monkton n'avait pas l'intention d'obéir.

— Je n'ai pas le temps, pas pour ça.

— Pour *ça* ? Vous ne savez pas ce que c'est, *ça*.

— J'ai rendez-vous avec votre chef…

— Monsieur Monkton, vous aviez le temps de me parler dans mon bureau, servons-nous de ce temps pour nous parler en haut.

Et elle l'avait pris par le coude, elle le guidait doucement vers la porte qui menait à l'escalier en pensant à Danny. Danny dans sa voiture qui la regardait à travers le pare-brise, Danny qui avait besoin qu'elle entretienne les mensonges.

Alors que la porte se refermait derrière eux, elle aperçut un instant l'inspecteur principal Riddell en plein désarroi, penaud comme un enfant privé de Noël.

Seul dans l'escalier, Monkton marmonna.

— Je sais tout sur vous.

314

Elle ne répondit rien. La salle d'interrogatoire n° 2 était occupée, alors elle prit la trois, et Daniel entra derrière elle. Tout à fait calmement, Monkton prit place du côté des interrogés avec un sourire narquois et posa les mains à plat sur la table tandis que les deux femmes s'asseyaient face à lui, glissaient une cassette dans le magnétophone et lui annonçaient qu'il était filmé.

— Je connais la musique, dit-il.

— Tant mieux. Alors vous saurez qu'il s'agit juste d'une petite conversation informelle concernant certains points d'une enquête sur laquelle nous travaillons.

Monkton haussa lentement un sourcil, signifiant à Morrow qu'il n'existait pas une seule affaire sur laquelle elle bossait dont il n'était pas au courant.

— David, dit-elle, tout en sentant Daniel très à l'aise en présence de Montkon. Vous êtes le directeur d'Intelligence Solutions, n'est-ce pas ?

Il jeta un regard vers la caméra dans le coin de la pièce, se passa la langue sur les lèvres et confirma.

— Vous pouvez m'en dire plus sur votre activité ? Ce que vous faites ?

— Nous sommes, dit-il en s'adressant à la caméra, une société d'enquêteurs privés. Nous traitons beaucoup d'affaires de différentes natures, toutes dans les limites de la loi, si je puis me permettre – il prit le temps de sourire à Morrow, puis leva de nouveau les yeux vers la caméra –, cela va de la recherche de parents biologiques à la recherche d'héritiers. Nous procédons aussi à des vérifications préalables à l'embauche pour des employeurs, ce genre de chose.

Il lui décocha alors son sourire à mille dollars et attendit la question suivante.

— Très bien, tout ça est très bien, fit-elle. Maintenant, avant de lancer votre société…

— Vous croyez que tout ça ne compte pas pour les gens ? l'interrompit-il.

Il ne regardait plus la caméra à présent. Il la regardait elle, les yeux dissimulés derrière ses lunettes hors de prix, les narines gonflées.

Il cherchait à détourner la conversation. Il voulait les lancer dans un débat, qu'on entende Morrow soutenir sur l'enregistrement que c'était mal de réunir des familles tandis qu'il soutiendrait l'inverse.

— Vous étiez dans la police, n'est-ce pas ?

Voyant que la sauce n'allait pas prendre, il inspira un bon coup, sourit.

— J'étais l'un des vôtres oui.

— Vous vous souvenez où vous étiez la nuit où la princesse Diana est morte ?

Il se souvenait mais essaya encore de la semer.

— À Paris ?

— Vous étiez à Paris ?

— Non.

Il eut un petit rire, léger, pétillant.

— Elle, elle était à Paris. Elle est morte à Paris. Très triste.

Il prit une mine affligée et secoua la tête pour montrer au monde que ça n'aurait pas dû se produire et que ça l'attristait.

— Où étiez-vous le lendemain ?

Morrow s'exprimait d'une voix neutre mais sentait un frisson de vertu frémir dans sa poitrine. Ils mentaient tous, tout le monde, fuyaient la vérité par peur, par calcul ou pour quelques billets. Mais pas elle.

— Je suppose…

Il se frotta le menton et chercha une réponse au plafond.

— Je suppose que je travaillais.

— En tant qu'agent de police.

— En tant qu'agent de police.

— Au poste de ?

— Stewart Street.

— Qui était votre supérieur à l'époque ?

— Hum…

Il fit mine d'essayer de se souvenir.

— Vous savez, David, la plupart des gens se souviennent exactement de l'endroit où ils étaient cette nuit-là. Si vous prétendez le contraire, ils risquent de croire que vous mentez.

316

Il était content d'elle à présent car la diversion venait d'elle. Il lui sourit, cet homme riche et superbe, cet homme qui par ses relations détenait les moyens et le pouvoir d'accorder l'absolution pour presque toutes les transgressions.

Elle battit des paupières et l'espace d'une seconde vit Michael Brown, debout à la même table, menotté, extirpant sa bite flasque de son pantalon à élastique pour l'effrayer et la dégoûter afin qu'elle détourne le regard. Et elle se souvint du visage de Brown, un masque de terreur, de la fureur qu'inspirait sa terreur, et de l'horreur qu'inspirait sa vie.

Elle ouvrit les yeux, se souvenant de McCarthy muni de lingettes imprégnées d'alcool à cette même table, qui nettoyait les minuscules mouchetures de pisse dont Brown l'avait aspergée.

— Les gens se souviennent.

Elle avait presque oublié de quoi ils parlaient.

— Parce que c'était choquant et parce que tout le monde, ensuite, racontait où il se trouvait au moment où il avait appris, on raconte ces histoires encore et encore. Pourquoi est-ce qu'on les raconte ? Est-ce qu'on essaie d'entrer dans son histoire ? Peu importe la raison, chacun sait où il était, non ?

Pensant qu'elle lui offrait une porte de sortie, Monkton profita de l'aubaine.

— Oui, eh bien je ne crois pas en avoir parlé...

— Ce n'est pas ce que je vous dis. Ce que je vous dis, c'est qu'on se souvient tous où on était cette nuit-là.

Monkton acquiesça d'un signe, encore persuadé qu'elle lui demandait de trouver un meilleur mensonge.

— Nous avons des documents qui montrent clairement que vous avez pris les empreintes de Michael Brown cette nuit-là.

— Michael Brown.

Il plissa des yeux vers la table, secoua la tête.

— Je ne crois pas me souvenir d'un Michael Brown.

— Un jeune garçon, quatorze ans. Vous êtes allé le chercher au foyer où il vivait, Cleveden House.

— Non, je ne crois pas me souvenir...

— C'est étrange. Tous les autres se le rappellent.

Il la regarda, scruta son visage et sourit.

— Oh oui, un petit gars.

Elle se rendit compte qu'il attendait qu'elle l'aide. Qu'elle ait pu vouloir l'arrêter ne lui avait pas traversé l'esprit. Il croyait qu'elle lui avait laissé une porte ouverte et cherchait en toute confiance à ce qu'elle le guide.

— Jeune, oui, dit-elle. Vous avez pris ses empreintes. Sur du papier.

— Oui.

— Vous vous en souvenez ?

— À l'époque, on faisait ça sur des fiches.

— Les vieilles fiches décadactylaires.

— Exact. À l'encre.

— Vous vous rappelez avoir pris les empreintes de Brown ?

— Je crois...

— Les avez-vous interverties avec celles de Rose Wilson ?

Sept secondes s'écoulèrent sans que Monkton bouge ou respire. Morrow l'imagina en train de fouiller dans un Rolodex de mensonges, jusqu'à ce qu'il s'arrête sur :

— Rose qui ?

Il secoua la tête, d'abord lentement, puis de plus en plus vite et avec ferveur.

— Je ne...

— D'accord, dit-elle en se levant. Je ne vais pas essayer de vous rafraîchir artificiellement la mémoire...

— Je me souviens de Michael Brown.

Il paniquait. Elle le voyait dans ses yeux. Il pensait avoir choisi le mauvais mensonge.

— Mais mon chef ce soir-là...

Elle se rassit.

— George Gamerro, dit-elle.

— Oui, répondit-il en scrutant son visage à la recherche d'indices. George Gamerro...

— C'était un meurtre. Un enfant du foyer trouvé mort dans une ruelle, poignardé dans le cou. Vous êtes allés chercher son frère cadet au foyer. Vous et l'agent McMahon.

318

— Harry.

Il ne s'était pas fait prier pour glisser ce détail-là. Il voulait qu'elle sache qu'il le connaissait.

— Harry McMahon, oui. Il travaille pour vous maintenant.

— Ah bon ?

— Il travaille pour vous et vous ne le savez pas ?

— On emploie un sacré paquet de monde. Je ne les connais pas tous.

— Donc vous êtes allés chercher le gosse et vous l'avez inculpé. McMahon n'était pas là au moment de la prise d'empreintes, mais vous si. Que s'est-il passé ?

— Que voulez-vous dire ?

— Ce ne sont pas les empreintes de Michael Brown.

— Une erreur de classement, on dirait. Non ?

Il tirait à l'aveugle, maintenant. Morrow le regarda droit dans les yeux, un regard qui en disait long.

— Comme vous le savez forcément, une série de garde-fous sont mis en place pour éviter que cela arrive.

— Ce ne serait pas à cause de la numérisation ? Peut-être ?

Il lut sur son visage qu'il avait faux, de nouveau.

— Elles ont été changées plus tard ? Tout a été informatisé, ça aurait pu se mélanger ensuite. Peut-être ?

Morrow n'avait pas d'autre question et rien d'autre à lui dire. Elle resta là, assise, sans expression, à le regarder se débattre. Les yeux de Monkton couraient sur son visage, à la recherche de la porte ouverte qu'il était certain qu'elle lui avait laissée. Monkton n'arrivait pas à croire qu'elle ne l'aidait pas.

— McMahon aurait pu les intervertir ? Ou Gamerro ? C'est ce que vous vous dites ? Ou bien l'agent qui était de service à l'accueil ?

Elle le contemplait, savourait son malaise et songeait à Brown enfant, un enfant endeuillé qu'on avait détruit davantage parce que ça arrangeait quelqu'un quelque part pour une raison quelconque. Un caprice peut-être.

— Qui était à l'accueil cette nuit-là ? demanda Monkton, qui ne lâchait pas le morceau.

— L'agent Riddell, dit-elle.

319

Ce n'était pas vrai mais elle lui montrerait la cassette plus tard, pour le ferrer.

Monkton eut l'air déçu mais se résigna à faire porter le chapeau à Riddell si c'était ça la porte vers laquelle elle le menait.

— Eh bien, si Riddell... Je veux dire, il me semble que tout ça regarde la police. Je ne vois pas en quoi...

— Vous avez interverti les empreintes, Monkton.

Monkton cessa de lutter. La vidéo n'en montrerait rien mais elle voyait qu'il était furieux.

— Vous l'avez fait.

— Pourquoi diable aurais-je fait un truc pareil ?

— Pour Anton Atholl.

Il ne réagit pas.

— Julius McMillan.

De nouveau rien.

— Pour Dawood McMann.

Et voilà. Elle était là, la réponse. Il l'avait fait pour Dawood. L'industrie des services. Corruption sur commande.

— Pourquoi donc aurais-je fait une chose pareille pour Dawood McMann ?

— L'argent ? Un renvoi d'ascenseur ? Ce n'est pas mon problème, mais je crois que vous l'avez fait.

— C'est une sacrée allégation, inspectrice Morrow. Une sacrée allégation à l'encontre d'un homme d'affaires respecté et de deux des plus grands avocats d'Écosse.

— Qui sont morts tous les deux.

— Qui sont morts tous les deux, concéda-t-il.

— Ils vont sûrement porter le chapeau, du coup.

Monkton se reprit.

— Vous pensez honnêtement que vous pouvez agir comme bon vous semble ? Dire aux gens ce que bon vous semble parce que votre frère est un gangster ? Un gangster notoire ? Chose que vous avez délibérément cachée pendant des années ?

— Non, je crois pouvoir le dire parce que je suis flic.

— Un flic qui a frauduleusement contracté un prêt social ? Comment se porte votre toit, Alex ?

Elle n'arrivait plus à penser clairement. Il employait des tonnes de gens, avait-il dit. Ses employés se comptaient peut-être par centaines. Et puis il y avait les sous-traitants : Stepper et sa camionnette en faisaient partie. Comment diable avaient-ils pu dénicher cette information-là ? Ils avaient sans doute accès à tout, à son dossier médical, au certificat de décès de son fils, aux résultats de ses frottis. Tous les documents qu'elle avait signés au cours de son existence défilèrent dans sa tête. Il était omniprésent, puissant.

Ne sachant que répondre, elle répéta :

— Je crois que vous les avez interverties...

Mais sa voix avait faibli.

Inutile pour lui d'ajouter quoi que ce soit. L'air outragé, il bascula contre le dossier de sa chaise et croisa les bras.

La voix toujours faible, elle demanda :

— Êtes-vous en train d'essayer de m'intimider, monsieur Monkton ?

— Pourquoi ferais-je ça ?

— Encore une fois, je me fiche de connaître vos motivations, je veux juste savoir si vous cherchez à m'intimider. Je crois comprendre que votre société a informé le *Daily News* que mon demi-frère était Daniel McGrath.

— Ah bon ?

— Non, *je* vous demande à *vous* s'ils l'ont fait.

— Je ne sais pas. C'est une grosse société, nous sommes implantés dans toute l'Écosse. Nous employons, comme je l'ai dit, tout un tas de monde. Je ne suis pas de près les opérations individuelles de nos détectives, ce serait inapproprié...

Elle vit alors en pensée une main frapper à la porte et Brian qui ouvrait. Un visage souriant et un porte-bouteilles en carton contenant trois bouteilles de vin. Un stratagème facile, un écran de fumée. Brian leur aurait parlé du prêt, il était honnête. Il leur avait parlé du prêt.

En levant la tête, Monkton s'aperçut qu'elle souriait. Trois bouteilles de vin. Elle en sentait encore le goût. Pour le prix de trois bouteilles de vin. Il n'était pas omniscient. C'était juste un escroc à deux balles. Elle le félicita presque.

— Professionnellement parlant, vous arrive-t-il de contacter des gens sous de faux prétextes dans le but d'obtenir des informations, monsieur Monkton ?

Il secoua la tête, comme s'il était déconcerté par l'idée.

— Quelqu'un s'est présenté chez moi qui prétendait réaliser une étude de marché...

— Le terme est très vague. Ça ne veut pas dire qu'il s'agit de quelque chose dont ils vont se servir pour s'implanter sur un véritable marché.

— Hmm.

Il changea brusquement d'attitude.

— Vous avez déjà réfléchi à ce que vous ferez une fois que vous aurez quitté la police, madame Morrow ? sourit-il. Ce ne sont pas des périodes faciles, je trouve.

— Hmm.

Elle le tenait à présent, comme il la tenait. Ils pouvaient tous les deux déposer les armes et faire machine arrière, sans aucun préjudice. Et la vie reprendrait son cours. Il lui offrait du boulot et de nouveau, elle vit à quel point elle lui serait utile, et combien il serait prêt à la payer pour qu'elle le soit.

Elle avait coulé sa carrière. Concernant Dawood, Danny ou Pokey Mulligan, les lauriers ne seraient pas pour elle ; ce ne serait pas elle qu'on féliciterait d'avoir fait tomber le réseau *hundi*. Wainwright récolterait tous les honneurs. Poursuivre Michael Brown avait coûté une fortune au bureau du procureur et maintenant, ils allaient devoir annuler sa condamnation, renvoyer Rose Wilson devant les juges pour le meurtre de Pinkie Brown, alors qu'ils arrivaient tout juste à financer les affaires en cours. Quand la fusion nationale des polices deviendrait réalité, ils la colleraient dans un bureau à brasser de la paperasse. Mais elle pouvait se faire Monkton. De toute façon, ils la détestaient, alors autant mettre leur futur employeur sous les verrous.

Alex se pencha vers lui.

— Monsieur Monkton, je crois que vous avez délibérément interverti les empreintes, ce qui a conduit à la condamnation de Michael Brown pour le meurtre de son frère, qu'il n'avait pas commis.

322

Il transpirait à présent, paniqué comme un cheval dans un box en flammes.

— Qui est Michael Brown pour vous ? Votre cousin ou quelque chose ? Votre neveu peut-être ?

— C'est pourquoi, monsieur Monkton, je vous inculpe pour entrave à l'exercice de la justice. Je vais maintenant vous lire vos droits et j'aimerais que vous écoutiez avec attention, parce qu'il est possible qu'ils aient changé depuis votre époque.

Et c'est ce qu'elle fit.

Remerciements

Un grand merci à Herr Doktor James Semple. Je me rends compte maintenant que c'est lui qui a fait tout le boulot et non Philip ou Gerard qui se contentaient en fait de lui voler la vedette. Je le remercie aussi au passage pour le seau de méthadone.

Et, comme toujours, mille mercis à Jon Wood, Peter Robinson, Susan Lamb, Anthony Keates et Angela McMahon pour toute leur aide et leur soutien. Jemima Forrester ayant peur des meringues, merci de ne pas lui en offrir de ma part comme gage de ma gratitude.

Et, pour finir, merci à ma mère, à mes hommes, petits et grands, et à tous mes super potes. Je suis vraiment une sacrée veinarde.

Composition PCA

Achevé d'imprimer par
CPI FIRMIN DIDOT – LE-MESNIL-SUR-L'ESTRÉE (Eure)
en OCTOBRE 2015

N° d'édition : 01 – N° d'impression : 131349
Dépôt légal : novembre 2015
Imprimé en France